Es

guide de conversation

Guide de conversation *Espagnol* 4
Traduit de l'ouvrage *Spanish Phrasebook 3, March 2008*

© **Lonely Planet Publications Pty Ltd 2013**

Traduction française : © Lonely Planet 2013
12 avenue d'Italie, 75627 Paris cedex 13
☎ 01 44 16 05 00
▣ lonelyplanet@placedesediteurs.com
▣ www.lonelyplanet.fr

Dépôt légal
Février 2013
ISBN 978-2-81613-205-2

Illustration de couverture
Éric Giriat

texte © Lonely Planet Publications Pty Ltd 2013

Imprimé par
Laballery, Clamecy, France

En Voyage Éditions │ un département

Ce guide de conversation Espagnol a été conçu par Meg Worby, Marta López et les éditions Lonely Planet.

Direction éditoriale : Didier Férat
Coordination éditoriale : Émilie Esnaud
Responsable pré-presse : Jean-Noël Doan
Traduction et adaptation en français : Yann Champion
Adaptation graphique : Alexandre Marchand
Illustrations : Éric Giriat

La maquette de ce guide a été créée par Yukiyoshi Kamimura. Pierre Brégiroux l'a adaptée pour l'édition française.
Annabelle Henry s'est chargé de la couverture. La carte de répartition de la langue a été réalisée par Natasha Velleley, avec l'aide de Paul Piaia et de Wayne Murphy.

Nos plus vifs remerciements vont à Dolorès Mora ainsi qu'à Laura de la Parte pour leur précieuse contribution au texte.

Sachez tirer parti de votre guide...

Nous pouvons tous parler une langue étrangère ! Tout est question de confiance en soi. Peu importe si vous n'avez rien gardé de vos cours de langue à l'école. Si vous assimilez aujourd'hui ne serait-ce que les expressions de base reproduites sur la couverture de ce guide, votre voyage en sera métamorphosé. N'hésitez pas, profitez de cette porte ouverte sur le monde hispanisant, lancez-vous dans l'aventure de la communication !

comment se repérer

Ce guide est divisé en différents sections. Le chapitre **basiques** expose les bases de l'espagnol. Il sera votre référence permanente. La partie **pratique** présente les situations de la vie quotidienne. Celle intitulée **en société** vous offre les clés des rapports sociaux : comment engager une conversation, tester son pouvoir de séduction ou exprimer une opinion. Une section entière, **à table**, est consacrée à l'alimentation, avec des rubriques gastronomie, plats végétariens et spécialités locales. La partie **urgences** aborde les problèmes de sécurité en voyage et de santé. Un index détaillé, situé en fin d'ouvrage, répertorie les différentes questions abordées. Il est précédé d'un dictionnaire bilingue.

pour vous exprimer

Chaque phrase et expression de ce guide est présentée en espagnol, accompagnée de sa transcription phonétique (matérialisée par des phrases de couleur dans la partie droite de chaque page) et de sa traduction en français. Notre système de transcription est expliqué en détail dans le chapitre **prononciation** de la partie **basiques**. Il ne requiert pas d'apprentissage spécifique.

les petits plus

Les encadrés *expressions courantes* vous offrent un aperçu de l'espagnol tel qu'il est parlé dans la rue. N'hésitez pas à vous en inspirer. Ceux intitulés *parler local* réunissent des phrases qui reviennent souvent dans une situation spécifique. Pour faciliter votre compréhension, la phonétique est alors employée avant l'espagnol.

sommaire

5

espagnol

États-Unis
d'Amérique

Mexique

Cuba

République dominicaine
Porto Rico

Guatemala
Salvador
Honduras
Costa Rica
Panama
Équateur

Nicaragua

Venezuela

Colombie

Pérou

Bolivie

Paraguay

Uruguay

Chili

Argentine

■ langue nationale
■ langue comprise
■ langue régionale

Pour plus de détails, voir l'**introduction**.

Voir agrandissement

Espagne

Guinée équatoriale

France

Basque

Galicien   *Andorre*

Madrid

Catalan   Alguer ○

ESPAGNE   *Sardaigne (Italie)*

carte

7

L'espagnol, également appelé castillan, est la plus parlée des langues romanes, le groupe de langues dérivées du latin dont font notamment partie le français, l'italien et le portugais. C'est non seulement la langue de l'Espagne, mais c'est aussi la langue la plus parlée d'Amérique latine et des Antilles. Elle est en outre utilisée aux Philippines et sur l'île de Guam, ainsi qu'en certains endroits de la côte africaine et des États-Unis. À l'échelle mondiale, on recense plus de 30 pays ou territoires où l'espagnol est parlé.

L'espagnol est dérivé du romain vulgaire, apporté sur la péninsule Ibérique par des soldats et des marchands romains durant la conquête romaine (du IIIe au Ier siècle avant J.-C.). En 19 av. J.-C., l'Espagne était totalement romanisée. Le latin devint la langue de la péninsule pour les quatre siècles qui suivirent.

Dans les grandes villes touristiques, il n'est pas rare de rencontrer des personnes qui maîtrisent le français. Mais comme partout, les Espagnols apprécient que les visiteurs fasse un effort pour connaître au moins quelques mots de leur langue.

Ce guide vous fournira les mots et les phrases utiles pour vous faire comprendre, mais aussi nombre d'expressions idiomatiques ou amusantes destinées à mieux vous faire connaître l'Espagne et ses habitants.

Outre la satisfaction que procure le fait de se faire comprendre, la découverte de l'espagnol enrichira considérablement votre voyage, tant d'un point de vue humain que culturel. Oubliez votre timidité : c'est à vous de parler !

carte d'identité

nom : espagnol, castillan

nom original :
español és·pa·nyol
castellano kas·té·lya·no

famille : langue romane

nombre approximatif de locuteurs : plus de 390 millions

parents proches : espagnol latino-américain, portugais, italien

emprunts à l'espagnol : bourrique, casque, cédille, moustique, résille et nombre d'autres mots familiers...

introduction

> basque, catalan et galicien

Vous trouverez également dans ce guide quelques phrases basiques dans les autres langues officielles de l'Espagne, même si le castillan est, de loin, le plus largement parlé.

N'étant pas une langue latine, le basque est plus difficile à appréhender que le catalan ou le galicien, qui possèdent donc des origines communes avec l'espagnol et le français.

Pour plus de renseignements sur ces langues régionales et quelques phrases utiles, consultez la section qui leur est consacrée, p. 100.

> abréviations utilisées dans ce guide

f	féminin
fam	familier
m	masculin
pl	pluriel
pol	politesse
sg	singulier

La prononciation espagnole n'est pas difficile, car la plupart des sons ressemblent à ceux employés en français. Il suffit de respecter quelques règles simples pour parvenir à se faire comprendre.

La relation qui existe entre les lettres et leur prononciation en espagnol est simple, constante et cohérente.

Comme dans la plupart des langues, la prononciation peut varier d'une région à l'autre. Le présent guide traite de l'espagnol castillan.

accent tonique

acento tónico

L'accent tonique signifie que dans chaque mot de plusieurs syllabes, l'une d'entre elles est prononcée de manière plus énergique. La règle de base est que l'accent tombe sur l'avant-dernière syllabe lorsque le mot se termine par une voyelle, un *n* ou un *s*. Dans les autres cas, c'est la dernière syllabe qui est accentuée.

Si une syllabe porte un accent écrit, cela annule toutes les autres règles et c'est cette syllabe qui est accentuée.

voyelles

vocales

symbole	équivalent français	exemple espagnol
a	**a**mi	**a**gua
é	bl**é**	núm**e**ro
i	v**i**gne	d**í**a
o	m**o**t	**o**jo
ou	l**ou**pe	g**u**sto
ay	chand**ail**	b**ai**lar
aou	y**aou**rt	**au**tobús
oy	cow-b**oy**	h**oy**

consonnes

symbole	équivalent français	exemple espagnol
b	**b**ateau	*b*arco/se*v*ero
tch	at**ch**oum	**ch**ica
d	**d**anse	**d**inero
f	**f**ourmi	**f**iesta
g	**g**are	**g**ato
k	**c**aramel/ lou**k**oum	**c**abeza/ **qu**eso
Rh	sorte de **r** râclé au fond de la gorge	**j**ardín/**g**ente
l	**l**ac	**l**ago
ly	mi**ll**ion	**ll**amada
m	**m**anteau	**m**añana
n	**n**on	**n**uevo
ny	ca**ny**on	se**ñ**ora
p	**p**igeon	**p**adre
r	**r** "roulé" (le roulement est plus fort quand le **r** est double ou en début de mot)	**r**itmo/ bu**rr**o
s	**s**avon	**s**emana
t	**t**able	**t**ienda
S	**s** "zézayé"(la pointe de la langue entre les dents)	Bar**c**elona/ man**z**ana
w	**w**hisky	g**u**ardia
y	**y**aourt	*v*ia*j*e

Quelques règles à retenir concernant la prononciation des consonnes en espagnol :

la lettre *c* se prononce en "zézayant", bar·Sé·*lo*·na (Barcelona), sauf lorsqu'elle est suivie de *a, o, u* ou d'une consonne (comme en français, elle se prononce alors comme un *k*).

à la fin d'un mot, la lettre *d* ne se prononce que très légèrement, comme un S, voire pas du tout.

la lettre *j* se prononce comme un r très dur et guttural ; c'est pourquoi nous avons utilisé le symbole Rh dans nos guides phonétiques.

le roulement est accentué sur les doubles *r* et en début de mot.

la lettre *q* se prononce k.

la lettre *v* se prononce b, mais les puristes veilleront à ne pas presser les lèvres aussi fort que pour un *b*.

plusieurs lettres espagnoles n'existent pas en français : *ch, ll* et *ñ*. Vous remarquerez qu'elles ont leurs propres entrées dans le dictionnaire espagnol-français.

alphabet espagnol								
a	*A*	a	*b*	*B*	bé	*c*	*C*	Sé
ch	*CH*	tché	*d*	*D*	dé	*e*	*E*	é
f	*F*	é·fé	*g*	*G*	Rhé	*h*	*H*	a·tché
i	*I*	i	*j*	*J*	*Rho*·ta	*k*	*K*	ka
l	*L*	é·lé	*ll*	*LL*	é·lyé	*m*	*M*	é·mé
n	*N*	é·né	*ñ*	*Ñ*	é·nyé	*o*	*O*	o
p	*P*	pé	*q*	*Q*	kou	*r*	*R*	é·ré
s	*S*	é·sé	*t*	*T*	té	*u*	*U*	ou
v	*V*	ou·bé	*w*	*W*	ou·bé do·blé	*x*	*X*	é·kis
y	*Y*	i·*gryé*·ga	*z*	*Z*	Sé·ta			

faux amis

Attention aux faux amis, ces mots qui ressemblent à des mots français, mais qui pourraient vous mettre dans l'embarras si vous les utilisez mal en espagnol. Voici quelques erreurs un peu trop faciles à faire :

Estoy constipado/a. m/f
   és·toy konns·ti·pa·do/a   **J'ai un rhume.**
et non "**Je suis constipé(e)**", qui se dit
   Estoy estreñido/a m/f   és·toy és·tré·nyi·do/a

Estoy embarazada.
   és·toy ém·ba·ra·Sa·da   **Je suis enceinte.**
et non "**Je suis embarrassé(e)**", qui se dit
   Estoy avergonzado/a m/f   és·toy a·bér·gonn·Sa·do/a

largo/a m/f   lar·go/a   **long**
et non "**large**", qui se dit
   ancho/a,   ann·tcho/a m/f

contestar   konn·tés·tar   **répondre**
et non "**contester**" qui se dit
   impugnar,   im·poug·nar

criar   kri·yar   **élever**
et non "**crier**" qui se dit
   gritar,   gri·tar

grammaire de A à Z

Ce chapitre a pour but de vous aider à construire vos phrases. Si vous ne trouvez pas la phrase que vous souhaitez dire dans ce guide, pas de panique : il suffit en général de quelques notions de grammaire, des bons mots et de quelques gestes pour se faire comprendre.

adjectifs

Je cherche un hôtel confortable.

Estoy buscando un   és·*toy* bous·*kann*·do oun
hotel cómodo.   o·*tél* ko·mo·do
(litt : Suis cherchant un
hôtel confortable)

Comme en français, les adjectifs s'accordent en genre et en nombre avec le nom :

	singulier	pluriel
masculin	*fantástico*	*fantásticos*
féminin	*fantástica*	*fantásticas*

un hotel fantástico	oun o·*tel* fann·*tas*·ti·ko	**un hôtel fantastique**
una comida fantástica	ou·na ko·*mi*·da fann·*tas*·ti·ka	**un repas fantastique**
unos libros fantásticos	ou·nos *li*·bros fann·*tas*·ti·kos	**des livres fantastiques**
unas tapas fantásticas	ou·nas ta·pas fann·*tas*·ti·kas	**des tapas fantastiques**

Les adjectifs qualificatifs se placent en général après le nom qu'ils qualifient. Les adjectifs de quantité (beaucoup, un peu, etc.) et les adjectifs possessifs (mon, ton, nos...) se placent devant le nom.

grammaire de A à Z

muchos turistas	*mou·tchos tou·ris·tas*	beaucoup de touristes
primera clase	*pri·mé·ra kla·sé*	première classe
mi coche	mi *ko·tché*	ma voiture

articles définis

À la différence du français, les deux articles définis *el* et *la* (respectivement "le" et "la") s'accordent en genre au pluriel. On notera aussi qu'un masculin en français ne correspond pas forcément à un masculin espagnol et vice versa (voir exemples dans le tableau ci-dessous).

L'espagnol dispose en outre d'un article neutre, *lo*, que l'on utilise devant un adjectif ou un participe passé, qui prennent alors la valeur d'un nom pour exprimer une idée générale ou abstraite. Par exemple, *lo prohibido* (littéralement : l'interdit) signifie *ce qui est interdit*.

	singulier	pluriel
masculin	*el*	*los*
féminin	*la*	*las*

el coche	el *ko·tché*	la voiture
los coches	los *ko·tchés*	les voitures
la tienda	la *tyen·da*	le magasin
las tiendas	las *tyen·das*	les magasins

Voir aussi **genre** et **articles indéfinis**.

articles indéfinis

Je voudrais un billet et une carte postale.

Quisiera un billete y ki·syé·ra oun bi·*lyé*·té i
una postal. ou·na pos·*tal*
(litt : Voudrais un billet et une carte postale)

Un et *una* (**respectivement, "un" et "une"**) **deviennent** *unos* et
unas au pluriel. Toutefois, ces deux dernières formes se traduisent
le plus souvent par "quelques".

masculin	un sg	un huevo oun *wé*·bo	un œuf
	unos pl	unos huevos ou·nos *wé*·bos	des œufs
féminin	una sg	una casa ou·na *ka*·sa	une maison
	unas pl	unas casas ou·nas *ka*·sas	des maisons

Pour exprimer "des" comme en français, l'article indéfini est très
souvent tout simplement supprimé.

J'ai des cartes postales.

Tengo postales tén·go pos·*ta*·lés

avoir

J'ai deux frères.

Tengo dos hermanos. tén·go dos ér·ma·nos
(litt : Ai deux frères)

La possession peut s'exprimer de plusieurs manières. La plus
simple est d'utiliser le verbe *tener* (avoir).

j'	ai	un billet	yo	tengo	un billete
tu	as	la clé	tú	tienes	la llave
vous sg pol	avez	la clé	usted	tiene	la llave
il/elle	a	des aspirines	él/ella m/f	tiene	aspirinas
nous	avons	des allumettes	nosotros/ nosotras m/f	tenemos	cerillas
vous pl fam	avez	des tapas	vosotros/ vosotras m/f	tenéis	tapas
vous pl pol	avez	des tapas	ustedes	tienen	tapas
ils	ont	des problèmes	ellos/as m/f	tienen	problemas

Voir aussi les rubriques **possessifs** et **complément du nom**.

complément du nom

Comme en français, l'appartenance est exprimée par la préposition *de* (dé).

C'est le sac à dos de mon ami.
> *Esa es la mochila de mi amigo.*
> (litt : Celui-ci est le sac à dos de mon ami)

é·sa és la mo·*tchi*·la dé mi a·*mi*·go

Voir aussi **avoir** et **possessifs**.

démonstratifs

On trouve en espagnol trois démonstratifs, que l'on emploie différemment selon que le sujet dont on parle est plus ou moins proche, au propre comme au figuré.

masculin	singulier	pluriel
proche du locuteur	éste	éstos
proche de l'interlocuteur	ése	ésos
loin	aquél	aquéllos
féminin	singulier	pluriel
proche du locuteur	ésta	éstas
proche de l'interlocuteur	ésa	ésas
loin	aquélla	aquéllas

Voir aussi **désigner**.

désigner

La manière la plus simple de désigner quelque chose ou quelqu'un est es (c'est). Les hispanophones ont aussi l'habitude de préciser si ce dont ils parlent est plus ou moins proche, grâce aux expressions esto es (pour un objet proche) et eso es (plus éloigné).

Es una guía de Sevilla.	és ou·na gui·ya dé sé·bi·lya	C'est un guide de Séville.
Esto es mi pasaporte.	és·to és mi pa·sa·por·té	C'est mon passeport.
Eso es gazpacho.	é·so és gaS·pa·tcho	C'est du gaspacho.

être

L'espagnol utilise deux verbes pour dire être : *ser* et *estar*. Malheureusement pour les francophones, ces deux verbes ne sont pas interchangeables, loin s'en faut ! Vous trouverez dans le tableau ci-dessous les règles d'utilisation de chacun d'entre eux et dans les tableaux ci-contre leurs conjugaisons.

SER	exemple	
état permanent d'une personne ou d'une chose	*Liz es muy guapa.* liz és moui *gwa*·pa	**Liz est très belle.**
métier, origine, matière	*Ana es de España.* *a*·na és dé é·*spa*·nya	**Ana est espagnole.**
localisation spatio-temporelle d'un événement (date, heure...)	*Son las tres.* son las tres *Es aquí.* és a·ki	**Il est trois heures.** **C'est ici.**
possession, appartenance	*De quién es esta mochila?* dé kyén és és·ta mo·*tchi*·la	**À qui est ce sac à dos ?**
ESTAR	exemples	
état temporaire d'une personne ou d'une chose	*La comida está fría.* la ko·*mi*·da és·*ta fri*·ya	**La nourriture est froide.**
localisation spatio-temporelle des personnes et des choses	*Estamos en Madrid.* és·*ta*·mos én ma·*dri*	**Nous sommes à Madrid.**
humeur, état d'esprit	*Estoy contento.* és·*toy* konn·*tén*·to	**Je suis content.**

je	suis	anarchiste	yo	soy	anarquista
tu	es	espagnol	tú	eres	de España
vous sg pol	êtes	artiste	usted	es	artista
il/elle	est	artiste	él/ella m/f	es	artista
nous	sommes	célibataires	nosotros/ nosotras m/f	somos	solteros/as
vous pl fam	êtes	sympathi-ques	vosotros/ vosotras m/f	sois	simpáticos/ as
vous pl pol	êtes	étudiants	ustedes	son	estudiantes
ils/elles	sont	étudiant(e)s	ellos/as m/f	son	estudiantes

je	suis	bien	yo	estoy	bien
tu	es	en colère	tú	estás	enojado/a
vous sg pol	êtes	ivre	usted	está	borracho/a
il/elle	est	ivre	él/ella m/f	está	borracho/a
nous	sommes	heureux	nosotros/as m/f	estamos	felices
vous pl fam	êtes	en vacances	vosotros/ vosotras m/f	estáis	de vacaciones
vous pl pol	êtes	en train de lire	ustedes	están	leyendo
ils/elles	sont	en train de lire	ellos/as m/f	están	leyendo

futur proche

Comme en français, on peut en espagnol parler du futur en utilisant le verbe *ir* (aller) au présent. Il est suivi du mot *a* et du verbe à l'infinitif. Cela donne par exemple :

Demain, je vais aller à Madrid.
Mañana, voy a viajar   ma·*nya*·na boy a bya·*Rhar*
a Madrid.   a ma·*dri*
(litt : Demain, vais à voyager à Madrid)

je	vais	appeler	yo	voy	a llamar
tu	vas	dormir	tú	vas	a dormir
vous sg pol	allez	danser	usted	va	a bailar
il/elle	va	boire	él/ella m/f	va	a beber
nous	allons	chanter	nosotros/as m/f	vamos	a cantar
vous pl fam	allez	manger	vosotros/as m/f	vais	a comer
vous pl pol	allez	écrire	ustedes	van	a escribir
ils	vont	apprendre	ellos/as m/f	van	a aprender

genre

Quelques règles très simples permettent de déterminer si un mot est masculin ou féminin :
- une terminaison en *o* indique souvent le masculin
- une terminaison en *a* indique souvent le féminin
- une terminaison en *d*, *z* ou *ión* indique souvent le féminin

Attention, il existe toutefois des exceptions, au final assez nombreuses, comme par exemple turista (touriste) ou mapa (carte), qui sont masculins.

négation

Il suffit d'ajouter le mot *no* devant le verbe principal :

Je ne vais pas essayer la spécialité.
  No voy a probar   no boy a pro·*bar*
  la especialidad.   la és·péS·ya·li·*da*
  (litt : Non vais essayer
  la spécialité)

ordre des mots

Comme en français, l'ordre des mots dans une phrase suit le schéma basique : sujet-verbe-complément.

J'étudie l'espagnol.

Yo estudio espagnol.   yo és·tou·dyo és·pa·nyol

Toutefois, il faut noter que le pronom personnel est presque toujours omis. Ainsi, on dira plutôt *"Estudio español"* tout court, sans *yo*. Les pronoms personnels servent avant tout à mettre l'accent sur le sujet ("Moi, j'étudie l'espagnol").

pluriel

Je voudrais deux billets.

Quisiera dos billetes.   ki·syé·ra dos bi·lyé·tés
(litt : Voudrais deux billets)

En général, il suffit d'ajouter un s à la fin du mot s'il se termine par une voyelle et es s'il se termine par une consonne ou un y.

lit	cama	ka·ma	lits	camas	ka·mas
femme	mujer	mou·Rhér	femmes	mujeres	mou·Rhé·rés

possessifs

C'est ma fille.

Ésta es mi hija.   és·ta és mi i·Rha
(litt : Celle-ci est ma fille)

Les adjectifs possessifs s'accordent en genre et en nombre avec le nom qu'ils précèdent.

	singulier		pluriel	
	masculin	**féminin**	**masculin**	**féminin**
	cadeau	chambre	amis	lunettes
mon/ ma/mes	*mi regalo*	*mi habitación*	*mis amigos*	*mis gafas*
ton/ta/tes	*tu regalo*	*tu habitación*	*tus amigos*	*tus gafas*
son/sa/ses	*su regalo*	*su habitación*	*sus amigos*	*sus gafas*
notre/nos	*nuestro regalo*	*nuestra habitación*	*nuestros amigos*	*nuestras gafas*
votre/vos pl fam	*vuestro regalo*	*vuestra habitación*	*vuestros amigos*	*vuestras gafas*
votre/vos sg et pl pol	*su regalo*	*su habitación*	*sus amigos*	*sus gafas*
leur/leurs	*su regalo*	*su habitación*	*sus amigos*	*sus gafas*

Voir aussi **avoir** et **complément du nom**.

pronoms personnels

Voir **ordre des mots**.

questions

L'ordre des mots dans une question reste le même que dans une phrase simple. Seule l'intonation qui monte en fin de phrase marque l'interrogation. À l'écrit, remarquez le point d'interrogation retourné en début de phrase.

interrogatifs		
Qui ?	¿Quién? sg	kyén
	¿Quiénes? pl	kyé·nes
Qui est-ce ?	¿Quién es?	kyén·és

Qui sont ces hommes ?	¿Quiénes son estos hombres?	kyé·nés sonn és·tos om·brés
Quoi ?	¿Qué?	ké
Que dites-vous ?	¿Qué está usted diciendo? pol	ké és·ta ou·sté di·Syén·do
Lequel ? Lesquels ?	¿Cuál? sg ¿Cuáles? pl	kwal kwa·lés
Quel restaurant est le moins cher ?	¿Cuál restaurante es el más barato?	kwal res·taou·rann·té és él mas ba·ra·to
Quels plats typiques me recommandes-tu ?	¿Cuáles platos típicos puedes recomendar?	kwa·lés pla·tos ti·pi·kos pwé·dés ré·ko·mén·dar
Quand ?	¿Cuándo?	kwann·do
Quand arrive le prochain bus ?	¿Cuándo llega el próximo autobús?	kwann·do lyé·ga él prok·si·mo aou·to·bous
Où ?	¿Dónde?	donn·dé
Où puis-je acheter des billets ?	¿Dónde puedo comprar billetes?	donn·dé pwé·do komm·prar bi·lyé·tés
Comment ?	¿Cómo?	ko·mo
Comment cela se dit-il en espagnol ?	¿Cómo se dice ésto en español?	ko·mo sé di·Sé és·to én és·pa·nyol
Combien ?	¿Cuánto?	kwann·to
Combien ça coûte ?	¿Cuánto cuesta?	kwann·to kwés·ta
Combien ?	¿Cuantos? m pl ¿Cuantas? f pl	kwan·tos
Pour combien de nuits ?	¿Por cuántas noches?	por kwann·tas no·tchés
Pourquoi ?	¿Por qué?	por ké
Pourquoi le musée est-il fermé ?	¿Por qué está cerrado el museo?	por ké és·ta Sé·ra·do él mou·sé·o

tutoiement et vouvoiement

Il existe en espagnol quatre formes pour exprimer tutoiement et vouvoiement là où le français n'en possède que deux (tu et vous).

espagnol	français	à qui s'adresse-t-on ?
tú tou	*tu*	*à une personne que l'on tutoie*
vosotros/as m/f bo·so·tros/as	*vous*	*à plusieurs personnes que l'on tutoie*
usted ou·sté	*vous*	*à une personne que l'on vouvoie*
ustedes ou·sté·dés	*vous*	*à plusieurs personnes que l'on vouvoie*

Les Espagnols utilisent le tutoiement, singulier et pluriel, beaucoup plus facilement que les Français. La forme de politesse est réservé aux personnes plus âgées ou aux situations formelles.

Vous remarquerez que les phrases de ce guide emploient le tutoiement ou le vouvoiement selon la formule la plus appropriée à la situation.

Pour plus de détails sur l'emploi du vouvoiement, voir l'encadré dans la partie **voyage d'affaires**, p. 77.

---

m (masculin) ou f (féminin) ?

Les mots que vous trouverez dans ce guide apparaissent d'abord à la forme masculine puis à la forme féminine. Une terminaison en *-o/a* signifie tout simplement que le masculin est en *-o* et le féminin en *-a*. Il en va de même avec les terminaisons du pluriel *-os/as*. Un *(a)* entre parenthèses à la fin d'un mot signifie qu'il faut ajouter le *a* pour mettre le mot au féminin. Dans les autres cas, le mot est écrit en entier.

La langue espagnole possède la particularité de porter deux noms différents : *español* et *castellano*. *Español* est utilisé en Espagne, tandis que *castellano* est plutôt employé en Amérique latine, où le mot *español* est réservé à la nationalité.

Je parle un peu espagnol.
Hablo un poco de   ab·lo oun po·ko dé
español.   és·pa·nyol

Parlez-vous français ?
¿Habla francés?   ab·la frann·Sés

Est-ce que quelqu'un parle français ?
¿Hay alguien que hable   ay al·guyén ké ab·lé
francés?   frann·Sés

Vous me comprenez ?
¿Me entiende?   mé én·tyén·dé

Je (ne) comprends (pas).
(No) Entiendo.   (no) én·tyén·do

Comment dit-on ... en espagnol ?
¿Como se dice ...   ko·mo sé di·Sé ...
en español?   én és·pa·nyol

Comment se prononce ce mot ?
¿Cómo se pronuncia   ko·mo sé pro·noun·Sya
esta palabra?   és·ta pa·lab·ra

Comment écrivez-vous "ciudad" ?
¿Cómo se escribe   ko·mo sé és·kri·bé
"ciudad"?   Si·ou·da

Que signifie... ?
¿Qué significa...?   ké sig·ni·fi·ka

Vous pouvez/Tu peux répéter ?
¿Puede/Puedes repetir? pwé·dé/pwé·dés ré·pé·tir

Peux-tu ...	*¿Puedes ...*	pwé·dés ...
s'il te plaît ?	*por favor?*	por fa·bor
parler plus	*hablar más*	ab·lar mas
doucement	*despacio*	dés·pa·Syo
l'écrire	*escribirlo*	és·kri·bir·lo

expressions courantes		
ko·mo	*¿Cómo?*	**Pardon ?**
no	*No*	**Non**
si	*Sí*	**Oui**

nombres cardinaux

0	*cero*	Sé·ro
1	*uno*	ou·no
2	*dos*	dos
3	*tres*	trés
4	*cuatro*	kwa·tro
5	*cinco*	Sinn·ko
6	*seis*	séys
7	*siete*	syé·té
8	*ocho*	o·tcho
9	*nueve*	nwé·bé
10	*diez*	dyéS
11	*once*	onn·Sé
12	*doce*	do·Sé
13	*trece*	tré·Sé
14	*catorce*	ka·tor·Sé
15	*quince*	kinn·Sé
16	*dieciséis*	dyé·Si·séys
17	*diecisiete*	dyé·Si·syé·té
18	*dieciocho*	dyé·Si·o·tcho
19	*diecinueve*	dyé·Si·nwé·bé
20	*veinte*	béyn·té
21	*veintiuno*	béyn·ti·ou·no
22	*veintidós*	béyn·ti·dos
30	*treinta*	tréyn·ta
40	*cuarenta*	kwa·rén·ta
50	*cincuenta*	Sinn·kwén·ta
60	*sesenta*	sé·sén·ta
70	*setenta*	sé·tén·ta
80	*ochenta*	o·tchén·ta
90	*noventa*	no·bén·ta
100	*cien*	Syén

101	*ciento uno*	*Syén·to ou·*no
102	*ciento dos*	*Syén·*to dos
500	*quinientos*	ki·*nyén·*tos
1 000	*mil*	mil
1 000 000	*un millón*	oun mi·*lyonn*

nombres ordinaux

1er	*primero/a* m/f	pri·*mé·*ro/a
2^e	*segundo/a* m/f	sé·*goun·*do/a
3^e	*tercero/a* m/f	tér·*Sé·*ro/a
4^e	*cuarto/a* m/f	*kwar·*to/a
5^e	*quinto/a* m/f	*kinn·*to/a

fractions

las fracciones

un quart	*un cuarto*	oun *kwar·*to
un tiers	*un tercio*	oun tér·Syo
un demi	*un medio*	oun *mé·*dyo
trois quarts	*tres cuartos*	trés *kwar·*tos
tout	*todo*	*to·*do
rien	*nada*	*na·*da

quantités

las cantidades

un peu	*un poco*	oun *po·*ko
un petit peu	*un poquito*	oun po·*ki·*to
beaucoup	*muchos/as* m/f	*mou·*tchos/as
quelques	*algunos/as* m/f	al·*gou·*nos/as
plus	*más*	mas
moins	*menos*	*mé·*nos

heure

Quelle heure est-il ?	*¿Qué hora es?*	ké o·ra és
Il est 1h.	*Es la una.*	és la ou·na
Il est (10h).	*Son las (diez).*	sonn las (dyéS)
(1h) et quart	*(la una) y cuarto*	la ou·na i kwar·to
(1h) vingt	*(la una) y veinte*	la ou·na i béyn·té
(1h) et demie	*(la una) y media*	és la ou·na i mé·dya
moins vingt	*menos veinte*	mé·nos béyn·té
moins le quart	*menos cuarto*	mé·nos kwar·to
Il est tôt.	*Es temprano.*	és tém·pra·no
Il est tard.	*Es tarde.*	és tar·dé
du matin	*de la mañana*	dé la ma·nya·na
de l'après-midi	*de la tarde*	dé la tar·dé

jours de la semaine

lundi	*lunes*	lou·nés
mardi	*martes*	mar·tés
mercredi	*miércoles*	myér·ko·lés
jeudi	*jueves*	Rhwé·bés
vendredi	*viernes*	byér·nés
samedi	*sábado*	sa·ba·do
dimanche	*domingo*	do·minn·go

calendrier

> mois

janvier	*enero*	é·*né*·ro
février	*febrero*	fé·*bré*·ro
mars	*marzo*	mar·So
avril	*abril*	a·*bril*
mai	*mayo*	ma·yo
juin	*junio*	Rhou·nyo
juillet	*julio*	Rhou·lyo
août	*agosto*	a·*gos*·to
septembre	*septiembre*	sép·*tyém*·bré
octobre	*octubre*	ok·*tou*·bré
novembre	*noviembre*	no·*byém*·bré
décembre	*diciembre*	di·*Syém*·bré

> saisons

été	*verano*	bé·*ra*·no
automne	*otoño*	o·*to*·nyo
hiver	*invierno*	inn·*byér*·no
printemps	*primavera*	pri·ma·*bé*·ra

dates

Quel jour ?
¿Qué día?   ké *di*·a

Quel jour sommes-nous ?
¿Qué día es hoy?   ké *di*·a és oy

Nous sommes (le 18 octobre).
Es (el dieciocho de   és (él dyé·Si·o·tcho dé
octubre).   ok·*tou*·bré)

présent

maintenant	*ahora*	a·o·ra
tout de suite	*ahora mismo*	a·o·ra *mis*·mo
cet après-midi	*esta tarde*	és·ta *tar*·dé
ce mois-ci	*este mes*	és·té més
ce matin	*esta mañana*	és·ta ma·*nya*·na
cette semaine	*esta semana*	és·ta sé·*ma*·na
cette année	*este año*	és·té *a*·nyo
aujourd'hui	*hoy*	oy
ce soir/cette nuit	*esta noche*	és·ta *no*·tché

passé

il y a...	*hace...*	a·Sé...
(3) jours	*(tres) días*	(trés) *di*·as
une demi-heure	*media hora*	mé·dya o·ra
un moment	*un rato*	un *ra*·to
(5) ans	*(cinco) años*	(Sinn·ko) *a*·nyos
longtemps	*mucho tiempo*	mou·tcho *tiém*·po
avant-hier	*anteayer*	ann·té·a·*yér*
le mois dernier	*el mes pasado*	él més pa·*sa*·do
hier soir	*anoche*	a·*no*·tché
la semaine dernière	*la semana pasada*	la sé·*ma*·na pa·*sa*·da
l'année dernière	*el año pasado*	él *a*·nyo pa·*sa*·do
depuis (mai)	*desde (mayo)*	*dés*·dé (*ma*·yo)
hier	*ayer*	a·*yér*
hier...	*ayer por la...*	a·*yér* por la...
matin	*mañana*	ma·*nya*·na
après-midi	*tarde*	*tar*·dé
soir	*noche*	*no*·tché

futur

dans...	dentro de...	dén·tro dé...
(6) jours	(seis) días	(séys) di·as
une heure	una hora	ou·na o·ra
(5) minutes	(cinco)	(Sinn·ko)
	minutos	mi·nou·tos
un mois	un mes	oun més
... prochain(e)	... que viene	... ké byé·né
le mois	el mes	él més
la semaine	la semana	la sé·ma·na
l'année	el año	él a·nyo
demain	mañana	ma·nya·na
après-demain	pasado mañana	pa·sa·do ma·nya·na
demain...	mañana por la...	ma·nya·na por la...
après-midi	tarde	tar·dé
soir	noche	no·tché
matin	mañana	ma·nya·na
jusqu'à (juin)	hasta (junio)	as·ta (Rhou·nyo)

dans la journée

aube	madrugada f	ma·drou·ga·da
matin	mañana f	ma·nya·na
journée	día m	di·a
après-midi	tarde f	tar·dé
soir/nuit	noche f	no·tché
midi	mediodía m	mé·dyo·di·a
minuit	medianoche f	mé·dya·no·tché
lever du jour	amanecer m	a·ma·né·Sér
coucher du soleil	puesta f del sol	pwés·ta dél sol

Où est le distributeur de billets le plus proche ?
¿Dónde está el cajero automático más cercano?
donn·dé és·ta él ka·Rhé·ro aou·to·ma·ti·ko mas Sér·ka·no

Puis-je utiliser ma carte de crédit pour retirer de l'argent ?
¿Puedo usar mi tarjeta de crédito para sacar dinero?
pwé·do ou·sar mi tar·Rhé·ta dé kré·di·to pa·ra sa·kar di·né·ro

Quel est le taux de change ?
¿Cuál es el tipo de cambio?
kwal és él ti·po dé kamm·byo

Combien faut-il payer pour cela ?
¿Cuánto hay que pagar por eso?
kwann·to ay ké pa·gar por é·so

Combien cela coûte-t-il ?
¿Cuánto cuesta esto?
kwann·to kwés·ta és·to

C'est trop cher.
Cuesta demasiado.
kwés·ta dé·ma·sya·do

Pourriez-vous baisser un peu le prix ?
¿Podría bajar un poco el precio?
po·dri·a ba·Rhar oun po·ko él pré·Syo

J'aimerais changer...
   de l'argent
   un chèque de voyage
Me gustaría cambiar…
   dinero
   un cheque de viajero
mé gous·ta·ri·a kamm·byar...
   di·né·ro
   oun tché·ké dé bya·Rhé·ro

Vous acceptez... ?	¿Aceptan...?	a·*Sép*·tann...
les cartes	*tarjetas de*	tar·*Rhé*·tas dé
de crédit	*crédito*	*kré*·di·to
les chèques	*cheques*	*tché*·kés dé
de voyage	*de viajero*	bya·*Rhé*·ro

Faut-il que je paie d'avance ?
¿Necesito pagar por
adelantado?
né·*Sé*·*si*·to pa·*gar* por
a·dé·lann·*ta*·do

Pourrais-je avoir un reçu, s'il vous plaît ?
¿Podría darme un
recibo por favor?
po·*dri*·a *dar*·mé *oun*
ré·*Si*·bo por fa·*bor*

Je voudrais que vous me rendiez mon argent.
Quisiera que me devuelva
el dinero.
ki·*syé*·ra ké mé dé·*bwél*·ba
él di·*né*·ro

circuler

desplazarse

À quelle heure part... ?	*¿A qué hora sale...?*	a ké o·ra sa·lé ...
l'avion	*el avión*	él a·*byonn*
le bateau	*el barco*	él *bar*·ko
le bus	*el autobús*	él aou·to·*bous*
le car	*el autocar*	él aou·to·*kar*
le train	*el tren*	él trén
le tramway	*el tranvía*	él trann·*bi*·a
À quelle heure est le ... (bus) ?	*¿A qué hora es el ... (autobús)?*	a ké o·ra és él ... (aou·to·*bous*)
premier	*primer*	pri·*mér*
dernier	*último*	*oul*·ti·mo
prochain	*próximo*	*prok*·si·mo
Je voudrais une place...	*Quisiera un asiento ...*	ki·*syé*·ra oun a·*syén*·to ...
côté couloir	*de pasillo*	dé pa·*si*·lyo
non-fumeurs	*de no fumadores*	dé no fou·ma·*do*·rés
fumeurs	*de fumadores*	dé fou·ma·*do*·rés
côté fenêtre/ hublot	*junto a la ventana*	*Rhoun*·to a la bén·*ta*·na

Quelle est votre/l'adresse ?		
¿Cuál es su/la dirección?		kwal és sou/la di·rék·*Syonn*
avenue	*avenida* f	a·bé·*ni*·da
rue	*calle* f	ka·*lyé*
ruelle	*callejón* m	ka·lyé·*Rhonn*

Y a-t-il... ? *¿Hay ...?* ay ...
  la climatisation *aire* *ay*·ré
    acondicionado a·konn·di·Syo·*na*·do
  une couverture *una manta* *ou*·na *mann*·ta
  des toilettes *servicios* sér·bi·Syos

Le ... est retardé/annulé.
  El ... está retrasado/ él ... és·ta ré·tra·sa·do/
  cancelado. kann·Sé·la·do

De combien sera le retard ?
  ¿Cuánto tiempo se kwann·to tyém·po sé
  retrasará? ré·tra·sa·ra

Cette place est-elle libre ?
  ¿Está libre este asiento? és·ta li·bré és·té a·syén·to

C'est mon siège.
  Ése es mi asiento. é·sé és mi a·syén·to

Pourriez-vous me dire quand nous arriverons à... ?
  ¿Me podría decir mé po·dri·a dé·Sir
  cuándo lleguemos a...? kwann·do lyé·gé·mos a

Je veux descendre ici !
  ¡Quiero bajarme aquí! kyé·ro ba·Rhar·mé a·ki

acheter des billets

Dois-je réserver ?
  ¿Tengo que reservar? tén·go ké ré·sér·bar

Combien cela coûte-t-il ?
  ¿Cuánto cuesta? kwann·to kwés·ta

Où puis-je acheter un billet ?
¿Dónde puedo comprar   donn·dé pwé·do komm·prar
un billete?   oun bi·lyé·té

C'est complet.
Está completo.   és·ta komm·plé·to

Combien de temps dure le trajet ?
¿Cuánto se tarda?   kwann·to sé tar·da

C'est un trajet direct ?
¿Es un viaje directo?   és oun bya·Rhé di·rék·to

Pouvez-vous m'inscrire sur la liste d'attente ?
¿Puede ponerme en la   pwé·dé po·nér·mé én la
lista de espera?   lis·ta dé és·pé·ra

J'aimerais ...	*Me gustaría ...*	mé gous·ta·ri·a ...
mon billet.	*mi billete.*	mi bi·lyé·té
annuler	*cancelar*	kann·Sé·lar
changer	*cambiar*	kamm·byar
confirmer	*confirmar*	konn·fir·mar

Un aller simple pour (Barcelone).
Un billete sencillo   oun bi·lyé·té sén·Si·lyo
a (Barcelona).   a (bar·Sé·lo·na)

Deux billets ...,	*Dos billetes ...,*	dos bi·lyé·tés ...
s'il vous plaît.	*por favor.*	por fa·bor
enfant	*infantil*	inn·fann·til
aller-retour	*de ida y vuelta*	dé i·da i bwél·ta
étudiant	*de estudiante*	dé és·tou·dyann·té
première classe	*de primera clase*	dé pri·mé·ra kla·sé
seconde classe	*de segunda clase*	dé sé·goun·da kla·sé

bagages

Mes bagages ont été...   *Mis maletas han sido...*   mis ma·*lé*·tas ann si·*do*...
    endommagés   *dañadas*   da·*nya*·das
    perdus   *perdidas*   pèr·*di*·das
    volés   *robadas*   ro·*ba*·das

Mes bagages ne sont pas arrivés.
Mis maletas se han perdido.   mis ma·*lé*·tas sé ann pér·*di*·do

Je voudrais une consigne à bagages.
Quisiera un casillero de consigna.   ki·*syé*·ra oun ka·si·*lyé*·ro dé konn·*sig*·na

Pourrais-je avoir des pièces/des jetons ?
¿Me podría dar monedas/fichas?   mé po·*dri*·a dar mo·*né*·das/*fi*·tchas

avion

Quand part le prochain vol pour... ?
¿Cuándo sale el próximo vuelo para...?   kwann·do sa·lé él prok·si·mo bwé·lo pa·ra

À quelle heure dois-je enregistrer mes bagages ?
¿A qué hora tengo que facturar mi equipaje?   a ké o·ra tén·go ké fak·tou·rar mi é·ki·pa·Rhé

bus

Quel bus/car va à... ?
¿Qué autobús/autocar   ké aou·to·*bous*/aou·to·*kar*
va a ...?   ba a

Celui-ci/celui-là.
Éste/Ése.   és·té/é·sé

Le bus numéro...
El autobús número...   él aou·to·*bous nou*·mé·ro

Pouvez-vous me prévenir quand nous arriverons à... ?
¿Puede avisarme   pwé·dé a·bi·*sar*·mé
cuando lleguemos a...?   kwann·do lyé·*gé*·mos a

train

À quelle gare sommes-nous ?
¿Cuál es esta estación?   kwal és és·ta és·ta·*Syonn*

Quelle est la prochaine gare ?
¿Cuál es la próxima   kwal és la *prok*·si·ma
estación?   és·ta·*Syonn*

Ce train s'arrête-t-il à (Madrid) ?
¿Para el tren en (Madrid)?   pa·ra él trén én (ma·*dri*)

Dois-je prendre une correspondance ?
¿Tengo que cambiar de tren?   tén·go ké kamm·*byar* dé trén

Où est le wagon... ?	¿Cuál es el coche...?	kwal és él ko·tché...
de 1ʳᵉ classe	de primera clase	dé pri·*mé*·ra kla·sé
pour (Madrid)	para (Madrid)	pa·ra (ma·*dri*)
restaurant	comedor	ko·mé·*dor*

bateau

Y a-t-il des gilets de sauvetage ?
¿Hay chalecos salvavidas?   ay tcha·*lé*·kos sal·ba·*bi*·das

Comment est la mer, aujourd'hui ?
¿Cómo está el mar hoy?   *ko*·mo és·*ta* él mar oy

J'ai le mal de mer.
Estoy mareado.   és·*toy* ma·ré·*a*·do

taxi

je voudrais un taxi...	*Quisiera un taxi...*	ki·*syé*·ra oun *tak*·si ...
à (9h du matin)	*a (las nueve de la mañana)*	a (las *nwé*·bé dé la ma·*nya*·na)
maintenant	*ahora*	a·*o*·ra
demain	*mañana*	ma·*nya*·na

Ce taxi est-il libre ?
¿Está libre este taxi?   és·*ta* li·bré és·té *tak*·si

Mettez le compteur en marche, s'il vous plaît.
Por favor, ponga el taxímetro.   por fa·*bor* ponn·ga él tak·si·*mé*·tro

Quel est le prix pour aller à... ?
¿Cuánto cuesta ir a ...?   *kwann*·to *kwés*·ta ir a ...

Emmenez-moi à (cette adresse), s'il vous plaît.
Por favor, lléveme a (esta dirección).   por fa·*bor* lyé·bé·mé a (*és*·ta di·*rék*·*Syonn*)

Je suis très en retard.
Voy con mucho retraso.   boy konn *mou*·tcho ré·*tra*·so

Quel est le prix en tout ?
¿Cuánto es en total?   *kwann*·to és én to·*tal*

S'il vous plaît, ...	*Por favor ...*	por fa·*bor* ...
ralentissez	*vaya más*	*ba*·ya mas
	despacio	dés·*pa*·Syo
attendez ici	*espere aquí*	és·pé·ré a·*ki*
Arrêtez-vous... !	*¡Pare...!*	*pa*·ré...
au coin	*en la esquina*	én la és·*ki*·na
ici	*aquí*	a·*ki*

location de voiture et de moto

Où est-il possible de louer... ?	*¿Dónde se puede alquilar…?*	donn·dé sé *pwé*·dé al·*ki*·lar
L'assurance/le kilométrage est-il inclus ?	*¿Incluye el seguro/ el kilometraje?*	inn·*klou*·yé él sé·*gou*·ro/ él ki·lo·mé·*tra*·Rhé
Je voudrais	*Quisiera*	ki·*syé*·ra
louer un/une...	*alquilar …*	al·*ki*·lar ...
4x4	*un todoterreno*	oun to·do·té·ré·no
voiture à boîte automatique	*un coche automático*	oun *ko*·tché aou·to·*ma*·ti·ko
voiture à boîte manuelle	*un coche manual*	oun *ko*·tché ma·*noual*
moto	*una moto*	ou·na *mo*·to
avec...	*con…*	konn...
la climatisation	*aire acondicionado*	*ay*·ré a·konn·di·Syo·*na*·do
chauffeur	*chófer*	tcho·*fér*
Combien coûte la location... ?	*¿Cuánto cuesta el alquiler por…?*	*kwann*·to *kwés*·ta él al·*ki*·lér por...
à la journée	*día*	*di*·a
à l'heure	*hora*	*o*·ra
à la semaine	*semana*	sé·*ma*·na

sur la route

Cette route va-t-elle à... ?
¿Se va a ... por esta carretera?
sé ba a ... por és·ta ka·ré·té·ra

Où puis-je trouver une station-service ?
¿Dónde hay una gasolinera?
*donn·*dé ay ou·na ga·so·li·né·ra

Quelle est la vitesse limite... ?
en ville
à la campagne

¿Cuál es el límite de velocidad...?
en la ciudad
en el campo

kwal és él *li·*mi·té dé bé·lo·Si·*da* ...
én la Syou·*da*
én él *kamm·*po

Acceso	ak·*Sé·*so	**Entrée**
Aparcamiento	a·par·ka·*myén·*to	**Parking**
Ceda el paso	*Sé·*da él *pa·*so	**Cédez le passage**
Desvío	dés·*bi·*o	**Déviation**
Dirección única	di·rék·*Syonn* ou·ni·ka	**Sens unique**
Frene	fré·né	**Ralentir**
Peaje	pé·*a·*Rhé	**Péage**
Peligro	pé·*li·*gro	**Danger**
Prohibido aparcar	pro·i·*bi·*do a·par·*kar*	**Stationnement interdit**
Prohibido el paso	pro·i·*bi·*do él *pa·*so	**Sens interdit**
Stop	és·*top*	**Stop**
Vía de acceso	*bi·*a dé ak·*Sé·*so	**Voie d'accès**

Le plein, s'il vous plaît.
Por favor, lléneme el depósito.
por fa·bor lyé·né·mé él dé·po·si·to

Je voudrais (20) litres...
Quisiera (veinte) litros...
ky·sié·ra (béyn·té) li·tros

d'essence	*de gasolina*	dé ga·so·li·na
de diesel	*de diesel*	dé dyé·sél
plombée (normale)	*de gasolina normal*	dé ga·so·li·na nor·mal
sans plomb	*de gasolina sin plomo*	dé ga·so·li·na sinn plo·mo

Merci de vérifier... *Por favor, revise...* por fa·bor ré·bi·sé...
le niveau d'huile	*el nivel del aceite*	él ni·bél dél a·Séy·té
la pression des pneus	*la presión de los neumáticos*	la pré·syonn dé los né·ou·ma·ti·kos
le niveau d'eau	*el nivel del agua*	él ni·bél dél a·gwa

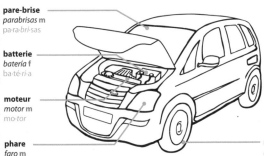

essence
gasolina f
ga·so·li·na

pare-brise
parabrisas m
pa·ra·bri·sas

batterie
batería f
ba·té·ri·a

moteur
motor m
mo·tor

phare
faro m
fa·ro

roue
rueda f
rwé·da

dé ké *mar*·ka és
  ¿De qué marca es?   **De quelle marque est-ce ?**

(Combien de temps) Ai-je le droit de stationner ici ?
  ¿(Por cuánto tiempo)   (por *kwann*·to *tyém*·po)
  Puedo aparcar aquí?   pwé·do a·par·*kar* a·*ki*

Où faut-il payer ?
  ¿Dónde se paga?   *donn*·dé sé *pa*·ga

problèmes

problemas

J'ai besoin d'un mécanicien.
  Necesito un   né·Sé·*si*·to oun
  mecánico.   mé·*ka*·ni·ko

La voiture est tombée en panne (à...).
  El coche se ha averiado   él *ko*·tché sé a a·bé·*rya*·do
  (en...).   (én...)

J'ai eu un accident.
  Tuve un   *tu*·bé oun
  accidente.   ak·Si·*dén*·té

La moto ne démarre pas.
  No arranca la moto.   no a·*rann*·ka la *mo*·to

J'ai un pneu crevé.
  Tengo un pinchazo.   *tén*·go oun pinn·*tcha*·So

J'ai perdu mes clés de voiture.
  He perdido las llaves   é pér·*di*·do las *lya*·bés
  de mi coche.   dé mi *ko*·tché

J'ai enfermé mes clés à l'intérieur.
  He cerrado con las llaves   é Sé·*ra*·do konn las *lya*·bés
  dentro.   *dén*·tro

Je suis tombé en panne d'essence.
Me he quedado sin   mé é ké·*da*·do sinn
gasolina.   ga·so·*li*·na

Pouvez-vous réparer cela (aujourd'hui) ?
¿Puede arreglarlo (hoy)?   pwé·dé a·ré·*glar*·lo (oy)

Combien de temps cela va-t-il prendre ?
¿Cuánto tardará?   *kwann*·to tar·da·*ra*

vélo

Où est-il possible de louer un vélo ?
¿Dónde se puede alquilar   donn·dé sé pwé·dé al·ki·*lar*
una bicicleta?   ou·na bi·Si·*klé*·ta

Où puis-je acheter un vélo (d'occasion) ?
¿Dónde se puede comprar   donn·dé sé pwé·dé komm·*prar*
una bicicleta (de   ou·na bi·Si·*klé*·ta (dé
segunda mano)?   sé·*goun*·da *ma*·no)

Combien coûte la location pour... ?	*¿Cuánto cuesta por...?*	*kwann*·to *kwés*·ta por...
un après-midi	*una tarde*	ou·na tar·dé
une journée	*un día*	oun *di*·a
une heure	*una hora*	ou·na *o*·ra
une matinée	*una mañana*	ou·na ma·*nya*·na

J'ai une roue crevée.
Se me ha pinchado   sé mé a pinn·*tcha*·do
una rueda.   ou·na rwé·da

transports

Aduana	a·*dwa*·na	**Douane**
Artículos libres de impuestos	ar·*ti*·kou·los *li*·brés dé imm·*pwés*·tos	**Articles en duty free**
Salida	sa·*li*·da	**Sortie**
Control de pasaporte	conn·*trol* dé pa·sa·*por*·té	**Contrôle des passeports**

contrôle des passeports

expressions courantes		
sou ...	*Su ...*	**Votre ...**
por fa-*bor*	*por favor.*	**s'il vous plaît.**
pa·sa·*por*·té	*pasaporte*	**passeport**
bi·*sa*·do	*visado*	**visa**
és·*ta*	*¿Está*	**Voyagez-**
bya·*Rhann*·do...	*viajando...?*	**vous... ?**
én oun *grou*·po	*en un grupo*	**en groupe**
konn *ou*·na	*con una*	**en famille**
fa·*mi*·lya	*familia*	
so·lo/so·la	*solo/sola*	**seul/seule**

Je suis ici...	*Estoy aquí ...*	és·toy a·*ki* ...
pour affaires	*de negocios*	dé né·*go*·Syos
en vacances	*de vacaciones*	dé ba·ka·*Syo*·nés
en transit	*en tránsito*	én *trann*·si·to
Je suis ici pour (3)	*Estoy aquí por (tres)*	és·toy a·*ki* por trés
jours	*días*	*di*·as
mois	*meses*	*mé*·sés
semaines	*semanas*	sé·*ma*·nas

douanes

Je n'ai rien à déclarer.
No tengo nada que declarar.
no *tén*·go *na*·da ké dé·kla·*rar*

J'ai quelque chose à déclarer.
Quisiera declarar algo.
ki·*syé*·ra dé·kla·*rar* al·go

Je ne savais pas qu'il fallait le déclarer.
No sabía que tenía que declararlo.
no sa·*bí*·a ké té·*ni*·a ké dé·kla·*rar*·lo

remplir des formulaires	
Apellido(s)	nom(s) – beaucoup d'Espagnols ont deux noms de famille : celui de leur père et celui de leur mère
Domicilio	adresse
Exp. en	fait à
Fecha	date
Fecha de nacimiento	date de naissance
Firma	signature
Lugar de nacimiento	lieu de naissance
Nacionalidad	nationalité
Nombre	prénom
Pasaporte	passeport
Profesión	profession

trouver un hébergement

Où puis-je trouver... ?

¿Dónde hay…?   *donn*·dé ay...

une auberge	*un albergue*	oun al·*bér*·gué
de jeunesse	*juvenil*	Rhou·bé·*nil*
un bed	*una pensión*	ou·na pén·*syonn*
and breakfast	*con desayuno*	konn dé·sa·*you*·no
un hôtel	*un hotel*	oun o·*tél*
une pension	*una pensión*	ou·na pén·*syonn*
un terrain de	*un terreno de*	oun té·ré·no dé
camping	*cámping*	*kamm*·pinng

Pourriez-vous	*¿Puede*	pwé·dé
me recommander	*recomendar*	ré·ko·mén·*dar*
une adresse ... ?	*algún sitio ...?*	al·*goun* si·tio ...
agréable	*agradable*	a·gra·*da*·blé
bon marché	*barato*	ba·*ra*·to
luxueuse	*de lujo*	dé *lou*·Rho
proche	*cercano*	Sér·*ka*·no
romantique	*romántico*	ro·*mann*·ti·ko

C'est à quelle adresse ?

¿Cuál es la dirección?   kwal és la di·rék·*Syonn*

Pour plus de détails sur la façon de trouver une adresse, voir p. 61.

un taudis	*un tugurio* m	oun tou·*gou*·ryo
un trou	*un plagado*	oun pla·*ga*·do
à rats	*de ratas*	dé *ra*·tas
un endroit super	*un lugar* m *guay*	oun lou·*gar* gway

réservation et enregistrement

Je voudrais réserver une chambre, s'il vous plaît.
Quisiera reservar una habitación.
ki·*syé*·ra ré·sér·*bar ou*·na a·bi·ta·*Syonn*

J'ai une réservation.
He hecho una reserva.
é é·tcho *ou*·na ré·sér·ba

Je m'appelle...
Me llamo…
mé *lya*·mo

Pour (trois) nuits/semaines.
Por (tres) noches/ semanas.
por (trés) *no*·tchés/ sé·*ma*·nas

Du (2 juillet) au (6 juillet).
Desde (el dos de julio) hasta (el seis de julio).
dés·dé (él dos dé *Rhou*·lyo) *as*·ta (él séys dé *Rhou*·lyo)

Dois-je payer d'avance ?
¿Necesito pagar por adelantado?
né·Sé·*si*·to *pa*·gar por a·dé·lann·*ta*·do

por *kwann*·tas *no*·tchés
¿Por cuántas noches? **Pour combien de nuits ?**

sou pa·sa·*por*·té por fa·*bor*
Su pasaporte, por favor. **Votre passeport, s'il vous plaît.**

lo *syén*·to és·ta komm·*plé*·to
Lo siento, está completo. **Je regrette, c'est complet.**

PRATIQUE

Quel est le prix	*¿Cuánto cuesta*	*kwann·to kwés·ta*
par... ?	*por…?*	*por…*
nuit	*noche*	*no·tché*
personne	*persona*	*pér·so·na*
semaine	*semana*	*sé·ma·na*

Puis-je payer par... ?
¿Puedo pagar con…? — *pwé·do pa·gar conn…*

carte de crédit	*tarjeta de crédito*	*tar·Rhé·ta dé kré·di·to*
chèques de	*cheques de*	*tché·kés dé*
voyage	*viajero*	*bya·Rhé·ro*

Pour d'autres moyens de paiement, voir **argent** p. 35.

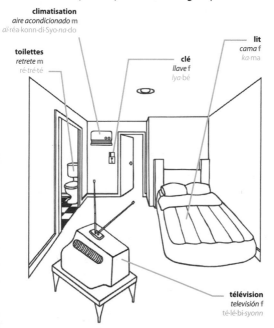

climatisation
aire acondicionado m
aï·réa·konn·di·Syo·na·do

toilettes
retrete m
ré·tré·té

clé
llave f
lya·bé

lit
cama f
ka·ma

télévision
televisión f
té·lé·bi·syonn

Avez-vous une chambre... ?	¿Tiene una habitación...?	tyé·né ou·na a·bi·ta·Syonn...
double	*doble*	*do·*blé
simple	*individual*	inn·di·bi·*dwal*
avec lits jumeaux	*con dos camas*	konn dos *ka·*mas

avec/sans...	*con/sin...*	konn/sinn...
Je peux la voir ?	¿Puedo verla?	pwé·do bér·la
C'est bon, je la prends.	*Vale, la alquilo.*	*ba·*lé la al·*ki·*lo

demandes et renseignements

Quand/Où le petit-déjeuner est-il servi ?
¿Cuándo/Dónde se sirve el desayuno?
kwann·do/donn·dé sé sir·bé él dé·sa·you·no

Réveillez-moi à (sept heures), s'il vous plaît.
Por favor, despiérteme a (las siete).
por fa·bor dés·pyér·té·mé a (las syé·té)

Pourrais-je avoir un/une autre... ?
¿Puede darme otro/a...? m/f
pwé·dé dar·mé o·tro/a...

Puis-je utiliser... ?	¿Puedo usar...?	pwé·do ou·sar...
la cuisine	*la cocina*	la ko·Si·na
la machine à laver	*el lavadero*	él la·ba·dé·ro
le téléphone	*el teléfono*	él té·lé·fo·no

Y a-t-il... ?	¿Hay...?	ay...
un ascenseur	*un ascensor*	oun as·Sén·sor
un tableau d'affichage	*un tablón de anuncios*	oun ta·blonn dé a·noun·Syos
un coffre-fort	*una caja fuerte*	ou·na ka·Rha fwér·té
une piscine	*una piscina*	ou·na pis·Si·na

Est-ce que vous... ? ¿Aquí...? a·ki...
   organisez *organizan* or·ga·*ni*·Sann
     des circuits *recorridos* ré·ko·*ri*·dos
   changez de l'argent *cambian* *kamm*·byann
     dinero di·*né*·ro

Centro financiero	*Sén·*tro fi·nann·*Syé·*ro	**Centre d'affaires**
Recepción	ré·*Sép·*Syonn	**Réception**
Salida de emergencia	sa·*li·*da dé é·mér·*Rhén·*Sya	**Sortie de secours**
Servicios	sér·*bi·*Syos	**Toilettes**
Servicio de lavandería	sér·*bi·*Syo dé la·bann·dé·*ri·*a	**Service de blanchisserie**

Puis-je laisser un message à quelqu'un ?
¿Puedo dejar un pwé·do dé·*Rhar* oun
mensaje para alguien? mén·sa·*Rhé* pa·ra al·guyén

Y a-t-il un message pour moi ?
¿Tiene un mensaje tyé·né oun mén·sa·*Rhé*
para mí? pa·ra mi

J'ai fermé la porte et j'ai oublié mes clés à l'intérieur.
Cerré la puerta y se me Sé·*ré* la *pwér·*ta y sé mé
olvidaron las llaves dentro. ol·bi·da·ronn las *lya·*bés *dén·*tro

La porte (de la salle de bains) est fermée.
La puerta (del baño) está la *pwér·*ta (dél ba·nyo) és·ta
cerrada. Sé·ra·da

réclamations

La chambre est trop...
La habitación es demasiado…
La a·bi·ta·*Syonn* és dé·ma·*sya*·do…

bruyante	*ruidosa* f	rwi·*do*·sa
chère	*cara* f	*ka*·ra
claire	*clara* f	*kla*·ra
froide	*fría* f	*fri*·a
petite	*pequeña* f	pé·*ké*·nya
sombre	*oscura* f	os·*kou*·ra

... ne marche(nt) pas.	*No funciona ...*	no foun·*Syo*·na ...
La climatisation	*el aire*	él *ay*·ré
	acondicionado	a·konn·di·*Syo*·na·do
La fenêtre	*la ventana*	la bén·*ta*·na
Les toilettes	*el retrete*	él ré·*tré*·té
Le ventilateur	*el ventilador*	él bén·ti·la·*dor*

Ce/cette ... n'est pas propre.
Éste/Ésta ... no está   és·té/és·ta ... no és·*ta*
limpio/a. m/f   limm·pyo/a

on frappe à la porte...

Qui est-ce ?	*¿Quién es?*	kyén és
Un instant.	*Un momento.*	oun mo·*mén*·to
Entrez.	*Adelante.*	a·dé·*lann*·té

Pouvez-vous revenir plus tard, s'il vous plaît ?
¿Puede volver más   pwé·dé bol·*bér* mas
tarde, por favor?   tar·dé por fa·bor

PRATIQUE

quitter un hôtel

À quelle heure faut-il libérer la chambre ?
¿A qué hora hay que dejar   a ké o·ra ay ké dé·*Rhar*
libre la habitación?   li·bré la a·bi·ta·*Syonn*

**Combien faut-il payer en plus pour rester
jusqu'à (six heures) ?**
¿Cuánto más cuesta   kwann·to mas *kwés*·ta
quedarse hasta (las seis)?   ké·*dar*·sé *as*·ta (las séys)

Puis-je rendre la chambre plus tard ?
¿Puedo dejar la   pwé·do dé·*Rhar* la
habitación más tarde?   a·bi·ta·*Syonn* mas *tar*·dé

Puis-je laisser mes bagages ici ?
¿Puedo dejar las   pwé·do dé·*Rhar* las
maletas aquí?   ma·*lé*·tas a·ki

Il y a une erreur dans la note.
Hay un error en la cuenta.   ay oun é·*ror* én la *kwén*·ta

Je pars maintenant.
Me voy ahora.   mé boy a·o·ra

Pouvez-vous m'appeler un taxi (pour onze heures) ?
¿Me puede pedir un   mé *pwé*·dé pé·*dir* oun
taxi (para las once)?   tak·si (*pa*·ra las onn·*Sé*)

Puis-je récupérer..., *¿Me puede dar ...,*   mé *pwé*·dé dar ...
s'il vous plaît ? *por favor?*   por fa·*bor*
  ma caution *mi depósito*   mi dé·*po*·si·to
  mes objets *mis objetos*   mis ob·*Rhé*·tos
  de valeur *de valor*   dé ba·*lor*
  mon passeport *mi pasaporte*   mi pa·sa·*por*·té

Je reviendrai... *Volveré...*   bol·bé·*ré*...
  dans (trois) jours *en (tres) días*   én (trés) *di*·as
  (mardi) *el (martes)*   él (*mar*·tés)

J'ai passé un séjour très agréable, merci.
He tenido una estancia — é té·*ni*·do ou·na és·*tann*·Sya
muy agradable, gracias. — moui a·gra·*da*·blé *gra*·Syas

Vous avez été formidables.
Han sido estupendos. — ann *si*·do és·tou·*pén*·dos

Je le recommanderai à mes amis.
Se lo recomendaré a — sé lo ré·ko·mén·da·ré a
mis amigos. — mis a·*mi*·gos

camping

Où se trouve le... ?	*¿Dónde está ...?*	*donn*·dé és·*ta* ...
camping	*el terreno de*	él té·*ré*·no dé
le plus proche	*cámping*	*kamm*·pinng
	más cercano	mas *Sér*·ka·no
magasin	*la tienda*	la *tyén*·da
le plus proche	*más cercana*	mas *Sér*·ka·na

Je cherche les ...	*Estoy buscando ...*	és·toy bous·*kann*·do ...
douches les	*las duchas*	las *dou*·tchas
plus proches	*más cercanas*	mas *Sér*·ka·nas
toilettes les	*los servicios*	los sér·*bi*·Syos
plus proches	*más cercanos*	mas *Sér*·ka·nos

Cela fonctionne avec des pièces ?
¿Funciona con monedas? — foun·*Syo*·na konn mo·*né*·das

C'est de l'eau potable ?
¿Se puede beber el agua? — sé *pwé*·dé bé·bér él *a*·gwa

Puis-je... ?	*¿Se puede...?*	sé *pwé*·dé...
camper ici	*acampar aquí*	a·kamm·*par* a·ki
me garer à côté	*aparcar al lado*	a·par·*kar* al *la*·do
de ma tente	*de la tienda*	dé la *tyén*·da

Avez-vous ... ?   *¿Tiene ...?*   tyé·né ...
  l'électricité   *electricidad*   é·lék·tri·Si·da
  des douches   *duchas*   dou·tchas
  un emplacement   *un sitio*   oun si·tyo
  des tentes   *tiendas de*   tyén·das dé
  à louer   *campaña*   kamm·pa·nya
     para alquilar   pa·ra al·ki·lar

Quel est le prix   *¿Cuánto vale*   kwann·to ba·lé
par... ?   *por...?*   por...
  caravane   *caravana*   ka·ra·ba·na
  personne   *persona*   pér·so·na
  tente   *tienda*   tyén·da
  véhicule   *vehículo*   bé·i·kou·lo

À qui dois-je m'adresser pour pouvoir rester ici ?
¿Con quién tengo que hablar   konn kyén tén·go ké a·blar
para quedarme aquí?   pa·ra ké·dar·mé a·ki

Pouvez-vous me prêter... ?
¿Me puede prestar...?   mé pwé·dé prés·tar...

Pour les ustensiles de cuisine, voir p. 157.

location

Avez-vous ...   *¿Tiene ... para*   tyé·né ... pa·ra
à louer ?   *alquilar?*   al·ki·lar
  un appartement   *un piso*   oun pi·so
  un bungalow   *una cabaña*   ou·na ka·ba·nya
  une chambre   *una habitación*   ou·na a·bi·ta·Syonn
  une maison   *una casa*   ou·na ca·sa
  une villa   *un chalet*   oun tcha·lé

meublé(e)   *amueblado/a* m/f   a·mwé·bla·do/a
en partie   *semi*   sé·mi
  meublé(e)   *amueblado/a* m/f   a·mwé·bla·do/a
vide   *sin amueblar*   sinn a·mwé·blar

dormir chez l'habitant

Puis-je dormir chez vous/toi ?
¿Me puedo quedar en   mé *pwé·*do ké·*dar* én
su/tu casa? **pol/fam**   sou/tou *ka·*sa

Je peux aider ?
¿Puedo ayudar?   pwé·do a·you·*dar*

Puis-je utiliser votre téléphone ?
¿Puedo usar vuestro   pwé·do ou·*sar* bwé·*stro*
teléfono?   té·*lé·*fo·no

Merci de ton/votre hospitalité.
Gracias por tu/su   *gra·*Syas por tou/sou
hospitalidad.   os·pi·ta·li·*da*

J'ai mon propre... *Tengo mi propio ...*   *tén·*go mi pro·pyo ...
  matelas *colchón*   kol·*tchonn*
  sac de couchage *saco de dormir*   sa·ko dé dor·*mir*

Je peux ... ? *¿Puedo ...?*   pwé·do ...
  rapporter quelque *traer algo para*   tra·*ér al·*go pa·ra
  chose à manger *la comida*   la ko·*mi·*da
  faire la vaisselle *lavar los platos*   la·*bar* los *pla·*tos
  mettre/débarrasser *poner/quitar*   po·*nér*/ki·*tar*
  la table *la mesa*   la *mé·*sa
  sortir *sacar*   sa·*kar*
  la poubelle *la basura*   la ba·*sou·*ra

Pour les compliments au chef, voir p. 147.

Caballeros	ka·ba·*lyé·*ros	**Hommes**
Caliente	ka·*lyén·*té	**Chaud**
Dirección	di·rék·*Syonn*	**Entrée**
prohibida	pro·hi·*bi·*da	**interdite**
Frío	*fri·*o	**Froid**
Señoras	sé·*nyo·*ras	**Femmes**

Excusez-moi.
Perdone.   pér·*do*·né

Pouvez-vous m'aider, s'il vous plaît ?
¿Perdone, puede   pér·*do*·né *pwé*·dé
ayudarme por favor?   a·you·*dar*·mé por fa·*bor*

Où est... ?
¿Dónde está…?   *donn*·dé és·*ta*

Je cherche...
Busco…   *bous*·ko

Par où faut-il passer pour aller à... ?
¿Por dónde se va a…?   por *donn*·dé sé ba a

Comment fait-on pour aller à... ?
¿Cómo se puede ir a…?   *ko*·mo sé *pwé*·dé ir a

À quelle distance se trouve… ?
¿A cuánta distancia está…?   a *kwann*·ta dis·*tann*·Sya és·*ta*

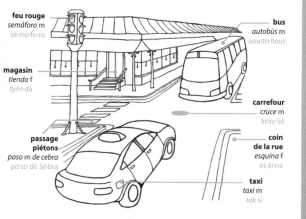

feu rouge
semáforo m
sé·*ma*·fo·ro

bus
autobús m
aou·to·*bous*

magasin
tienda f
tyén·da

carrefour
cruce m
krou·Sé

passage piétons
paso m *de cebra*
pa·so dé *Sé*·bra

coin de la rue
esquina f
és·*ki*·na

taxi
taxi m
tak·si

Pouvez-vous me montrer (sur la carte) ?
    ¿Me lo puede indicar   mé lo *pwé·*dé inn·di·*kar*
    (en el mapa)?   (én él *ma·*pa)

C'est...	*Está ...*	és·*ta ...*
derrière...	*detrás de...*	dé·*tras* dé
loin	*lejos*	*lé·*Rhos
ici	*aquí*	a·*ki*
en face de...	*enfrente de...*	én·*frén·*té dé
à gauche	*por la izquierda*	por la iS·*kyér·*da
près	*cerca*	*Sér·*ka
à côté de...	*al lado de...*	al *la·*do dé
en face de...	*frente a...*	*frén·*té a
à droite	*por la derecha*	por la dé·*ré·*tcha
tout droit	*todo recto*	*to·*do *rék·*to
ici	*ahí*	a·*i*

Tournez...	*Doble...*	*do·*blé...
au coin de la rue	*en la esquina*	én la *és·*ki·na
au feu rouge	*en el semáforo*	én él sé·*ma·*fo·ro
à gauche/	*a la izquierda/*	a la iS·*kyér·*da/
à droite	*derecha*	dé·*ré·*tcha

en bus	*por autobús*	por aou·to·*bous*
à pied	*a pie*	a pyé
en taxi	*por taxi*	por *tak·*si
en train	*por tren*	por trén

C'est à ...	*Está a ...*	és·*ta* a ...
... mètres	*... metros*	... *mé·*tros
... kilomètres	*... kilómetros*	... ki·*lo·*mé·tros
... minutes	*... minutos*	... mi·*nou·*tos

chercher

buscar

Où est... ?
¿Dónde está…?   *donn·dé és·ta*

Où puis-je acheter... ?
¿Dónde puedo comprar…?   *donn·dé pwé·do komm·prar*

banque	*banco* m	*bann·ko*
épicerie de	*tienda* f *de*	*tyén·da dé*
camping	*provisiones*	*pro·bi·syo·nés*
	de camping	*dé kamm·pinng*
supermarché	*supermercado* m	*sou·pér·mér·ka·do*

Pour plus de détails sur les magasins et la manière de s'y rendre, voir **orientation**, p. 61 et le **dictionnaire**.

acheter

comprar algo

Combien ça coûte ?
¿Cuánto cuesta esto?   *kwann·to kwés·ta és·to*

Je voudrais acheter...
Quisiera comprar…   *ki·syé·ra komm·prar*

Je ne fais que regarder.
Sólo estoy mirando.   *so·lo és·toy mi·rann·do*

Je peux le voir ?
¿Puedo verlo?   *pwé·do bér·lo*

Vous en avez d'autres ?
¿Tiene otros?   *tyé·né o·tros*

Vous avez quelque chose de moins cher ?
¿Tiene algo más barato?   *tyé·né al·go mas ba·ra·to*

Vous acceptez... ?   ¿Aceptan...?   a·Sép·tann...
  les cartes   *tarjetas de*   tar·*Rhé*·tas dé
  de crédit   *crédito*   *kré*·di·to
  les chèques   *cheques de*   *tché*·kés dé
  de voyage   *viajero*   bya·*Rhé*·ro

Pourrais-je avoir ...,   ¿Podría darme ...,   po·*dri*·a *dar*·mé ...,
s'il vous plaît ?   *por favor?*   por fa·*bor*
  un sac   *una bolsa*   *ou*·na *bol*·sa
  un reçu   *un recibo*   oun ré·*Si*·bo

Pouvez-vous écrire le prix ?
  ¿Puede escribir el   pwé·dé és·kri·*bir* él
  precio?   pré·Syo

Pouvez-vous me l'emballer ?
  ¿Me lo podría envolver?   mé lo po·*dri*·a én·bol·*bér*

Il y a une garantie ?
  ¿Tiene garantía?   tyé·né ga·rann·*ti*·a

Est-il possible de l'envoyer à l'étranger ?
  ¿Pueden enviarlo por   pwé·dén én·bi·*ar*·lo por
  correo a otro país?   ko·ré·o a o·tro pa·*is*

Pouvez-vous me le commander ?
   ¿Me lo puede pedir?   mé lo pwé·dé pé·*dir*

Puis-je passer le prendre plus tard ?
   ¿Puedo recogerlo más   pwé·do ré·ko·*Rhér*·lo mas
   tarde?   *tar*·dé

Il y a un défaut.
   Es defectuoso.   és dé·fék·tou·o·so

Je voudrais ...,	*Quisiera …,*	ki·syé·ra …
s'il vous plaît.	*por favor.*	por fa·*bor*
ma monnaie	*mi cambio*	mi *kamm*·byo
que vous	*que me*	ké mé
me rendiez	*devuelva*	dé·*bwél*·ba
mon argent	*el dinero*	él di·*né*·ro
rendre ceci	*devolver esto*	dé·bol·*bér* és·to

bonne affaire	*ganga* f	*gann*·ga
chasseur de	*cazador* m	ka·Sa·*dor*
bonnes affaires	*de ofertas*	dé o·*fér*·tas
escroquerie	*estafa* f	és·*ta*·fa
promotions	*ventas* f pl	*bén*·tas
soldes	*rebajas* f pl	ré·*ba*·Rhas

marchander

regatear

C'est très cher.
   Es muy caro.   és moui *ka*·ro

Est-ce que vous pourriez baisser un peu le prix ?
   ¿Podría bajar un   po·*dri*·a ba·*Rhar* oun
   poco el precio?   po·ko él *pré*·Syo

Je vous en donne...
   Le/La daré… m/f   lé/la da·ré

vêtements

Je peux l'essayer ?
¿Me lo puedo probar? — mé lo *pwé*·do *pro*·bar

Je fais du (taille)...
Uso la talla… — *ou*·so la *ta*·lya

Ça ne me va pas.
No me queda bien. — no mé *ké*·da byén

réparations

Pouvez-vous réparer mon... ?	*¿Puede reparar mi ... aquí?*	pwé·dé ré·pa·*rar* mi ... a·*ki*
sac à dos	*mochila*	mo·*tchi*·la
appareil photo	*cámara*	*ka*·ma·ra

Quand ... seront- elles prêtes ?	*¿Cuándo estarán listos/listas…?* **m/f**	kwann·do és·ta·*rann* lis·tos/listas
mes lunettes (de soleil)	*mis gafas* **f** *(de sol)*	mis *ga*·fas (dé sol)
mes chaussures	*mis zapatos* **m**	mis Sa·*pa*·tos

Pour plus de termes vestimentaires, voir le **dictionnaire**.

petite couture		
boutons	*botones* **m pl**	bo·*to*·nés
aiguille	*aguja* **f**	a·*gou*·Rha
ciseaux	*tijeras* **f pl**	ti·*Rhé*·ras
fil	*hilo* **m**	*i*·lo

chez le coiffeur

Je voudrais... *Quisiera…* ki·syé·ra…
  un brushing *un secado a mano* oun sé·ka·do a ma·no
  une couleur *un tinte de pelo* oun tinn·té dé pé·lo
  une coupe *un corte de pelo* oun kor·té dé pé·lo
  des reflets *reflejos* ré·flé·Rhos
  me faire *que me recorte* ké mé ré·kor·té
    tailler la barbe *la barba* la bar·ba
  me faire raser *que me afeite* ké mé a·féy·té
  rafraîchir ma *que me recorte* ké mé ré·kor·té
    coupe *el pelo* él pé·lo

Ne coupez pas trop court.
No me lo corte no mé lo kor·té
demasiado corto. dé·ma·sya·do kor·to

Rasez tout !
¡Aféitelo todo! a·féy·té·lo to·do

Changez de lame, s'il vous plaît.
Por favor, use una por fa·bor ou·sé ou·na
cuchilla nueva. kou·tchi·lya nwé·ba

La littérature espagnole possède une histoire remontant au XIIe siècle et s'enorgueillit de nombreux grands écrivains contemporains. Parmi les noms à retenir : Ana María Matute, Miguel de Unamuno, Carmen Martín Gaite, Juan Goytisolo, Francisco Umbarla, Miguel Delibes et Camilo José Cela, lauréat du prix Nobel en 1989.

livres et lecture

Y a-t-il un/une ... | *¿Hay algún/alguna* | ay al·*goun*/al·*gou*·na
en (français/ | *... en (francés/* | ... én (frann·*Sés*/
anglais) ? | *inglés)?* m/f | inn·*glés*)
  librairie | *librería* m | li·bré·*ri*·a
  livre de... | *libro* m *de...* | *li*·bro dé...
  guide des | *guía* f *del ocio* | *gui*·a dél o·Syo
  spectacles
  section | *sección* f | sék·*Syonn*

J'aime (Je n'aime pas)...
(No) Me gusta/gustan ... sg/pl   (no) mé *gous*·ta/*gous*·tann

Avez-vous des guides Lonely Planet ?
¿Tiene libros de Lonely   tyé·né *li*·bros dé *lonn*·li
Planet?   pla·nét

Avez-vous un meilleur guide de conversation que celui-ci ?
¿Tiene algún libro de   tyé·né al·*goun li*·bro dé
frases mejor que éste?   fra·sés mé·*Rhor* ké és·té

Voir aussi **loisirs**, p. 109.

musique

J'ai entendu un groupe qui s'appelle...
Escuché a un grupo   és·kou·*tché* a oun *grou*·po
que se llama...   ké sé *lya*·ma ...

J'ai entendu un chanteur/une chanteuse qui s'appelle...
Escuché a un/una   és·kou·*tché* a oun/*ou*·na
cantante que se llama... m/f   kann·*tann*·té ké sé *lya*·ma

Quel est leur meilleur disque ?
¿Cuál es su mejor disco?   kwal és sou mé-*Rhor dis*-ko

Je peux l'écouter ici ?
¿Puedo escucharlo   pwé-do és-kou-*tchar*-lo
aquí?   a-*ki*

C'est une copie pirate ?
¿Es copia pirata?   és *ko*-pya pi-*ra*-ta

Je voudrais...	*Quisiera…*	ki-syé-ra…
une cassette	*una cinta*	ou-na *Sinn*-ta
vierge	*virgen*	*bir*-Rhén
un CD	*un cómpac*	oun *komm*-pak
des écouteurs	*unos*	ou-nos
	auriculares	aou-ri-kou-*la*-rés

photographie

J'ai besoin de photos d'identité.
Necesito fotos de   né-Sé-*si*-to *fo*-tos dé
identidad.   i-dén-*ti*-da

J'en voudrais deux exemplaires.
Quisiera dos copias.   ki-syé-ra dos *ko*-pyas

Quand sera-il/elle prêt(e) ?
¿Cuándo estará listo/a?   kwann-do és-ta-*ra lis*-to/a

Je ne suis pas content(e) de ces photos.
No estoy contento/a m/f   no és-*toy* konn-*tén*-to/a
con estas fotos.   konn és-tas *fo*-tos

Je ne veux pas payer l'intégralité.

No quiero pagar el precio íntegro.

no *kyé·*ro pa·*gar* él *pré·*Syo *inn·*té·gro

Je voudrais une carte mémoire.

Quisiera una tarjeta de memoria

ki·*sié·*ra *ou·*na tar·*Rh·*éta dé mé·*mo·*ria

Combien coûte le tirage papier de cette carte mémoire ?

Cuánto cuesta revelar las fotos de la tarjeta de memoria ?

*kouán·*to *koués·*ta ré·bé·*lar* las *fo·*tos dé la tar·*Rh·*éta dé mé·*mo·*ria

Avez-vous un câble pour cet appareil photo ?

Tiene usted un cable para esta cámara de fotos ?

*Tié·*né ou·*stéd* oun *ca·*ble *pa·*ra *és·*ta *ca·*ma·ra dé *fo·*tos

Je souhaite télécharger ces photos sur mon ordinateur.

Me gustaría descargar estas fotos en mi ordenador

mé gous·ta·*ria* (ría) dés·car·*gar* *és·*tas *fo·*tos én mi or·dé·na·*dor*

Je voudrais graver mes photos sur un CD.

Quisiera gravar mis fotos en un cedé

ki·*sié·*ra gra·*bar* mis *fo·*tos én oun cé·*dé*

Où puis-je trouver une batterie ?

Dónde puedo encontrar una batería ?

don·dé *poué·*do én·con·*trar* *ou·*na ba·té·*ria*

poste et communications

poste

Français	Espagnol	Prononciation
Je voudrais envoyer...	*Quisiera enviar…*	ki·syé·ra én·bi·ar…
une carte postale	*una postal*	ou·na pos·tal
un colis	*un paquete*	oun pa·ké·té
un fax	*un fax*	oun faks
Je voudrais acheter...	*Quisiera comprar…*	ki·syé·ra komm·prar…
un aérogramme	*un aerograma*	oun aé·ro·gra·ma
une enveloppe	*un sobre*	oun so·bré
des timbres	*sellos*	sé·lyos
par voie aérienne	*por vía aérea*	por bi·a a·é·ré·a
par voie normale	*por vía terrestre*	por bi·a té·rés·tré
boîte aux lettres	*buzón* m	bou·Sonn
code postal	*código* m *postal*	ko·di·go pos·tal
colle	*pegamento* m	pé·ga·mén·to
courrier	*correo* m	ko·ré·o
recommandé	*certificado*	Sér·ti·fi·ka·do
déclaration de douane	*declaración* f *de aduana*	dé·kla·ra·Syonn dé a·dwa·na
fragile	*frágil*	fra·Rhil
international	*internacional*	inn·tér·na·Syo·nal
tarif national	*nacional*	na·Syo·nal
tarif urgent	*correo* m *urgente*	ko·ré·o our·Rhén·té

Merci de l'envoyer par voie aérienne/terrestre en/à...
Por favor, mándelo por vía aérea/terrestre a…
por fa·bor mann·dé·lo por bi·a a·é·ré·a/té·rés·tré a…

Il contient...
Contiene…
konn·tyé·né

Où est la poste restante ?
¿Dónde está la lista de correos?
donn·dé és·ta la lis·ta dé ko·ré·os

Y a-t-il du courrier pour moi ?
¿Hay alguna carta para mí?
ay al·gou·na kar·ta pa·ra mi

téléphone

el teléfono

Quel est ton numéro de téléphone ?
¿Cuál es tu número de teléfono?
kwal és tou nou·mé·ro dé té·lé·fo·no

Où puis-trouver une cabine téléphonique ?
¿Dónde hay una cabina telefónica?
donn·dé ay ou·na ka·bi·na té·lé·fo·ni·ka

Je voudrais passer ... (en France).	*Quiero hacer ... (a Francia).*	*kyé·ro a·Sér ... (a frann·Sya)*
un appel	*una llamada*	*ou·na lya·ma·da*
un appel en PCV	*una llamada a cobro revertido*	*ou·na lya·ma·da a ko·bro ré·bér·ti·do*
Je voudrais...	*Quiero...*	*kyé·ro...*
acheter une carte	*comprar una tarjeta*	*komm·prar ou·na tar·Rhé·ta*
de téléphone	*telefónica*	*té·lé·fo·ni·ka*
parler (trois) minutes	*hablar por (tres) minutos*	*ab·lar por (trés) mi·nou·tos*
Combien coûte... ?	*¿Cuánto cuesta…?*	*kwann·to kwés·ta...*
un appel de (trois) minutes	*una llamada de (tres) minutos*	*ou·na lya·ma·da dé (trés) mi·nou·tos*
chaque minute supplémentaire	*cada minuto extra*	*ka·da mi·nou·to ék·stra*

Le numéro est...
El número es… él *nou*·mé·ro és

Quel est le préfixe régional de... ?
¿Cuál es el prefijo de kwal és él pré·*fi*·Rho dé
la zona...? la *So*·na

Quel est le préfixe national de/du... ?
¿Cuál es el prefijo kwal és él pré·*fi*·Rho
del país...? dél pa·*is*

Vous êtes en ligne.
Está comunicando. és·ta ko·mou·ni·*kann*·do

J'ai été coupé.
Me han cortado mé ann kor·*ta*·do
(la comunicación). (la ko·mou·ni·ka·*Syonn*)

La connexion est mauvaise.
Es mala conexión. és *ma*·la ko·*nék*·syonn

Allô (quand on appelle) *Hola.* o·la
Allô ? (quand on répond) *¿Diga?* di·ga
Pourrais-je parler à... ? *¿Está...?* és·ta
C'est ... à l'appareil. *Soy...* soy

dé *par*·té dé kyén
¿De parte de quién? **C'est de la part de qui ?**

konn kyén *kyé*·ré a·*blar*
¿Con quién quiere **À qui voulez-vous**
hablar? **parler ?**

lo *syén*·to *pé*·ro a·o·ra no és·ta
Lo siento, pero ahora **Je regrette, il/elle n'est**
no está. **pas ici pour le moment.**

lo *syén*·to *tyé*·né él *nou*·mé·ro é·ki·bo·*ka*·do
Lo siento, tiene **Je regrette, vous avez**
el número. **fait un mauvais**
equivocado. **numéro.**

oun mo·*mén*·to *Un momento.* **Un instant.**
si a·*ki* és·ta *Sí, aquí está.* **Oui, il/elle est là.**

Puis-je laisser un message ?
¿Puedo dejar un   pwé·do dé·*Rhar* oun
mensaje?   mén·*sa*·Rhé

Dites-lui que j'ai appelé, s'il vous plaît.
Sí, por favor, dile que he   si por fa·*bor* di·lé ké é
llamado.   lya·*ma*·do

Je rappellerai plus tard.
Ya llamaré más tarde.   ya lya·ma·ré mas *tar*·dé

téléphone portable

Je voudrais...	*Quisiera…*	ki·*syé*·ra…
un adaptateur	*un adaptador*	oun a·dap·ta·*dor*
un chargeur	*un cargador*	oun kar·ga·*dor*
pour mon	*para mi*	*pa*·ra mi
téléphone	*teléfono*	té·*lé*·fo·no
un téléphone	*un móvil para*	oun *mo*·bil *pa*·ra
portable à louer	*alquilar*	al·ki·*lar*
une carte	*una tarjeta*	*ou*·na tar·*Rhé*·ta
prépayée	*prepagada*	pré·pa·*ga*·da
une carte SIM	*una tarjeta*	*ou*·na tar·*Rhé*·ta
pour votre réseau	*SIM para su*	simm *pa*·ra sou
	red	réd

Quels sont les tarifs ?
¿Cuál es la tarifa?   kwal és la ta·*ri*·fa

(30 centimes) pour (30 secondes).
(treinta centavos) por   (*tréyn*·ta Sén·*ta*·bos) por
(treinta) segundos   (*tréyn*·ta) sé·*goun*·dos

Internet

Y a-t-il un cybercafé dans les environs ?
¿Dónde hay un cibercafé   donn·dé ay oun Si·bér·ka·fé
cercano?   Sér·ka·no

Je voudrais...	*Quisiera…*	ki·syé·ra…
consulter mes	*revisar mi*	ré·bi·sar mi
e-mails	*correo*	ko·ré·o
	electrónico	é·lék·tro·ni·ko
aller sur Internet	*usar el*	ou·sar él
	Internet	inn·tér·nét
utiliser une	*usar una*	ou·sar ou·na
imprimante	*impresora*	imm·pré·so·ra
utiliser un scanner	*usar un*	ou·sar oun
	escáner	és·ka·nér

Quel est le prix	*¿Cuánto cuesta*	kwann·to kwés·ta
par... ?	*por…?*	por…
CD	*cómpact*	komm·pakt
heure	*hora*	o·ra
(cinq) minutes	*(cinco)*	(Sinn·ko)
	minutos	mi·nou·tos
page	*página*	pa·Rhi·na

Vous avez... ?	*¿Tiene…?*	tyé·né…
des Mac	*Apples*	a·péls
des PC	*PCs*	pé·Sés
un lecteur Zip	*unidad de Zip*	ou·ni·da dé Sip

Comment me connecter ?
¿Cómo entro al sistema?   ko·mo én·tro al sis·té·ma

Il a planté.
Se ha quedado colgado.   sé a ké·da·do kol·ga·do

J'ai fini.
He terminado.   é tér·mi·na·do

De la même façon que l'anglais de la Toile a pénétré la langue française, s'il y a bien un endroit où les anglicismes sont en plein essor dans la langue espagnole, c'est sur Internet. De nouveaux verbes comme *chatear, downloar, emailar, postear* ou *surfear* commencent à se répandre rapidement à travers le cyberespace hispanique. Très souvent, cependant, il existe des substituts pour les termes les plus fréquents. Voici une petite liste des alternatives officielles :

chatter	*charlar*	*tchar*·lar
cyberespace	*ciberespacio*	si·bér·é·*spa*·Syo
télécharger	*descargar*	dés·kar·*gar*
page	*página Web*	*pa*·Rhi·na wéb
d'accueil	*inicial*	i·ni·*Syal*
en ligne	*en línea*	én *li*·né·a
moteur de	*sistema de*	sis·*té*·ma dé
recherche	*búsqueda*	*bous*·ké·da
surfer	*correr tabla*	ko·*rér ta*·bla
	por la red	por la ré
nom	*nombre de*	*nomm*·bré dé
d'utilisateur	*usuario*	ou·*swa*·ryo
site Web	*sitio Web*	*si*·tyo wéb

Il est d'usage de parler de choses et d'autres avant d'entrer dans le vif du sujet.

J'assiste à...	Asisto a…	a·sis·to a…
un congrès	*un congreso*	oun konn·*gré*·so
un cours	*un curso*	oun *kour*·so
une réunion	*una reunión*	ou·na ré·ou·*nyonn*
une foire commerciale	*una feria de muestras*	ou·na *fé*·rya dé *mwés*·tras

Je suis ici avec...	Estoy aquí con…	és·toy a·ki konn ...
ma société	*mi compañía*	mi komm·pa·*nyi*·a
mes collègues	*mis colegas*	mis ko·*lé*·gas
(deux) autres personnes	*otros (dos)*	*ot*·ros (dos)

Lors d'une rencontre formelle, ou pour montrer du respect à une personne plus âgée que vous, il convient d'utiliser la forme de politesse (voir ci-dessous). Le meilleur moyen de s'y retrouver est d'écouter comment la personne s'adresse à vous et de répondre de la même manière. Il est toujours préférable d'utiliser la forme de politesse dans les affaires, ainsi qu'avec tout prestataire de service (qu'il s'agisse d'un marchand de journaux ou d'un médecin).

vous sg pol	*usted*	ou·*sté*
vous pl pol	*ustedes*	ou·*sté*·dés

Comment vous appelez-vous ?

¿Cómo se llama	ko·mo sé *lya*·ma
usted? sg pol	ous·*té*

Pour plus de renseignements sur la forme de politesse, voir **vouvoiement** dans la **grammaire de A à Z**, p. 26.

Où est... ?
    ¿Dónde está…?   donn·dé és·ta...
  le quartier   *el centro*   él *Sén*·tro
    d'affaires   *financiero*   fi·nann·*Syé*·ro
  le congrès   *el congreso*   él konn·*gré*·so

Où a lieu la réunion ?
  ¿Dónde es la reunión?   donn·dé és la ré·ou·*nyonn*

Je suis seul/seule.
  Estoy solo/a. m/f   és·toy *so*·lo/a

Puis-je vous présenter mon/ma collègue ?
  ¿Puedo presentarle a mi   pwé·do pré·sén·*tar*·lé a mi
  compañero/a? m/f   komm·pa·*nyé*·ro/a

Je réside à ..., chambre...
  Me estoy alojando en …,   mé és·toy a·lo·*Rhann*·do én …,
  la habitación …   la a·bi·ta·*Syonn* …

Je suis ici pour ... jours/semaines.
  Estoy aquí por … días/   és·toy a·ki por … *di*·as/
  semanas.   sé·*ma*·nas

Voici ma carte de visite.
  Aquí tiene mi tarjeta   a·ki tyé·né mi tar·*Rhé*·ta
  de visita.   dé bi·*si*·ta

J'ai un rendez-vous avec...
  Tengo una cita con…   tén·go ou·na *Si*·ta konn

Ça s'est très bien passé.
  Eso fue muy bien.   é·so fwé moui byén

Nous allons boire/manger quelque chose ?
  ¿Vamos a tomar/   ba·mos a to·mar/
  comer algo?   ko·mér al·go

C'est moi qui invite.
  Invito yo.   inn·*bi*·to yo

banque

el banco

Où puis-je... ?	¿Dónde puedo…?	donn·dé pwé·do…
J'aimerais...	Me gustaría…	mé gous·ta·ri·a…
changer un	cambiar un	kamm·byar oun
chèque	cheque	tché·ké
changer	cambiar	kamm·byar
de l'argent	dinero	di·né·ro
changer un	cobrar un	ko·brar oun
chèque de	cheque de	tché·ké dé
voyage	viajero	bi·a·Rhé·ro
obtenir une avance	obtener un	ob·té·nér oun
en liquide	adelanto	a·dé·lann·to
retirer de l'argent	sacar dinero	sa·kar di·né·ro

À quelle heure ouvre la banque ?
¿A qué hora abre el banco? a ké o·ra a·bré él bann·ko

Puis-je effectuer un virement ?
¿Puedo hacer una pwé·do ha·Sér ou·na
transferencia? tranns·fé·rén·Sya

Où est le bureau de change le plus proche ?
¿Dónde está la oficina donn·dé és·ta la o·fi·Si·na
de cambio más cercano? dé kamm·byo mas Sér·ka·no

Le distributeur automatique a avalé ma carte.
El cajero automático él ka·Rhé·ro aou·to·ma·ti·ko
se ha tragado mi tarjeta. sé a tra·ga·do mi tar·Rhé·ta

J'ai oublié mon code.
Me he olvidado mé é ol·bi·da·do
del NPI. dél é·né pé i

Combien faut-il payer pour ça ?
¿Cuánto hay que pagar kwann·to ay ké pa·gar
por eso? por é·so

Pourrais-je avoir des coupures plus petites ?
¿Me lo puede dar en   mé lo *pwé*·dé dar én
billetes más pequeños?   bi·*lyé*·tés mas pé·*ké*·nyos

Mon argent est-il arrivé ?
¿Ya ha llegado mi dinero?   ya a lyé·*ga*·do mi di·*né*·ro

Dans combien de temps arrivera-t-il ?
¿Cuánto tiempo tardará   kwann·to *tyém*·po tar·da·*ra*
en llegar?   én lyé·*gar*

Quel est le taux de change ?
¿Cuál es el tipo de cambio?   kwal és él *ti*·po dé *kamm*·byo

---

expressions courantes

ay oun pro·*blé*·ma konn sou *kwén*·ta
  Hay un problema   **Il y a un problème avec**
  con su cuenta.   **votre compte.**

no po·*dé*·mos a·*Sér é*·so
  No podemos   **Nous ne pouvons pas**
  hacer eso.   **faire ça.**

por fa·*bor* fir·mé a·*ki*
  Por favor firme aquí.   **Signez ici, s'il vous plaît.**

pwé·dé és·kri·*bir*·lo
  ¿Puede escribirlo?   **Pouvez-vous l'écrire ?**

pwé·do bér sou i·dén·ti·fi·ka·*Syonn*/pa·sa·*por*·té por fa·*bor*
  ¿Puedo ver su   **Puis-je voir votre**
  identificación/   **carte d'identité/**
  pasaporte, por favor?   **passeport, s'il vous plaît ?**

tyé·né oun dés·kou·*byér*·to
  Tiene un descubierto.   **Vous êtes à découvert.**

én ...   *En ...*   **Dans...**
  (*kwa*·tro) *di*·as   *(cuatro) días*   **(quatre) jours**
  la·bo·*ra*·blés   *laborables*   **ouvrés**
  ou·na sé·*ma*·na   *una semana*   **une semaine**

Je voudrais...	*Quisiera …*	ki·*syé*·ra …
un audioguide	*un equipo audio*	oun é·*ki*·po *aou*·dyo
un catalogue	*un catálogo*	oun ka·*ta*·lo·go
une carte	*un mapa (de*	oun *ma*·pa (dé
(du coin)	*la zona)*	la *So*·na)
un guide en	*una guía*	*ou*·na *gi*·a
français/	*turística en*	tou·*ris*·ti·ka én
anglais	*francés/inglés*	frann·*Sés*/inn·*glés*
Avez-vous des	*¿Tiene información*	tyé·né inn·for·ma·*Syonn*
informations sur	*sobre los lugares*	so·bré los lou·*ga*·rés
des sites ... à voir ?	*de interés…?*	dé inn·té·rés...
culturels	*cultural*	koul·tou·*ral*
locaux	*local*	lo·*kal*
religieux	*religioso*	ré·li·*Rhyo*·so
uniques	*único*	*ou*·ni·ko

Pouvons-nous louer les services d'un guide ?
   ¿Podemos alquilar   po·dé·mos al·ki·*lar*
   un guía?   oun *gi*·a

J'aimerais voir...
   Me gustaría ver…   mé gous·ta·*ri*·a bér...

Qu'est-ce que c'est ?
   ¿Qué es eso?   ké és *é*·so

Qui l'a fait ?
   ¿Quién lo hizo?   kyén lo *i*·So

Ça date de quand ?
   ¿De qué época es?   dé ké *é*·po·ka és

Vous pouvez me prendre en photo ?
¿Me puede hacer una foto?   mé *pwé*·dé a·*Sér* ou·na *fo*·to

Puis-je vous/te prendre en photo ?
¿(Le/Te) Puedo tomar   (lé/té) *pwé*·do to·*mar*
fotos? **pol/fam**   *fo*·tos

Je vous/t'enverrai la photo.
Le/Te mandaré la foto. **pol/fam**   lé/té mann·da·*ré* la *fo*·to

accéder à un site touristique

<entrar en un sitio turístico>

À quelle heure est l'ouverture/la fermeture ?
¿A qué hora abren/cierran?   a ké *o*·ra ab·*rén*/Syé·rann

Quel est le prix de l'entrée ?
¿Cuánto cuesta la entrada?   kwann·to kwés·ta la én·*tra*·da

Ça coûte...
Cuesta …   kwés·ta …

Y a-t-il une réduction *¿Hay descuentos*   ay dés·*kwén*·tos
pour les... ?   *para …?*   *pa*·ra …
  enfants   *niños*   *ni*·nyos
  familles   *familias*   fa·*mi*·li·as
  groupes   *grupos*   *grou*·pos
  retraités   *pensionistas*   pén·syo·*nis*·tas
  étudiants   *estudiantes*   és·tou·*dyann*·tés

panneaux		
Abierto	a·*byér*·to	**Ouvert**
Cerrado	Sé·*ra*·do	**Fermé**

circuits

Pouvez-vous me recommander un(e) ... ?	¿Puede recomendar algún(a) ...? m/f	pwé·dé ré·ko·mén·dar al·goun/al·gou·na ...
Quand est le/la prochain(e)... ?	¿Cuándo es el/la próximo/a ...? m/f	kwann·do és él/la prok·si·mo/a ...
tour en bateau	paseo m en barco	pa·sé·o én bar·ko
excursion	excursión f	éks·kour·syonn
excursion d'une journée	excursión f de un día	éks·kour·syonn dé oun di·a
circuit	recorrido m	ré·ko·ri·do

Dois-je prendre ... avec moi ?	¿Necesito llevar ...?	né·Sé·si·to lyé·bar ...
... est-il/elle inclus(e) ?	¿Incluye ...?	inn·klou·yé ...
le matériel	el equipo	él é·ki·po
la nourriture	la comida	la ko·mi·da
le transport	el transporte	él tranns·por·té

Le guide va payer.
El guía va a pagar. él gui·a ba a pa·gar

Le guide a payé.
El guía ha pagado. él gui·a a pa·ga·do

Combien de temps dure le circuit ?
¿Cuánto dura el recorrido? kwann·to dou·ra él ré·ko·ri·do

À quelle heure dois-je revenir ?
¿A qué hora tengo que volver? a ké o·ra tén·go ké bol·bér

visite touristique

Revenez à...
Vuelva...   *bwél·*ba...

Je suis avec eux.
Voy con ellos.   boy konn é·lyos

J'ai perdu mon groupe.
He perdido a mi grupo.   é pér·*di·*do a mi *grou·*po

Une légende populaire raconte que l'un des rois d'Espagne (Philippe IV pour certains, Ferdinand Ier selon d'autres) avait un léger défaut de prononciation. Incapable de prononcer correctement le son s, il zozotait. Dans un excès de flatterie, la cour entière, et pour finir toute l'Espagne, se mit à imiter le roi. Cette histoire offre une explication pittoresque au fait que les Espagnols prononcent le mot *cerveza* (bière) Sér·*bé·*Sa, tandis que les Latino-Américains le prononcent sér·*bé·*sa.

Toutefois, cette histoire de roi zozoteur est un mythe. Après tout, seules les lettres *c* (devant un *i* ou un *e*) et *z* sont prononcées S. La lettre *s* se prononce comme en français. Cela s'explique par la manière dont l'espagnol a évolué depuis le latin et n'a rien à voir avec un quelconque zézaiement, aussi royal fut-il.

Je suis handicapé/e.
Soy minusválido/a. m/f   soy mi·nous·*ba*·li·do/a

Quels services offrez-vous aux personnes handicapées ?
¿Qué servicios tienen   ké sér·*bi*·Syos tyé·nén
para minusválidos/as? m/f   pa·ra mi·nous·*ba*·li·dos/as

Y a-t-il un accès pour les fauteuils roulants ?
¿Hay acceso para la silla   ay ak·*Sé*·so pa·ra la si·lya
de ruedas?   dé rwé·das

Parlez plus fort, s'il vous plaît.
Hable más alto, por favor.   ab·lé mas al·to por fa·bor

Je suis sourd(e).
Soy sordo/a. m/f   soy sor·do/a

Les chiens guides d'aveugles sont-ils autorisés ?
¿Se permite la entrada a   sé pér·*mi*·té la én·*tra*·da a
los perros lazarillos?   los pé·ros la·Sa·ri·lyos

Pouvez-vous m'aider à traverser la rue ?
¿Me puede ayudar a   mé pwé·dé a·you·dar a
cruzar la calle?   krou·Sar la ka·lyé

J'ai besoin d'aide.
Necesito asistencia.   né·Sé·si·to a·sis·tén·Sya

bibliothèque	*biblioteca* f	bi·bli·o·té·ka
Braille	*Braille*	*bray·lyé*
personne	*persona* f	pér·so·na
handicapée	*minusválida*	mi·nous·ba·li·da
chien guide	*perro* m *lazarillo*	pé·ro la·Sa·ri·lyo
fauteuil roulant	*silla* f *de ruedas*	si·lya dé rwé·das
rampe	*rampa* f	*ramm·pa*
espace	*espacio* m	és·pa·Syo

Acceso para *sillas de* *ruedas*	ak·Sé·so pa·ra Si·lyas dé rwé·das	**Accès pour** **fauteuils** **roulants**
Ascensor	as·Sén·sor	**Ascenseur**
Aseos para *minusválidos*	a·Sé·os pa·ra mi·nous·ba·li·dos	**Toilettes pour** **handicapés**
Carros de *minusválidos*	ka·ros dé mi·nous·ba·li·dos	**Caddie pour** **handicapés** **(dans les grands** **supermarchés)**

Y a-t-il... ?   *¿Hay...?*   ay...

une salle pour changer les bébés	*una sala en la que cambiarle el pañal al bebé*	ou·na sa·la én la ké kamm·byar·lé él pa·nyal al bé·bé
une baby-sitter (qui parle français)	*canguro (de habla francesa)*	kann·gou·ro (dé ab·la frann·Sé·sa)
un service de garde d'enfants	*un servicio de cuidado de niños*	oun sér·bi·Syo dé oun kwi·da·do dé ni·nyos
un menu enfants	*un menú infantil*	oun mé·nou inn·fann·til
une réduction pour les familles	*un descuento familiar*	oun dés·kwén·to fa·mi·lyar
une chaise haute	*una trona*	ou·na tro·na

Cela vous embête-t-il si j'allaite mon enfant ici ?
¿Le molesta que dé de pecho aquí?   lé mo·lés·ta ké dé dé pé·tcho a·ki

Les enfants sont-ils admis ?
¿Se admiten niños?   sé ad·mi·tén ni·nyos

Cela convient-il pour un enfant de ... ans ?
¿Es apto para un niño de ... años?   és ap·to pa·ra oun ni·nyo dé ... a·nyos

J'ai besoin d'un(e)...	Necesito un...	né·Sé·si·to oun ...
siège pour bébé	asiento m de seguridad para bebés	a·syén·to dé sé·gou·ri·da pa·ra bé·bés
siège pour enfant	asiento m de seguridad para niños	a·syén·to dé sé·gou·ri·da pa·ra ni·nyos
pot	orinal m de niños	o·ri·nal dé ni·nyos
poussette	cochecito m	ko·tché·Si·to
crèche	guardería f	gwar·dé·ri·a
parc	parque m	par·ké
toboggan	tobogán m	to·bo·gann
balançoire	columpio m	ko·loum·pyo
parc d'attractions	parque m de atracciones	par·ké dé a·trak·Syo·nés
magasin de jouets	juguetería f	Rhou·gé·té·ri·a

En Espagne, on répond à un éternuement en disant ¡Salud!, sa·lou (Santé !), ou même ¡Jesús! Rhé·sous (Jésus !).

formules de base

lo básico

Oui	*Sí*	si
Non	*No*	no
S'il vous plaît	*Por favor*	por fa·bor
Merci (beaucoup)	*(Muchas) Gracias*	(mou·tchas) gra·Syas
De rien	*De nada*	dé na·da
Pardon	*Perdón*	pér·donn
Excusez-moi	*Discúlpeme*	dis·koul·pé·mé
Je suis désolé.	*Lo siento.*	lo syén·to

salutations

los saludos

Les Espagnols s'embarrassent rarement de formules ampoulées. Aussi, les expressions suivantes peuvent-elles être employées aussi bien entre amis que dans des situations plus formelles.

Bonjour/Salut	*Hola*	o·la
Bonjour (matin)	*Buenos días*	bwé·nos di·as
Bonjour (après-midi, jusqu'à 20h)	*Buenas tardes*	bwé·nas tar·dés
Bonsoir/Bonne nuit	*Buenas noches*	bwé·nas no·tchés
À plus tard	*Hasta luego*	as·ta lwé·go
Au revoir	*Adiós*	a·dyos
Comment ça va ?	*¿Qué tal?*	ké tal
Bien, merci.	*Bien, gracias.*	byén gra·Syas

Comment t'appelles-tu/vous appelez-vous ?

| ¿Cómo te llamas? fam | ko·mo té *lya*·mas |
| ¿Cómo se llama usted? pol | ko·mo sé *lya*·ma ous·té |

Je m'appelle...

| Me llamo... | mé *lya*·mo |

J'aimerais te/vous présenter...

| Quisiera presentarte a... fam | ki·*syé*·ra pré·sén·tar·té a |
| Quisiera presentarle a... pol | ki·*syé*·ra pré·sén·tar·lé a |

Enchanté

| Mucho gusto | mou·tcho *gous*·to |

s'adresser à quelqu'un

dirigirse a la gente

Señor et *Señora* sont utilisés dans la vie de tous les jours. *Doña*, bien que rare, est utilisé comme une marque de respect envers une femme plus âgée. *Don* est parfois utilisé pour s'adresser à des hommes. On pourra ainsi appeler *Doña Lola* une voisine âgée.

Monsieur	Señor	sé·*nyor*
	Don	donn
Mademoiselle	Señorita	sé·nyo·*ri*·ta
Madame	Señora	sé·*nyo*·ra
	Doña	*do*·nya

engager la conversation

L'un des meilleurs moyens d'engager la conversation en Espagne est de demander à son interlocuteur de quelle région il vient. Le sport, la politique et les voyages font aussi de bons sujets.

Tu vis/Vous vivez ici ?
¿Vives/Vive aquí? fam/pol   bi·bés/bi·bé a·ki

Où vas-tu/allez-vous ?
¿Adónde vas/va? fam/pol   a·donn·dé bas/ba

Qu'est-ce que tu fais/vous faites ?
¿Qué haces/hace? fam/pol   ké a·Sés/a·Sé

Tu attends/Vous attendez (le bus) ?
¿Estás/Está esperando   és·tas/és·ta és·pé·rann·do
(un autobús)? fam/pol   (oun aou·to·bous)

Tu as/Vous avez du feu ?
¿Tienes/Tiene fuego? fam/pol   tyé·nés fwé·go

Ça te/vous plaît ?
¿Te/Le gusta esto? fam/pol   té/lé gous·ta és·to

J'adore ça.
Me encanta esto.   mé én·kann·ta és·to

Je suis ici...	*Estoy aquí...*	és·toy a·ki...
en vacances	*de vacaciones*	dé ba·ka·Syo·nés
en voyage	*en viaje de*	én bya·Rhé dé
d'affaires	*negocios*	né·go·Syos
pour mes études	*estudiando*	és·tu·dyann·do
avec ma famille	*con mi familia*	konn mi fa·mi·lya
en couple	*con mi pareja* m et f	konn mi pa·ré·Rha

expressions courantes

és·tas a·ki dé ba·ka·Syo·nés	
¿Estás aquí de vacaciones?	**Tu es ici en vacances ?**

Comment ça s'appelle ?
    ¿Cómo se llama esto?   ko·mo sé *lya*·ma és·to

Que penses-tu/pensez-vous (de…) ?
    ¿Qué piensas/   ké *pyén*·sas/
    piensa (de…)? fam/pol   *pyén*·sa (dé…)

Quel beau bébé !
    ¡Qué niño/a más   ké *ni*·nyo/a mas
    precioso/a! m/f   pré·*Syo*·so/a

Puis-je prendre une photo?
    ¿Puedo hacer una foto?   pwé·do a·*Sér* ou·na fo·to

C'est (beau), n'est-ce pas ?
    ¿Es (precioso), no?   és (pré·*Syo*·so) no

Tu es/Vous êtes ici pour combien de temps ?
    ¿Cuánto tiempo te vas/   kwann·to *tyém*·po té bas/
    se va a quedar? fam/pol   sé ba a ké·*dar*

Je suis ici pour … semaine(s)/jour(s).
    Estoy aquí por …   és·toy a·*ki* por …
    semana(s)/día(s).   sé·*ma*·na(s)/*di*·a(s)

C'est mon/ma…	*Éste/a es mi …*	és·té/a és mi …
fils/fille	*hijo/a* m/f	i·Rho/a
collègue	*colega* m et f	ko·*lé*·ga
ami/e	*amigo/a* m/f	a·*mi*·go/a
mari	*marido*	ma·*ri*·do
compagnon/	*pareja* m et f	pa·ré·Rha
compagne		
épouse	*esposa*	és·*po*·sa

nationalités

Vous constaterez que beaucoup de noms de pays sont les mêmes qu'en français. En cas de doute, vous pouvez essayer de dire le nom du pays avec un accent espagnol... il y a des chances que ça marche !

D'où viens-tu/venez-vous ?
   ¿De dónde eres/es? **fam/pol**   dé *donn*·dé é·rés/és

Je suis...	*Soy de…*	soy dé...
français	*Francia*	*frann*·Sya
canadien	*Canadá*	ka·na·*da*
belge	*Bélgica*	*bél*·Rhi·ka
suisse	*Suiza*	*swi*·Sa

âge

Quel âge... ?	*¿Cuántos años…?*	*kwann*·tos *a*·nyos...
as-tu/avez-vous	*tienes/tiene* **fam/pol**	*tyé*·nés/*tyé*·né
a ton fils/ta fille	*tiene tu hijo/a* **m/f**	*tyé*·né tou *i*·Rho/a
a votre fils/fille	*tiene su hijo/a* **m/f**	*tyé*·né sou *i*·Rho/a

J'ai ... ans.
   Tengo … años.   *tén*·go … *a*·nyos

Il/Elle a ... ans.
   Tiene … años.   *tyé*·né … *a*·nyos

Je suis plus jeune que je n'en ai l'air.
   Soy más joven de lo   soy mas *Rho*·bén dé lo
   que parezco.   ké pa·*réS*·ko

Voir aussi **nombres et quantités**, page 29.

travail et études

Que fais-tu/faites-vous dans la vie ?
¿A qué te dedicas/   a ké té dé·*di*·kas/
se dedica? fam/pol   sé dé·*di*·ka

Tu étudies/Vous étudiez quoi ?
¿Qué estudias/estudia? fam/pol   ké és·*tou*·dyas/és·*tou*·dya

Je travaille en indépendant.
Soy trabajador/   soy tra·ba·Rha·*dor*/
trabajadora   tra·ba·Rha·*do*·ra
autónomo/a. m/f   aou·*to*·no·mo/a

Je suis...	*Soy…*	soy...
architecte	*arquitecto/a* m/f	ar·ki·*ték*·to/a
mécanicien	*mecánico/a* m/f	mé·*ka*·ni·ko/a
écrivain	*escritor/*	és·kri·*tor*/
	escritora m/f	és·kri·*to*·ra

Je suis dans...	*Trabajo en…*	tra·*ba*·Rho én...
l'enseignement	*enseñanza*	én·sé·*nyann*·Sa
l'hôtellerie	*hostelería*	os·té·lé·*ri*·a

Je suis...	*Esto …*	és·*toy*...
retraité	*jubilado/a* m/f	Rhou·bi·*la*·do/a
au chômage	*en el paro*	én él *pa*·ro

Je fais des études...	*Estudio…*	és·*tou*·dyo...
de commerce	*comercio*	ko·*mér*·Syo
de langues	*idiomas*	i·*dyo*·mas
scientifiques	*ciencias*	Syén·Syas

Je suis...	Estudio en…	és·tou·dyo én...
à l'école	el colegio	él ko·lé·Rhyo
dans une école	el instituto de	él inns·ti·tou·to dé
professionnelle	formación	for·ma·Syonn
	profesional	pro·fé·syo·nal
au lycée	el instituto	él inns·ti·tou·to
à l'université	la universidad	la ou·ni·bér·si·da

Pour plus de professions et d'études, voir le **dictionnaire**.

famille

la familia

As-tu... ?	¿Tienes…?	tyé·nés...
J'ai...	Tengo…	tén·go...
une famille	una familia	ou·na fa·mi·lya
un frère	un hermano	oun ér·ma·no
quelqu'un	una pareja m et f	ou·na pa·ré·Rha
dans ta/ma vie		

Tu vis avec ton... ?
¿Vives con tu…?　　　　*bi*·bés konn tou

Je vis avec mon/ma...
Vivo con mi…　　　　*bi*·bo konn mi

Voici mon/ma...
Éste/a es mi… m/f　　　　és·té/a és mi

Tu es marié(e) ?
¿Estás casado/a? m/f　　　　és·tas ka·sa·do/a

Je suis...	Estoy…	és·toy...
marié(e)	casado/a m/f	ka·sa·do/a
divorcé(e)	separado/a m/f	sé·pa·ra·do/a

Je suis célibataire. *Soy soltero/a. m/f*　　soy sol·té·ro/a

Je vis avec quelqu'un.
Vivo con alguien.　　　　*bi*·bo konn al·guyén

los niños

C'est quand, ton anniversaire ?
¿Cuándo es tu cumpleaños?
kwann·do és tou koum·plé·*a*·nyos

Tu vas à l'école ou à la garderie ?
¿Vas al colegio o a la guardería?
bas al ko·*lé*·Rhyo o a la gwar·dé·*ri*·a

Tu es en quelle classe ?
¿En qué curso estás?
én ké *kour*·so és·*tas*

Tu aimes... ? | *¿Te gusta…?* | té *gous*·ta…
l'école | *el colegio* | él ko·*lé*·Rhyo
le sport | *el deporte* | él dé·*por*·té
ton instituteur | *tu profesor* | tou pro·fé·*sor*
ton institutrice | *tu profesora* | tou pro·fé·*so*·ra

Qu'est-ce que tu fais après l'école ?
¿Qué haces después del colegio?
ké *a*·Sés dés·*pwés* dél ko·*lé*·Rhyo

Tu apprends le français ?
¿Aprendes francés?
a·*prén*·dés frann·*Sés*

Je viens de très loin.
Vengo de muy lejos.
bén·go dé moui *lé*·Rhos

Tu es perdu(e) ?
¿Estás perdido/a? m/f
és·*tas* pér·*di*·do/a

Montre-moi comment ça se joue.
Dime cómo se juega.
di·mé *ko*·mo sé *Rhwé*·ga

C'est bien !
¡Muy bien!
moui byén

au revoir

C'est demain mon dernier jour ici.
Mañana es mi último   ma·*nya*·na és mi *oul*·ti·mo
día aquí.   *dí*·a a·*ki*

J'ai été enchanté de te connaître.
Me ha encantado   mé a én·kann·*ta*·do
conocerte.   ko·no·*Sér*·té

On reste en contact !
¡Nos mantendremos en   nos mann·tén·*dré*·mos én
contacto!   konn·*tak*·to

Je t'enverrai des doubles des photos.
Te enviaré copias de   té én·bi·a·*ré* ko·pyas dé
las fotos.   las *fo*·tos

---

comme dirait ma grand-mère...

Nombre d'expressions idiomatiques trouvent leur équivalent en espagnol. Voici quelques exemples :

C'est donner de la confiture aux cochons.
Es como echar   és *ko*·mo é·*tchar*
margaritas a los   ma·ga·*ri*·tas a los
cerdos.   *Sér*·dos

(litt : C'est comme jeter des marguerites aux cochons)

Un malheur n'arrive jamais seul.
Éramos pocos y   é·ra·mos *po*·kos y
parió la abuela.   pa·*ri*·o la a·*bwé*·la

(litt : Nous étions peu nombreux et la grand-mère a accouché)

Il ne faut pas chercher midi à quatorze heures.
No hay que buscarle   no ay ké bous·*kar*·lé
tres pies al gato.   trés piés al *ga*·to

(litt : Il ne faut pas chercher trois pattes au chat)

Si un jour	*Si algún día*	si al·*goun* di·a
tu passes en	*visitas*	bi·*si*·tas
(France),...	*(Francia),…*	(frann·Sya),...
viens nous voir	*ven a*	bén a
	visitarnos	bi·si·*tar*·nos
tu pourras venir	*te puedes quedar*	té *pwé*·dés ké·*dar*
chez moi	*conmigo*	konn·*mi*·go

Voici mon...	*Ésta/Esto es mi…*	és·ta/*és*·to és mi...
Quel(le) est ton... ?	*¿Cuál es tu…?*	kwal és tou...
adresse	*dirección*	di·rék·*Syonn*
adresse	*dirección*	di·rék·*Syonn*
e-mail	*de email*	dé *i*·mayl
numéro de fax	*número de fax*	*nou*·mé·ro dé faks
numéro de	*número de*	*nou*·mé·ro dé
portable	*móvil*	*mo*·bil
numéro de	*número de*	*nou*·mé·ro dé
téléphone	*teléfono*	té·*lé*·fo·no
au travail	*en el trabajo*	én él tra·*ba*·Rho

Pour plus de détails, voir **orientation**, p. 61.

---

hispano-américain

La colonisation des Amériques par l'Espagne a marqué la langue espagnole. Celle-ci a en effet assimilé de nombreux mots provenant de langues amérindiennes. Parmi les plus utilisés, citons *patata*, *tomate*, *cacao* et *chocolate*.

L'espagnol a également évolué différemment en Europe et sur le continent américain. Si vous vous rendez en Amérique latine, procurez-vous notre *Guide de conversation français/ espagnol latino-américain*.

Voici quelques mots et phrases utiles si vous souhaitez impressionner vos nouveaux amis en leur écrivant en espagnol, lorsque vous rentrerez chez vous :

Cher/Chère...
Querido/a... m/f

Je regrette d'avoir tant tardé à écrire.
Siento haber tardado tanto en escribir.

J'ai été enchanté(e) de faire ta connaissance.
Me encantó conocerte.

Merci mille fois pour ton hospitalité.
Muchísimas gracias por tu hospitalidad.

Tu me manques beaucoup.
Te echo mucho de menos.

J'ai passé un moment formidable à...
Me lo pasé genial en…

Mon endroit préféré a été...
Mi lugar preferido fue…

J'espère pouvoir visiter à nouveau...
Espero poder volver a visitar…

Salue ... (et ...) de ma part.
Saluda a … (y a …) de mi parte.

J'aimerais te revoir.
Tengo ganas de verte otra vez.

Écris-moi vite !
¡Escríbeme pronto!

Je t'embrasse.
Un beso.

Cordialement.
Saludos.

basque

Le basque, ou *euskara*, est parlé dans l'extrémité occidentale des Pyrénées et le long de la baie de Biscaye, de Bayonne à Bilbao, et, dans les terres, presque jusqu'à Pampelune.

Personne n'en connaît vraiment les origines. Certains l'ont relié à la langue des Sioux, d'autres au japonais, voire à la langue des Atlantes. Pour compliquer les choses, le basque se divise aussi en plusieurs dialectes, dont le biscayen, le guipuzcoan, le haut navarrais, l'aezcoan, le salazarais, le labourdin, le bas navarrais et le souletin. La théorie la plus probable est que le basque serait le dernier survivant d'une famille de langues qui s'étendait jadis dans toute l'Europe et qui disparut au profit des langues celtes, germaniques et romaines. Il est étonnant que le basque soit resté si proche de sa forme d'origine.

Les Basques sont habitués à ce que les touristes parlent espagnol, mais l'accueil est généralement plus chaleureux pour ceux qui essaient de parler leur langue.

> salutations et civilités

Salut !	*Kaixo!*	kay·cho
Bonjour (matin)	*Egun on*	é·gou *nonn*
Bonjour (après-midi)/ Bonsoir	*Arratsalde on*	a·*ra*·tchyal·dé *onn*
Au revoir	*Agur*	a·*gour*
Prends soin de toi.	*Ondo ibili.*	onn·do i·*bil*·i
Comment ça va ?	*Zer moduz?*	sér mo·*dous*
Bien, merci.	*Ongi, eskerrik asko.*	onn·gi é·*ské*·rik *as*·ko
Pardon	*Barkatu*	bar·*ka*·tou
S'il te/vous plaît	*Mesedez*	mé·sé·dés
Merci	*Eskerrik asko*	és·*ké*·rik *kas*·ko
De rien	*Ez horregatik*	és o·*ré*·ga·tik

> phrases-clés

Vous parlez français ?
Frantsesez ba al dakizu?
frann·*tsé*·sés·lé·sés ba al da·ki·*sou*

Je parle un peu basque.
Euskara apur bat badakit.
é·*ous*·ka·ra a·*pour* bat ba·da·*kit*

Je ne comprends pas.
Ez dut ulertzen.
és tout ou·*lér*·tzén

Pouvez-vous parler en castillan, s'il vous plaît ?
Erdaraz egingo al didazu, mesedez?
ér·da·ras é·*guinn*·go al di·*da*·sou mé·*sé*·dés

Comment cela se dit-il en basque ?
Nola esaten da hori euskaraz?
no·la é·*sa*·tén da o·ri é·ou·ska·*ras*

Vive nous !
Gora gu 'ta gutarrak!
go·ra gou ta *gou*·ta·rak

Pays basque toujours en fête !
Euskal Herrian beti jai!
é·*ous*·kal é·*ri*·ann *bé*·ti yay

catalan

Le catalan est parlé par quelque 10 millions de personnes dans le nord-est de l'Espagne, un territoire qui englobe la Catalogne, la côte de la province de Valence et les îles Baléares (Majorque, Minorque et Ibiza). Hors d'Espagne, le catalan est aussi parlé en Andorre, en France près de la frontière catalane et dans la ville d'Alguer, en Sardaigne.

Parmi les locuteurs les plus célèbres de cette langue, on trouve beaucoup de grands créateurs, comme les peintres Dalí, Miró et Picasso, l'architecte Gaudí ou la romancière Mercè Rodoreda.

Bien que la quasi-totalité des Catalans soit bilingue, ils apprécient lorsque les visiteurs font l'effort de communiquer, même de la manière la plus simple, en catalan.

> salutations et civilités

Bonjour !	*Hola!*	o·la
(matin)	*Bon dia*	bonn di·a
(après-midi)	*Bona tarda*	bo·na tar·da
Bonsoir	*Bon vespre*	bonn bés·pra
Au revoir	*Adéu*	a·Sé·ou
Comment ça va ?	*Com estàs?*	komm as·tas
(Très) Bien	*(Molt) Bé*	(mol) bé
Pardon	*Perdoni*	par·So·ni
Désolé(e)	*Ho sento*	ou sén·to
S'il vous plaît	*Sisplau*	sis·pla·ou
Merci	*Gràcies*	gra·si·as
Oui/Non	*Sí/No*	si/no

> phrases-clés

Vous parlez français ?
Parla francès?   par·la frann·sés

Pouvez-vous parler en castillan, s'il vous plaît ?
Pot parlar castellà   pot par·la kas·ta·lya
sisplau?   sis·pla·ou

Je (ne) comprends (pas).
(No) Ho entenc.   (no) ou ann·téng

Comment dit-on... ?
Com es diu...?   komm az di·ou

---

parler local

Pas de problème !
Això rai!   a·cho ra·i

Que c'est drôle !
Quin tip de riure!   kinn tip da ri·a·ou·ra

---

galicien

Le galicien, ou *galego*, est une langue officielle de la communauté autonome de Galice, mais on le comprend également dans les régions voisines que sont les Asturies et la Castille-et-Léon. Il ressemble beaucoup au portugais, les deux langues trouvant leurs racines dans le bas latin.

Les Galiciens s'adressent généralement en espagnol aux touristes, surtout étrangers, mais un petit effort pour communiquer dans leur langue est toujours bienvenu.

> salutations et civilités

Bonjour !	Ola!	o·la
(matin)	Bon dia	bonn di·a
(après-midi/soir)	Boa tarde	bo·a tar·dé
Au revoir	Adeus	a·dé·ous
	Até logo	a·té lo·go
Pardon	Perdón	pér·donn
S'il vous plaît	Por favor	por fa·bor
Merci	Grácias	gra·si·as
Merci beaucoup	Moitas grácias	moy·tas gra·si·as
De rien	De nada	dé na·da
Oui/Non	Si/Non	si/nonn

> phrases-clés

Vous parlez français ?
Fala francés?   fa·la frann·sés

Pouvez-vous parler en castillan, s'il vous plaît ?
Pode falar en español,   po·dé fa·la én é·spa·nyol
por favor?   por fa·bor

Je (ne) comprends (pas).
(Non) Entendo.   (nonn) én·tén·do

Comment cela se dit-il en galicien ?
Como se chama iso en   ko·mo sé tcha·ma i·so én
galego?   ga·lé·go

centres d'intérêt

los intereses en común

Qu'aimes-tu faire durant ton temps libre ?
¿Qué te gusta hacer en tu   ké té *gous*·ta a·*Sér* én tou
tiempo libre?   tyém·po *li*·bré

Aimes-tu (voyager) ?
¿Te gusta (viajar)?   té *gous*·ta (bya·*Rhar*)

Je (n')aime (pas)...	*(No) Me gusta…*	(no) mé *gous*·ta...
cuisiner	*cocinar*	ko·Si·*nar*
danser	*bailar*	bay·*lar*
la musique	*la música*	la *mou*·si·ka
la peinture	*la pintura*	la pinn·*tou*·ra
la photographie	*la fotografía*	la fo·to·gra·*fi*·a
la randonnée	*el excursionismo*	él éks·kour·syo·*nis*·mo
le cinéma	*el cine*	él Si·né
le jardinage	*la jardinería*	la Rha·di·né·*ri*·a
le shopping	*ir de compras*	ir dé *komm*·pras
le sport	*el deporte*	él dé·*por*·té
lire	*leer*	lé·*ér*
sortir	*salir*	sa·*lir*
sortir dans les bars	*ir de bar en bar*	ir dé bar én bar

Pour les activités sportives, voir **sport**, page 129.

musique

Tu aimes... ?	¿Te gusta…?	té *gous*·ta...
aller à	ir a	ir a
des concerts	conciertos	konn·*Syér*·tos
écouter	escuchar	és·kou·*tchar*
de la musique	música	*mou*·si·ka
jouer d'un	tocar algún	to·kar al·*goun*
instrument	instrumento	inns·trou·*mén*·to
chanter	cantar	*kann*·tar

Quel genre de ...	¿Qué ... te gusta/	ké ... té *gous*·ta/
aimes-tu ?	gustan? sg/pl	*gous*·tann
musique	música sg	*mou*·si·ka
groupes	grupos pl	*grou*·pos

musique classique	música clásica f	*mou*·si·ka *kla*·si·ka
musique	música f	*mou*·si·ka
électronique	electrónica	é·*lék*·*tro*·ni·ka
jazz	jazz m	dyaS
métal	metal m	mé·*tal*
pop	música f pop	*mou*·si·ka pop
punk	música f punk	*mou*·si·ka pounk
rock	música f rock	*mou*·si·ka rok
rythm and blues	rythm and blues m	*ri*·dém annd blous
musique	música f	*mou*·si·ka
traditionnelle	popular	po·pu·*lar*
world music	música f étnica	*mou*·si·ka ét·ni·ka

art

À quelle heure ouvre la galerie ?
   ¿A qué hora abre la galería?   a ké o·ra a·bré la ga·lé·*ri*·a

Que comprend la collection ?
   ¿Qué hay en la colección?   ké ay én la ko·lék·*Syonn*

Quelle sorte d'art t'intéresse ?
¿Qué tipo de arte te   ké *ti*·po dé *ar*·té té
interesa?   inn·té·*ré*·sa

Je suis intéressé(e) par...
Me interesa/   mé inn·té·*ré*·sa/
interesan... sg/pl   inn·té·*ré*·sann

Que penses-tu de... ?
¿Qué piensas de…?   ké *pyén*·sas dé

C'est une exposition de...
Es una exposición   és *ou*·na éks·po·si·*Syonn*
de...   dé

J'aime les œuvres de...
Me gustan las obras de...   mé *gous*·tann las *o*·bras dé

Ça me rappelle...
Me recuerda a ...   mé ré·*kwér*·da a ...

art...   *arte* m ...   *ar*·té...
  graphique   *gráfico*   *gra*·fi·ko
  impressionniste *impresionista* imm·pré·syo·*nis*·ta
  moderniste   *modernista*   mo·dér·*nis*·ta
  Renaissance   *renacentista*   ré·na·Sén·*tis*·ta

cinéma et théâtre

J'ai envie d'aller voir (une comédie).
Tengo ganas de ir
a (una comedia).
tén·go ga·nas dé ir
a (ou·na ko·mé·dya)

Qu'est-ce qui passe au cinéma (ce soir) ?
¿Qué película dan en el
cine (esta noche)?
ké pé·li·kou·la dann én él
Si·né (és·ta no·tché)

C'est en (français/anglais) ?
¿Está en (francés/inglés)?
és·ta én (frann·Sés/inn·glés)

Y a-t-il des sous-titres en (français/anglais) ?
¿Tiene subtítulos
(francés/inglés)?
tyé·né soub·ti·tou·los
(frann·Sés/inn·glés)

Je veux vendre ce ticket.
Quiero vender esta entrada.
kyé·ro bén·dér és·ta én·tra·da

Ces sièges sont-ils pris ?
¿Están ocupados estos
asientos?
és·tann o·kou·pa·dos és·tos
a·syén·tos

Tu as vu... ?
¿Has visto...?
as bis·to

Qui joue dedans ?
¿Quién actúa?
kyén ak·tou·a

C'est avec...
Actúa...
ak·tou·a...

As-tu aimé... ?	*¿Te gustó...?*	té gous·to...
le ballet	*el ballet*	él ba·lé
le film	*el cine*	él Si·né
la pièce	*el teatro*	él té·a·tro

Je (n')aime (pas)...
(No) Me gusta/gustan... **sg/pl**   (no) mé *gous*·ta/*gous*·tann

J'ai trouvé ça...	*Pienso que fue...*	pyén·so ké fwé...
excellent	*excelente*	éks·Sé·*lén*·té
long	*largo*	*lar*·go
correct	*regular*	ré·gou·*lar*

dessin animé	*película* f *de*	pé·*li*·kou·la dé
	dibujos	di·*bou*·Rhos
	animados	a·ni·*ma*·dos
comédie	*comedia* f	ko·*mé*·dya
documentaire	*documentales* m pl	do·kou·mén·*ta*·lés
drame	*drama* m	*dra*·ma
film noir	*cine* m *negro*	*Si*·né *né*·gro
cinéma (espagnol)	*cine* m *(español)*	*Si*·né (és·pa·*nyol*)
films d'horreur	*cine* m *de terror*	*Si*·né dé té·*ror*
films de	*cine* m *de*	*Si*·né dé
science-fiction	*ciencia ficción*	Syén·Sya fik·*Syonn*
courts métrages	*cortos* m pl	*kor*·tos
thrillers	*cine* m *de*	*Si*·né dé
	suspenso	sous·*pén*·so

lecture

Quel genre de livres lis-tu ?
¿Qué tipo de libros lees?   ké *ti*·po dé *li*·bros *lé*·és

**Quel auteur (espagnol) me
recommandes-tu ?**
¿Qué autor (español)   ké aou·*tor* (és·pa·*nyol*)
recomiendas?   ré·ko·*myén*·das

loisirs

109

As-tu lu... ?
¿Has leído…?   as lé·i·do

Pendant ce voyage, je lis...
En este viaje estoy   én és·té bya·Rhé és·toy
leyendo…   lé·yén·do

Je recommande...
Recomiendo a…   ré·ko·myén·do a

Où pourrais-je échanger des livres ?
¿Dónde puedo cambiar   donn·dé pwé·do kamm·byar
libros?   li·bros

Pour plus de détails sur les livres, voir **achats**, p. 68.

---

le chien du maraîcher

Les proverbes sont nombreux en Espagne. Le marquis de Santillana en a fait une compilation durant la deuxième moitié du XVe siècle et l'un des personnages de Don Quichotte, Sancho Pança, s'exprime presque exclusivement à l'aide de proverbes.

Cervantès a décrit ces adages populaires comme des "phrases courtes découlant d'une longue expérience".
Voici un morceau choisi, à vous de le décrypter !

Ser como el perro del hortelano, que ni come las berzas, ni las deja comer al amo

(litt : Être comme le chien du maraîcher, qui ne mange pas les choux et ne laisse pas non plus son maître les manger)

sentiments

los sentimientos

Comme en français, les sentiments et les sensations sont exprimés au moyen de noms, précédés du verbe avoir, et d'adjectifs, précédés du verbe être.

J'ai/Je n'ai pas...	Tengo/No tengo…	tén·go/no tén·go...
Tu as... ?	¿Tienes...?	tyé·nés...
chaud	calor	ka·lor
faim	hambre	amm·bré
froid	frío	fri·o
hâte	prisa	pri·sa
soif	sed	sé

Je (ne) suis (pas)...	(No) Estoy…	(no) és·toy...
Est-ce que tu es... ?	¿Estás...?	és·tas...
barbouillé(e)	fastidiado/a m/f	fas·ti·dya·do/a
bien	bien	byén
fatigué(e)	cansado/a m/f	kann·sa·do/a
gêné(e)/ embarrassé(e)	avergonzado/a m/f	a·bér·gonn·Sa·do/a

Pour la **santé**, voir p. 179.

opinions

las opiniones

Ça t'a plu ?
¿Te gustó?   té gous·to

Qu'est-ce que tu en as pensé ?
¿Qué pensaste de eso?   ké pén·sas·té dé é·so

J'ai trouvé ça...	*Pienso que fue…*	pyén·so ké fwé…
C'est...	*Es…*	és…
beau	*bonito/a* **m/f**	bo·*ni*·to/a
bizarre	*raro/a* **m/f**	*ra*·ro/a
nul	*un coñazo/a* **m/f**	oun ko·*nya*·So/a
fou	*loco/a* **m/f**	*lo*·ko/a
divertissant	*entretenido/a* **m/f**	én·tré·té·*ni*·do/a
fantastique	*fantástico/a* **m/f**	fann·*tas*·ti·ko/a
hardcore	*heavy*	*Rhé*·bi
horrible	*horrible*	o·*ri*·blé

| **un peu** | *un poco* | oun *po*·ko |

Je suis un peu triste.
Estoy un poco triste. — és·toy oun *po*·ko tris·té

| **assez** | *bastante* | bas·*tann*·té |

Je suis assez déçu(e).
Estoy bastante decepcionado/a. **m/f** — és·toy bas·*tann*·té dé·Sép·Syo·*na*·do/a

| **très** | *muy* | moui |

Je me sens très chanceux/chanceuse.
Me siento muy afortunado/a. **m/f** — mé *syén*·to moui a·for·tou·*na*·do/a

politique et société

la política y los temas sociales

Pour qui votes-tu ?
¿A quién votas? — a kyén *bo*·tas

Je soutiens le parti...
Apoyo al partido… — a·*po*·yo al par·*ti*·do

Tu as entendu que... ?
¿Has oído que…?   as o·i·do ké

Tu es en faveur de... ?
¿Estás a favor de...?   és·*tas* a fa·*bor* dé

Que pensent les gens de/du... ?
¿Cómo se siente la   ko·mo sé syén·té la
gente de...?   *Rhén*·té dé

la drogue	*droga* f	*dro*·ga
l'économie	*economía* f	é·ko·no·*mi*·a
l'immigration	*inmigración* f	inn·mi·gra·*Syonn*
racisme	*racismo* m	ra·*Sis*·mo
chômage	*desempleo* m	dé·sém·*plé*·o

---

un poulpe dans un garage

Il est parfois difficile de garder l'attention de ses interlocuteurs lorsque l'on s'exprime dans une langue étrangère. Rien de tel que ces expressions colorées pour appuyer vos opinions :

Je l'adore.
Es un trozo de pan.   és oun *tro*·So dé pann
(litt : C'est un morceau de pain)

L'habit ne fait pas le moine.
Aunque el mono se   a·*oun*·ké él *mo*·no sé
vista de seda,   *bis*·ta dé *sé*·da
mono se queda.   *mo*·no sé *ké*·da
(litt : Même vêtu de soie, un singe reste un singe)

Il/Elle n'est pas dans son élément.
Se encuentra   sé én·kou·*én*·tra
como un pulpo en   *ko*·mo oun *poul*·po én
un garaje.   oun ga·*ra*·Rhé
(litt : Il/Elle est comme un poulpe dans un garage)

environnement

Y a-t-il un problème environnemental ici ?
¿Aquí hay un problema   a·*ki* ay oun pro·*blé*·ma
con el medio ambiente?   konn él *mé*·dyo amm·*byén*·té

Cette (forêt) est-elle protégée ?
¿Está este (bosque)   és·*ta* és·té (bos·*ké*)
protegido?   pro·té·*Rhi*·do

biodégradable	*biodegradable*	bi·o·dé·gra·*da*·blé
chasse	*caza* f	*ka*·Sa
déforestation	*deforestación* f	dé·fo·rés·ta·*Syonn*
fuite de pétrole	*fuga* f *de petróleo*	*fou*·ga dé pé·*tro*·lé·o
pollution	*contaminación* f	konn·ta·mi·na·*Syonn*

---

ni oui, ni non

Pour ne pas vous contenter de répondre par "oui" ou par "non", essayez une des expressions suivantes :

Peut-être	*Quizás*	ki·*Sas*
D'accord	*Vale*	ba·lé
Pas question !	*¡De ningún modo!*	dé ninn·*goun mo*·do
Un instant	*Un momento*	oun mo·*mén*·to
Pas de problème	*Sin problema*	sinn pro·*blé*·ma
Bien sûr !	*¡Claro (que sí)!*	*kla*·ro (ké si)
C'est clair.	*Claro.*	*kla*·ro
Tu m'étonnes !	*¡Ya lo creo!*	ya lo *kré*·o
Je plaisante.	*Era broma.*	é·ra *bro*·ma

sortir
salir

où sortir

Qu'y a-t-il à faire le soir ?
¿Qué se puede hacer   ké sé *pwé*·dé a·*Sér*
por las noches?   por las *no*·tchés

Qu'y a-t-il... ?	*¿Qué hay…?*	ké ay...
aujourd'hui	*hoy*	oy
ce soir	*esta noche*	*és*·ta *no*·tché
ce week-end	*este fin de*	*és*·té finn dé
	semana	sé·*ma*·na
dans le coin	*en la zona*	én la *So*·na

Où y a-t-il des... ?	*¿Dónde hay...?*	*donn*·dé ay...
adresses gays	*lugares gay*	lou·*ga*·rés gay
bars	*bares*	*ba*·rés
endroits où manger	*lugares para comer*	lou·*ga*·rés *pa*·ra ko·*mér*

Y a-t-il un guide local des... ?	*¿Hay una guía … de la zona?*	ay *ou*·na *gui*·a … dé la *So*·na
adresses gays	*de lugares gay*	dé lou·*ga*·rés gay
concerts	*de música*	dé *mou*·si·ka
films	*de cine*	dé *Si*·né
sorties	*del ocio*	dél o·Syo

cinéma en version originale

Les films étrangers sont habituellement doublés en espagnol, mais dans les grandes villes, il n'est pas rare d'en voir en version originale sous-titrée en espagnol. Vous les repérerez aux initiales *v.o.* (*version original*) ou *v.o.s.* (*version original subtitulada*) dans les programmes.

J'ai envie d'aller...	*Tengo ganas de ir…*	*tén·go ga·nas dé ir…*
à un ballet	*al ballet*	al ba·*lé*
dans un bar	*a un bar*	a oun bar
dans un café	*a un café*	a oun ka·fé
à un concert	*a un concierto*	a oun konn·*Syér*·to
dans un bar karaoké	*a un bar de karaoke*	a oun bar dé ka·ra·o·ké
au cinéma	*al cine*	al *Si*·né
en boîte de nuit	*a una discoteca*	a *ou*·na dis·ko·té·ka
à une fête	*a una fiesta*	a *ou*·na *fyés*·ta
au restaurant	*a un restaurante*	a oun rés·taou·*rann*·té
au théâtre	*al teatro*	al té·*a*·tro

invitations

las invitaciones

Qu'est-ce que tu fais ce soir ?
¿Qué haces esta noche? ké *a*·Sés és·ta *no*·tché

Qu'est-ce que tu fais (maintenant) ?
¿Qué haces (ahora)? ké *a*·Sés (a·o·ra)

Ça te dirait d'aller... ?	*¿Quieres que vayamos a...?*	*kyé*·rés ké ba·*ya*·mos a...
prendre un café	*tomar un café*	to·*mar* oun ka·fé
prendre un verre	*tomar algo*	to·*mar al*·go
manger	*comer*	ko·*mér*
te promener	*pasear*	pa·sé·*ar*
J'ai envie...	*Me apetece ir a...*	mé a·pé·*té*·Sé ir a...
d'aller danser	*bailar*	bay·*lar*
de sortir	*salir*	sa·*lir*

C'est moi qui invite.
Invito yo.   inn·*bi*·to yo

Tu connais un bon restaurant ?
¿Conoces algún buen   ko·*no*·Sés al·*goun* bwén
restaurante?   rés·taou·*rann*·té

Tu veux venir avec moi au concert (de...) ?
¿Quieres venir conmigo   kyé·rés bé·*nir* konn·*mi*·go
al concierto (de...)?   al konn·*Syér*·to (dé...)

Nous allons faire une fête.
Vamos a dar una fiesta.   ba·mos a dar ou·na fyés·ta

Tu ne veux pas venir ?
¿Por qué no vienes?   por ké no *byé*·nés

Tu es prêt(e) ?
¿Estás listo/a? m/f   és·*tas* lis·to/a

c'est quoi votre genre ?

Si le travail, l'âge et la nationalité ne suffisent pas à vous décrire (ou à décrire les autres), voici quelques mots pour vous aider :

accro	*adicto/a* m/f	a·*dik*·to/a
au travail	*al trabajo*	al tra·*ba*·Rho
activiste	*activista* m et f	ak·ti·*bis*·ta
alcoolique	*alcohólico/a* m/f	al·ko·o·li·ko/a
artiste	*artista* m et f	ar·*tis*·ta
beauf	*hortera* m et f	or·*té*·ra
branché(e)	*moderno/a* m/f	mo·*dér*·no/a
créatif	*creador/*	kré·a·dor/
	creadora m/f	kré·a·*do*·ra
gothique	*gótico/a* m/f	*go*·ti·co/a
intello	*intelectual* m et f	inn·té·*lék*·twal
progressiste	*progre* m et f	*pro*·gré
sportif	*deportivo/a* m/f	dé·por·*ti*·bo/a
yuppie	*yupi* m et f	*you*·pi

répondre aux invitations

responder a invitaciones

Bien sûr !
¡Por supuesto!   por sou·pwés·to

J'en serais ravi(e).
Me encantaría.   mé én·kann·ta·ri·a

Où allons-nous ?
¿A dónde vamos?   a donn·dé ba·mos

C'est très gentil de ta part.
Es muy amable por   és moui a·ma·blé por
tu parte.   tou par·té

Je suis désolé(e), mais je ne peux pas.
Lo siento pero no puedo.   lo syén·to pé·ro no pwé·do

Désolé(e), je ne sais pas chanter/danser.
Lo siento, no sé   lo syén·to no sé
cantar/bailar.   kann·tar/bay·lar

Pourquoi pas demain ?
¿Qué tal mañana?   ké tal ma·nya·na

organiser un rendez-vous

organizar un encuentro

À quelle heure nous donnons-nous rendez-vous ?
¿A qué hora quedamos?   a ké o·ra ké·da·mos

Où nous donnons-nous rendez-vous ?
¿Dónde quedamos?   donn·dé ké·da·mos

Donnons-nous rendez-vous...
Quedamos...   ké·da·mos...
  à (huit) heures   a *(las ocho)*   a (las o·tcho)
  à (l'entrée)   en *(la entrada)*   én (la én·tra·da)

Je passe te prendre.
Paso a recogerte. pa·so a ré·ko·*Rhér*·té

J'arriverai plus tard.
Iré más tarde. i·*ré* mas *tar*·dé

Où seras-tu ?
¿Dónde estarás? donn·dé és·ta·*ras*

Si je ne suis pas là à (neuf heures), ne m'attends/attendez pas.
Si no estoy a (las nueve), si no és·*toy* a (las *nwé*·bé)
no me esperes/esperéis. **sg/pl** no mé és·*pé*·rés/és·*pé*·réys

D'accord !
¡Hecho! é·tcho

On se voit là-bas.
Nos vemos. nos *bé*·mos

À plus tard/demain.
Hasta luego/mañana. as·ta *lwé*·go/ma·*nya*·na

J'ai hâte d'y être.
Tengo muchas ganas *tén*·go *mou*·tchas *ga*·nas
de ir. dé ir

Désolé(e) pour le retard.
Siento llegar tarde. syén·to lyé·*gar* tar·dé

Ce n'est pas grave.
No pasa nada. no *pa*·sa *na*·da

sortir

119

bars et discothèques

Où peut-on aller danser (la salsa) ?
¿Dónde podemos ir a   *donn*·dé po·*dé*·mos ir a
bailar (la salsa)?   bay·*lar* (la *sal*·sa)

Comment y va-t-on ?
¿Cómo se llega?   *ko*·mo sé *lyé*·ga

Quelle sorte de musique préfères-tu ?
¿Qué tipo de música   ké *ti*·po dé *mou*·si·ka
prefieres?   pré·*fyé*·rés

J'adore (le reggae).
Me encanta (el reggae).   mé én·*kann*·ta (él *ré*·gay)

Allez !
¡Vamos!   *ba*·mos

J'adore cet endroit !
¡Este lugar me encanta!   *és*·té lou·*gar* mé én·*kann*·ta

Pour plus de vocabulaire et d'expressions concernant les bars, les boissons et la fête, voir **se restaurer**, p. 150.

drogue

Je ne prends pas de drogue.
No consumo ningún   no konn·*sou*·mo ninn·*goun*
tipo de drogas.   *ti*·po dé *dro*·gas

Lonely Planet déconseille à ses lecteurs l'usage de drogues, même les plus "douces", qui modifient le comportement.

rendez-vous

Ne vous étonnez pas que les invitations arrivent tard dans la journée. Les Espagnols vivent la nuit : il arrive que les gens dînent à 22h et nombre de discothèques n'ouvrent qu'à partir de minuit.

Tu veux faire quelque chose (ce soir) ?
¿Quieres hacer algo (esta noche)?   kyé·rés a·*Sér* al·go (*és*·ta *no*·tché)

J'adorerais.
Me encantaría.   mé én·kann·ta·*ri*·a

Je suis pris(e).
Estoy ocupado/a. m/f   és·*toy* o·kou·*pa*·do/a

> ### parler local
>
> **Il/Elle est sexy.**
> *Él/Ella es sexy.*   él/é·lya és *sé*·ksi
>
> **Quelle nana !**
> *Vaya hembra.*   ba·ya ém·bra
>
> **Il/Elle couche avec n'importe qui.**
> *Se va a la cama con cualquiera.*   sé ba a la *ka*·ma konn kwal·*kyé*·ra

séduction

Ça te dirait de prendre un verre ?
¿Te apetece una copa?   té a·pé·*té*·Sé *ou*·na *ko*·pa

Tu as du feu ?
¿Tienes fuego?   *tyé*·nés *fwé*·go

Tu es génial(e).
Eres estupendo/a. **m/f**   é·rés és·tou·*pén*·do/a

**Tu ne dois pas venir souvent ici, parce que
je t'aurais déjà remarqué(e).**
No debes venir mucho   no *dé*·bés bé·*nir* mou·tcho
por aquí porque me habría   por a·*ki* por·ké mé a·*bri*·a
fijado en ti antes.   fi·*Rha*·do én ti *ann*·tés

**Cela fait un moment que je te regarde et
tu es vraiment (la plus belle fille) qu'il y ait ici.**
Hace rato que te observo y   a·*Sé ra*·to ké té ob·*sér*·bo i
eres (la chica mas guapa)   é·rés (la *tchi*·ka mas *gwa*·pa)
aqui.   a·*ki*

refus

Je suis ici avec mon petit ami/ma petite amie.
Estoy aquí con mi   és·*toy* a·*ki* konn mi
novio/a. **m/f**   *no*·byo/a

Désolé(e), mais je dois partir.
Lo siento, pero me tengo   lo *syén*·to *pé*·ro mé *tén*·go
que ir.   ké ir

Laisse-moi tranquille !
Déjame en paz.   *dé*·Rha·mé én paS

Écoute mon vieux/ma vieille, je n'ai pas envie de te parler.
Mira tío/a, es que no me   *mi*·ra *ti*·o/a és ké no mé
interesa hablar   inn·té·*ré*·sa ab·*lar*
contigo. **m/f**   konn·*ti*·go

Dis, tu ne veux pas aller te faire foutre ?
Oye rico/a, por qué no   o·*yé ri*·ko/a por ké no
te vas a tomar por   té bas a to·*mar* por
el culo. **m/f**   él *kou*·lo

tentatives d'approche

Je peux t'embrasser ?
¿Te puedo besar?   té *pwé*·do bé·*sar*

Tu veux entrer prendre un verre ?
¿Quieres entrar a   kyé·rés én·*trar* a
tomar algo?   to·*mar* al·go

Tu veux un massage ?
¿Quieres un masaje?   kyé·rés oun ma·*sa*·Rhé

Allez, on passe au lit !
¡Vámonos a la cama!   *ba*·mo·nos a la *ka*·ma

sexe

el sexo

Embrasse-moi !
¡Dame un beso!   *da*·mé oun bé·so

J'ai envie de toi.
Te deseo.   té dé·sé·o

J'ai envie de te faire l'amour.
Quiero hacerte el amor.   kyé·ro a·*Sér*·té él a·*mor*

Tu as un préservatif ?
¿Tienes un condón?   tyé·nés oun konn·*donn*

Touche-moi là.
Tócame aquí.   to·ka·mé a·*ki*

Ça te plaît ?
¿Esto te gusta?   és·to té *gous*·ta

Je (n)'aime (pas) ça.
Eso (no) me gusta.   é·so (no) mé *gous*·ta

Je pense que nous devrions arrêter.
Pienso que deberíamos   pyén·so ké dé·bé·*ri*·a·mos
parar.   pa·*rar*

Oh oui !   *¡Así!*   a·*si*

plus vite	*rápido*	*ra*·pi·do
plus fort	*fuerte*	fwér·té
ralentis	*despacio*	dés·*pa*·Syo
doucement	*suave*	swa·bé

Je suis désolé, j'ai une panne.
Lo siento, no puedo   lo syén·to no pwé·do
levantarla.   lé·bann·*tar*·la

Ne t'inquiète pas, je m'en occupe.
No te preocupes, lo hago yo.   no té pré·o·*kou*·pés lo *a*·go yo

---

mots doux

cœur	*corazón* m et f	ko·*ra*·Sonn
petit amour	*amorcito/a* m/f	a·mor·*Si*·to/a
ma vie	*mi vida* m et f	mi *bi*·da
mon amour	*mi amor* m et f	mi a·*mor*
ciel	*cielo* m et f	*Syé*·lo
trésor	*tesoro* m et f	té·*so*·ro

C'était génial.
Eso fue increíble.   *é·*so fwé inn·kré·*i·*blé

Tu as envie de dormir ?
¿Tienes sueño?   *tyé·*nés swé·nyo

Je peux rester ?
¿Puedo quedarme?   *pwé·*do ké·*dar·*mé

Je t'aime.
Te quiero.   té *kyé·*ro

Je trouve qu'on est bien, tous les deux.
Creo que estamos   *kré·*o ké és·*ta·*mos
muy bien juntos.   moui byén *Rhoun·*tos

problèmes

Tu me trompes ?
¿Me estás engañando   mé és·*tas* én·ga·*nyann·*do
con alguien?   konn *al·*gyén

Je ne veux plus jamais te revoir.
No quiero volver a verte.   no *kyé·*ro bol·*bér* a *bér·*té

C'est juste un ami.
Es un amigo   és oun a·*mi·*go
nada más.   *na·*da mas

C'est juste une amie.
Es una amiga   és *ou·*na a·*mi·*ga
nada más.   *na·*da mas

Je voudrais qu'on reste amis.
Me gustaría que   mé gous·ta·*ri*·a ké
quedáramos como   ké·*da*·ra·mos *ko*·mo
amigos.   a·*mi*·gos

Nous allons régler ça.
Lo resolveremos.   lo ré·sol·bé·ré·mos

les mots de la discorde		
Ce n'est pas vrai !	*¡Eso no es verdad!*	é·so no és bér·*da*
Dans tes rêves !	*¡En sueños!*	én *swé*·nyos
Fais pas chier !	*¡No me jodas!*	no mé *Rho*·das
Putain !	*¡Hostia!*	os·tya
Fait chier !	*¡Joder!*	Rho·*dér*
Merde !	*¡Mierda!*	myér·da

religion

la religión

Quelle est ta religion?
¿Cuál es tu religión?   kwal és tou ré·li·*Rhyonn*

Puis-je prier ici ?
¿Puedo rezar aquí?   pwé·do ré·*Sar* a·*ki*

Je (ne) suis (pas)...	*(No) Soy…*	(no) soy…
agnostique	*agnóstico/a* m/f	ag·*nos*·ti·ko/a
bouddhiste	*budista* m et f	bou·*dis*·ta
catholique	*católico/a* m/f	ka·*to*·li·ko/a
chrétien(ne)	*cristiano/a* m/f	kris·*tya*·no/a
croyant(e)	*creyente* m et f	kré·*yén*·té
hindou(e)	*hindú* m et f	inn·*dou*
juif/juive	*judío/a* m/f	Rhou·*di*·o/a
musulman(e)	*musulmán/*	mou·soul·*mann*/
	musulmána m/f	mou·soul·*ma*·na
pratiquant(e)	*practicante* m et f	prak·ti·*kann*·té

Je (ne) crois (pas)…	*(No) Creo…*	(no) *kré*·o…
en Dieu	*en Dios*	én dyos
au destin	*en el destino*	én él dés·*ti*·no

différences culturelles

las diferencias culturales

C'est une coutume locale ou nationale ?
¿Esto es una costumbre   és·to és *ou*·na kos·*toum*·bré
local o nacional?   lo·*kal* o na·Syo·*nal*

Je ne suis pas habitué(e) à ça.
No estoy acostumbrado/a   no és·*toy* a·kos·toum·*bra*·do/a
a esto. m/f   a és·to

C'est (très)...	Esto es (muy)...	és·to és (moui)...
amusant	*divertido*	di·bér·*ti*·do
intéressant	*interesante*	inn·té·ré·*sann*·té
différent	*diferente*	di·fé·*rén*·té

Désolé(e), c'est contre mes croyances.

Lo siento, eso va en   lo *syén*·to é·so ba én
contra de mis creencias.   *konn*·tra dé mis kré·*én*·Syas

Ça ne me gêne pas de regarder, mais je préfère ne pas participer.

No me importa mirar,   no mé imm·*por*·ta mi·*rar*
pero prefiero no   *pé*·ro pré·*fyé*·ro no
participar.   par·ti·*Si*·*par*

J'essaierai.

Lo probaré.   lo pro·ba·*ré*

Désolé(e), je ne l'ai pas fait exprès.

Lo siento, lo hice   lo *syén*·to lo *i*·Sé
sin querer.   sinn ké·*rér*

en parler

hablar de deporte

Quel sport pratiques-tu ?
¿Qué deporte practicas?　　　ké dé·*por*·té *prak*·ti·kas

Quel sport aimes-tu ?
¿A qué deporte eres　　　a ké dé·*por*·té é·*rés*
aficionado/a? m/f　　　a·fi·Syo·*na*·do/a

Je fais du...
Practico ...　　　*prak*·ti·ko ...

J'aime le...
Soy aficionado/a al ... m/f　　　soy a·fi·Syo·*na*·do/a al ...

basket-ball	*baloncesto* m	ba·lonn·*Sés*·to
cyclisme	*ciclismo* m	Si·*klis*·mo
football	*fútbol* m	*fout*·bol
tennis	*tenis* m	*té*·nis
volley-ball	*voleibol* m	bo·*léi*·bol

Tu aimes le sport ?
¿Te gustan los deportes?　　　té *gous*·tann los dé·*por*·tés

J'adore.
Me encantan.　　　mé én·*kann*·tann

Pas vraiment.
En realidad, no mucho.　　　én ré·a·li·*da* no *mou*·tcho

J'aime en regarder.
Me gusta mirar.　　　mé *gous*·ta mi·*rar*

Quel(le) est ton sportif/ta sportive préféré(e) ?
¿Quién es tu deportista   kyén és tou dé·por·*tis*·ta
favorito/a? m/f   fa·bo·*ri*·to/a

Quelle est ton équipe favorite ?
¿Cuál es tu equipo   kwal és tou é·*ki*·po
favorito?   fa·bo·*ri*·to

aller au match

ir al partido

Tu aimerais venir à un match de (basket-ball) ?
¿Te gustaría ir a un   té gous·ta·*ri*·a ir a oun
partido de (baloncesto)?   par·*ti*·do dé (ba·lonn·*Sés*·to)

Tu es pour quelle équipe ?
¿Con qué equipo vas?   konn ké é·*ki*·po bas

scores		
Quel est le score ?	*¿Cómo van?*	*ko*·mo bann
égalité/match nul	*empatados*	ém·pa·*ta*·dos
zéro	*cero*	*Sé*·ro
balle de match	*match point*	match poyn

Il reste combien de temps à jouer ?
¿Cuánto tiempo queda de   kwann·to tyém·po ké·da dé
partido?   par·*ti*·do

Qui... ?	*¿Quién…?*	kyén…
joue	*juega*	*Rhwé*·ga
gagne	*va ganando*	ba ga·*nann*·do

C'était un	*¡Ese partido*	é·sé par·*ti*·do
match... !	*fue…!*	fwé…
ennuyeux	*aburrido*	a·bou·*ri*·do
super	*cojonudo*	ko·Rho·*nou*·do

pratiquer un sport

Tu veux jouer ?
¿Quieres jugar?　　　kyé·rés Rhou·*gar*

Je peux jouer ?
¿Puedo jugar?　　　pwé·do Rhou·*gar*

Oui, j'adorerais.
Sí, me encantaría.　　　si mé én·kann·ta·*ri*·a

Pas pour l'instant, merci.
Ahora mismo no, gracias.　　　a·o·ra *mis*·mo no gra·Syas

Je suis blessé.
Tengo una lesión.　　　tén·go ou·na lé·syonn

Quel est le meilleur endroit pour courir, par ici ?
¿Cuál es el mejor sitio　　　kwal és él mé·*Rhor* si·tyo
para hacer footing por　　　pa·ra a·Sér fou·tinn por·
aquí cerca?　　　a·ki Sér·ka

Faut-il être membre pour entrer ?
¿Hay que ser socio/a　　　ay ké sér so·Syo/a
para entrar? m/f　　　pa·ra én·trar

Y a-t-il une piscine réservée aux femmes ?
¿Hay alguna piscina　　　ay al·gou·na pis·Si·na
sólo para mujeres?　　　so·lo pa·ra mou·Rhé·rés

Où sont les vestiaires ?
¿Dónde están los　　　donn·dé és·tann los
vestuarios?　　　bés·twa·ryos

Puis-je avoir un casier ?
¿Puedo usar una　　　pwé·do ou·sar ou·na
taquilla?　　　ta·ki·lya

Où est ... le/la plus proche ?	*¿Dónde está ... más cercano/a?* m/f	*donn·dé és·ta ... mas Sér·ka·no/a*
le gymnase	*el gimnasio* m	él Rhim·na·syo
la piscine	*la piscina* f	la pis·Si·na
le terrain de tennis	*la pista* f *de tenis*	la pis·ta dé té·nis

Quel est le prix par... ?	¿Cúanto cobran por…?	kwann·to ko·brann por…
jour	día	di·a
partie	partida	par·ti·da
heure	hora	o·ra
visite	visita	bi·si·ta

Est-il possible de louer un(e)… ?	¿Es posible alquilar una…?	és po·si·blé al·ki·lar ou·na…
ballon	pelota	pé·lo·ta
vélo	bicicleta	bi·Si·klé·ta
court/terrain	cancha	kann·tcha
raquette	raqueta	ra·ké·ta

Je ne suis pas d'accord !	No estoy de acuerdo!	no és·toy dé a·kwér·do
Mais oui !	Sí hombre!	si omm·bré
Oui, mais…	Sí pero…	si pé·ro…
Peu importe.	Lo que sea.	lo ké sé·a

plongée

el buceo

J'aimerais…	Me gustaría…	mé gous·ta·ri·a…
explorer	explorar	éks·plo·rar
des épaves	naufragios	naou·fra·Rhyos
apprendre à plonger	aprender a bucear	a·prén·dér a bou·Sé·ar
faire de la plongée	hacer submarinismo	a·Sér soub·ma·ri·nis·mo
faire du snorkeling (plongée avec tuba)	bucear con tubo	bou·Sé·ar konn tou·bo

Où peut-on trouver de bons spots de plongée ?
¿Dónde hay   *donn·*dé ay
buenos lugares   *bwé·*nos lou·*ga·*rés
para bucear?   pa·ra bou·*Sé·ar*

Il y a des méduses ?
¿Hay medusas?   ay mé·*dou·*sas

Où est-il possible de louer... ?
¿Dónde se puede alquilar...?   *donn·*dé sé *pwé·*dé al·ki·*lar*

cours de plongée	*curso* m *de buceo*	*kour·*so dé bou·*Sé·*o
combinaison	*traje* m	tra·Rhé
	isotérmico	i·so·*tér·*mi·ko
masque	*gafas* f pl	*ga·*fas
matériel	*equipo* m	é·*ki·*po dé
de plongée	*de buceo*	bou·*Sé·*o
palmes	*aletas* f pl	a·*lé·*tas

sports extrêmes

los deportes extremos

C'est vraiment sans risque ?
¿De verdad que esto es   dé bér·*da* ké és·to és
seguro?   sé·*gou·*ro

Est-ce que le matériel est fiable ?
¿Está seguro el equipo?   és·ta sé·*gou·*ro él é·*ki·*po

C'est de la folie !
¡Esto es una locura!   és·to és ou·na lo·*kou·*ra

rappel	*rappel* m	ra·*pél*
saut à l'élastique	*puenting* m	*pwén·*tinn
spéléologie	*espeleología* f	és·pé·lé·o·lo·*Rhi·*a
pêche sportive	*pesca* f *deportiva*	*pés·*ka dé·por·*ti·*ba
VTT	*ciclismo* m *de*	Si·*klis·*mo dé
	montaña	monn·*ta·*nya
escalade	*escalada* f	és·ka·*la·*da

football

Qui joue au (Real Madrid) ?
¿Quién juega en el
(Real Madrid)?

kyén *Rhwé*·ga én él
(ré·*al* ma·*dri*)

Quelle équipe épatante !
¡Qué equipo más espantoso!

ké é·*ki*·po mas és·pann·*to*·so

C'est un grand joueur.
Es un gran jugador.

és oun grann Rhou·ga·*dor*

Il a été phénoménal lors du match contre (l'Italie).
Jugó fenomenal
en el partido contra
(Italia).

Rhou·*go* fé·no·mé·*nal*
én él par·*ti*·do *konn*·tra
(i·*ta*·lya)

Quelle équipe est en tête de ligue ?
¿Qué equipo está en
primera posición en
la liga?

ké é·*ki*·po és·*ta* én
pri·*mé*·ra po·si·*Syonn* én
la *li*·ga

corner	saque m de esquina	sa·ké dé és·ki·na
coup franc	tiro m libre	ti·ro li·bré
gardien	portero m	por·té·ro
hors jeu	fuera de juego	fwé·ra dé Rhwé·go
penalty	penalty m	pé·nal·ti

Quel/Quelle... !	¡Qué...!	ké...
but	gol	gol
passe	pase	pa·sé

Point pour toi/moi.
Tu/Mi punto. — tou/mi *poun*·to

Fais-moi une passe !
¡Pásamelo! — pa·sa·mé·lo

Tu joues bien.
Juegas bien. — *Rhwé*·gas byén

Merci pour la partie.
Gracias por el partido. — gra·Syas por él par·ti·do

tennis

el tenis

Tu veux jouer au tennis ?
¿Quieres jugar al tenis? — kyé·rés Rhou·gar al té·nis

Peut-on jouer de nuit ?
¿Se puede jugar de noche? — sé pwé·dé Rhou·gar dé no·tché

Jeu, set et match.
Juego, set y partido. — Rhwé·go sét i par·ti·do

ace	ace m	éys
avantage	ventaja f	bén·ta·Rha
faute	falta f	fal·ta
jouer en doubles	jugar dobles	Rhou·gar do·blés
(contre)	(contra)	(konn·tra)
service	saque m	sa·ké

randonnée et alpinisme

trekking y alpinismo

Pour le vocabulaire de la randonnée, voir **activités de plein air**, p. 137.

sports nautiques

los deportes acuáticos

Puis-je réserver un cours ?
¿Puedo reservar una clase? pwé·do ré·sér·*bar* ou·na kla·sé

Le matériel de sécurité est-il fourni ?
¿Proporcionan el equipo pro·por·*Syo*·nann él é·*ki*·po
de seguridad? dé sé·gou·ri·*da*

Y a-t-il des... ?	*¿Hay...?*	ay...
récifs	*arrecifes*	a·ré·*Si*·fés
courants	*corrientes*	ko·ryén·tés

bateau à moteur	*lancha* f *motora*	*lann*·tcha mo·*to*·ra
voile	*vela* f	*bé*·la
planche de surf	*tabla* f *de surf*	*ta*·bla dé sourf
surf	*surf* m	sourf
skis nautiques	*esquís* m pl *acuáticos*	és·*kis* a·*kwa*·ti·kos
vague	*ola* f	*o*·la

randonnée

el excursionismo

L'Espagne ne manque pas d'endroits pour pratiquer la marche et la randonnée. Les pistes de randonnée se divisent entre *Gran Recorrido* (*GR*, Grande Randonnée), grann ré·ko·ri·do et *Pequeño Recorrido* (*PR*, Petite Randonnée), pé·ké·nyo ré·ko·ri·do.

Où puis-je... ?	*¿Dónde puedo…?*	*donn·dé pwé·do...*
acheter des	*comprar*	komm·*prar*
vivres	*víveres*	bi·bér·és
trouver quelqu'un	*encontrar a*	én·konn·*trar* a
qui connaisse	*alguien que*	*al*·gyén ké
la région	*conozca el área*	ko·*noS*·ka él *a*·ré·a
trouver une	*obtener un*	ob·té·*nér* oun
carte	*mapa*	*ma*·pa
louer du matériel	*alquilar un*	al·ki·*lar* oun
de randonnée	*equipo para ir*	é·*ki*·po *pa*·ra ir
	de excursion	dé éks·kour·*syonn*

Por aquí a...	por a·*ki* a...	**Vers...**
Terreno de	té·*ré*·no dé	**Terrain de**
cámping	*kamm*·pinn	**camping**
Prohibido	pro·i·*bi*·do	**Camping interdit**
acampar	a·kamm·*par*	

Où puis-je me renseigner sur les chemins de randonnée du coin ?

¿Dónde hay	*donn·dé ay*
información	inn·for·ma·*Syonn*
sobre los caminos	so·*bré* los ka·*mi*·nos
rurales de la zona?	rou·*ra*·lés dé la *So*·na

Combien de kilomètres fait la piste ?

¿Cuántos kilómetros	*kwann*·tos ki·*lo*·mé·tros
tiene el camino?	*tyé*·né él ka·*mi*·no

À quelle altitude monte-t-elle ?

¿A qué altura se escala?	a ké al·*tou*·ra sé és·*ka*·la

Faut-il un guide?

¿Se necesita un guía?	sé né·*Sé*·si·ta oun *gui*·a

Y a-t-il des excursions guidées ?

¿Se organizan	sé or·ga·*ni*·Sann
excursiones guiadas?	éks·kour·*syo*·nés gui·*a*·das

Doit-on prendre... ? — *¿Se necesita llevar...?* — sé né·*Sé*·si·ta lyé·*bar*...

quelque chose pour dormir	*algo en que dormir*	*al*·go én ké dor·*mir*
de la nourriture	*comida*	ko·*mi*·da
de l'eau	*agua*	*a*·gwa

Le sentier est-il... ? — *¿Es ... el sendero?* — és ... él sén·*dé*·ro

(bien) signalisé	*(bien) marcado*	(byén) mar·*ka*·do
ouvert	*abierto*	a·*byér*·to
pittoresque	*pintoresco*	pinn·to·*rés*·ko

Quel est le chemin le plus... ? — *¿Cuál es el camino más...?* — kwal és él ka·*mi*·no mas...

facile	*fácil*	fa·Sil
court	*corto*	*kor*·to

Où y a-t-il un... ? — *¿Dónde hay...?* — *donn*·dé ay...

terrain de camping	*un cámping*	oun *kamm*·pinn
village	*un pueblo*	oun *pwé*·blo

Où sont les... ?　　　*¿Dónde hay...?*　　　*donn·dé ay...*
douches　　　　　　　*duchas*　　　　　　*dou·tchas*
toilettes　　　　　　*servicios*　　　　　*sér·bi·Syos*

D'où viens-tu ?
¿De dónde vienes?　　　　　　dé *donn·dé byé·*nés

Combien de temps est-ce que ça t'a pris ?
¿Cuánto ha tardado?　　　　　*kwann·*to a tar·*da·*do

Ce chemin va-t-il à... ?
¿Este camino va a...?　　　　　*és·*té ka·*mi·*no ba a...

Peut-on passer par ici ?
¿Se puede pasar por aquí?　　　sé *pwé·*dé pa·*sar* por a·*ki*

L'eau est-elle potable ?
¿Se puede beber el agua?　　　sé *pwé·*dé bé·*bér* él *a·*gwa

Je suis perdu(e).
Estoy perdido/a. **m/f**　　　　és·toy pér·*di·*do/a

C'est sans risque ?
¿Es seguro?　　　　　　　　és sé·*gou·*ro

Y a-t-il un refuge, là-bas ?
¿Hay una cabaña allí?　　　　ay *ou·*na ka·*ba·*nya a·*lyi*

À quelle heure la nuit commence-t-elle à tomber ?
¿A qué hora oscurece?　　　　a ké *o·*ra os·kou·ré·Sé

panneaux		
¡Prohibido nadar!	pro·i·*bi·*do na·*dar*	**Baignade interdite**

plage

la playa

Où est... ?	¿Dónde está...	donn·dé és·ta...
la plage la plus belle	*la mejor playa*	la mé·*Rhor* pla·ya
la plage la plus proche	*la playa más cercana*	la *pla*·ya mas Sér·*ka*·na
la plage nudiste	*la playa nudista*	la *pla*·ya nou·*dis*·ta

Est-ce qu'on peut plonger/nager ici en toute sécurité ?
¿Es seguro bucear/ nadar aquí? és sé·*gou*·ro bou·Sé·*ar*/ na·*dar* a·*ki*

À quelle heure est la marée haute/basse ?
¿A qué hora es la marea alta/baja? a ké *o*·ra és la ma·*ré*·a *al*·ta/*ba*·Rha

Faut-il payer ?
¿Hay que pagar? ay ké pa·*gar*

Combien coûte la location d'... ?	¿Cuánto por alquilar... ?	kwann·to por al·ki·*lar*...
une chaise	*una silla*	*ou*·na *si*·lya
une cabane	*una cabaña*	*ou*·na ka·*ba*·nya
un parasol	*un parasol*	oun pa·ra·*sol*

expressions

kwi·*da*·do konn la ré·*sa*·ka *Cuidado con la resaca.*	**Attention au ressac.**
és pé·li·*gro*·so *¡Es peligroso!*	**C'est dangereux !**
é·rés mo·*dé*·lo *¿Eres modelo?*	**Tu es mannequin ?**

météo

Quel temps fait-il ?
   ¿Qué tiempo hace?   ké *tyém*·po *a*·Sé

Aujourd'hui, il fait...   *Hoy hace...*   oy *a*·Sé...
Fera-t-il ...   *Mañana*   ma·*nya*·na
demain ?   *hará...?*   a·*ra*...
  froid   *frío*   *fri*·o
  chaud   *calor*   ka·*lor*
Y aura-t-il ...   *Mañana*   ma·*nya*·na
demain ?   *hará...?*   a·*ra*...
  du soleil   *sol*   sol
  du gel   *un frío que pela*   oun *fri*·o ké *pé*·la
  du vent   *viento*   *byén*·to

(Aujourd'hui) Il pleut.
   (Hoy) Está lloviendo.   (oy) és·ta lyo·*byén*·do

(Demain) Il pleuvra.
   (Mañana) Lloverá.   (ma·*nya*·na) lyo·bé·*ra*

Où puis-je   *¿Dónde puedo*   *donn*·dé *pwé*·do
acheter... ?   *comprar...?*   komm·*prar*...
  un   *un*   oun
  imperméable   *impermeable*   imm·pér·mé·*a*·blé
  de la crème solaire   *crema solar*   *kré*·ma so·*lar*
  un parapluie   *un paraguas*   oun pa·*ra*·gwas

grêle   *granizo* m   gra·*ni*·So
orage   *tormenta* f   tor·*mén*·ta
soleil   *sol* m   sol

flore et faune

Quel(le) est cet(te)... ?
¿Qué ... es ése/ésa? m/f — ké ... és é·sé/é·sa

animal	*animal* m	a·ni·*mal*
fleur	*flor* f	flor
plante	*planta* f	*plann*·ta
arbre	*árbol* m	*ar*·bol

À quoi cela sert-il ?
¿Para qué se usa? — *pa*·ra ké sé *ou*·sa

Peut-on en manger le fruit ?
¿Se puede comer la fruta? — sé *pwé*·dé ko·*mér* la *frou*·ta

C'est une espèce en danger ?
¿Está en peligro — és·*ta* én pé·*li*·gro
de extinción? — dé éks·tinn·*Syonn*

C'est... ?	*¿Es...?*	és...
commun	*común*	ko·*moun*
dangereux	*peligroso/a* m/f	pé·li·*gro*·so/a
protégé	*protegido/a* m/f	pro·té·*Rhi*·do/a

Pour plus de termes relatifs à la géographie, l'agriculture, les animaux et les plantes, voir le **dictionnaire**.

vocabulaire de base

Le repas principal en Espagne est le déjeuner, qui a généralement lieu entre 13h30 et 16h30.

petit-déjeuner	*desayuno* m	dé·sa·*you*·no
déjeuner	*comida* f	ko·*mi*·da
dîner	*cena* f	*Sé*·na
en-cas	*tentempié* m	tén·tém·*pyé*
manger	*comer*	ko·*mér*
boire	*beber*	bé·*bér*
S'il vous plaît	*Por favor*	por fa·*bor*
Merci	*Gracias*	*gra*·Syas
Je voudrais...	*Quisiera…*	ki·*syé*·ra...
Je meurs	*¡Estoy*	és·*toy*
de faim !	*hambriento/a!* m/f	amm·*bryén*·to/a

où se restaurer

Pouvez-vous	*¿Puede*	pwé·dé
me recommander	*recomendar*	ré·ko·mén·*dar*
un/une... ?	*un/una…?* m/f	oun/*ou*·na...
bar	*bar* m	bar
café	*café* m	ka·*fé*
cafétéria	*cafetería* f	ka·fé·té·*ri*·a
restaurant	*restaurante* m	rés·taou·*rann*·té

Vous servez encore à manger ?
¿Siguen sirviendo   si·guén sir·*byén*·do
comida?   ko·*mi*·da

Combien de temps faut-il attendre ?
¿Cuánto hay que esperar?   kwann·to ay ké és·pé·rar

Où faut-il aller pour... ?	*¿Adónde se va para…?*	a·donn·dé sé ba pa·ra…
faire la fête	*celebrar*	Sél·é·brar
manger pas cher	*comer barato*	ko·mér ba·ra·to
manger des spécialités locales	*comer comida típica*	ko·mér ko·mi·da ti·pi·ka

Je voudrais réserver une table pour...	*Quisiera reservar una mesa para…*	ki·syé·ra ré·sér·bar ou·na mé·sa pa·ra…
(deux) personnes	*(dos) personas*	(dos) pér·so·nas
(huit) heures	*las (ocho)*	las (o·tcho)

---

expressions courantes

lo syén·to é·mos Sé·ra·do *Lo siento, hemos cerrado.*	**Désolé, nous sommes fermés.**
no té·né·mos mé·sa *No tenemos mesa.*	**Nous n'avons pas de table.**
oun mo·mén·to *Un momento.*	**Un instant.**

Je voudrais..., s'il vous plaît.	*Quisiera…, por favor.*	ki·syé·ra… por fa·bor
une table	*una mesa*	ou·na mé·sa pa·ra
pour (cinq)	*para (cinco)*	(Sinn·ko)
(non-)fumeurs	*(no) fumadores*	(no) fou·ma·do·rés
la carte des boissons	*la lista de bebidas*	la lis·ta dé bé·bi·das
la carte	*el menú*	él mé·nou

Avez-vous... ?	*¿Tienen… ?*	tyé·nén…
des menus	*comidas*	ko·mi·das
pour enfants	*para niños*	pa·ra ni·nyos
un menu en français	*un menú en francés*	oun mé·nou én frann·Sés

au restaurant

C'est en self-service ?
¿Es de autoservicio?   és dé aou·to·sér·bi·Syo

Le service est-il inclus ?
¿La cuenta incluye   la *kwén*·ta inn·*klou*·yé
servicio?   sér·bi·Syo

Que recommandez-vous ?
¿Qué recomienda?   ké ré·ko·*myén*·da

Je vais prendre la même chose qu'eux.
Tomaré lo mismo que ellos.   to·ma·ré lo *mis*·mo ké é·lyos

C'est long à préparer ?
¿Tarda mucho en   *tar*·da *mou*·tcho én
prepararse?   pré·pa·*rar*·sé

Qu'y a-t-il dans ce plat ?
¿Que lleva ese plato?   ké *lyé*·ba é·sé *pla*·to

Pour plus de détails sur les régimes spéciaux, voir **végétariens/
régimes spéciaux**, p. 159, et **santé**, p. 184.

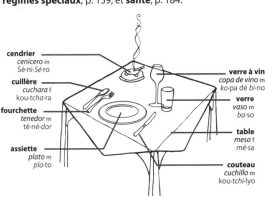

cendrier
cenicero m
Sé·ni·*Sé*·ro

cuillère
cuchara f
kou·*tcha*·ra

fourchette
tenedor m
té·né·*dor*

assiette
plato m
pla·to

verre à vin
copa de vino m
ko·pa dé *bi*·no

verre
vaso m
ba·so

table
mesa f
mé·sa

couteau
cuchillo m
kou·*tchi*·lyo

C'est gratuit ?
¿Es gratis?   és *gra*·tis

C'est juste pour prendre un verre.
Sólo queremos tomar algo.   *so*·lo ké·*ré*·mos to·*mar al*·go

Je voudrais un plat typique.
Quisiera un plato   ki·*syé*·ra oun *pla*·to
típico.   *ti*·pi·ko

panneaux		
Reservado	ré·sér·*ba*·do	**Réservé**

à table

... , s'il vous plaît.	*Por favor nos trae...*	por fa·*bor* nos *tra*·é
L'addition	*la cuenta*	la *kwén*·ta
Un verre	*un vaso*	oun *ba*·so
Une serviette	*una servilleta*	*ou*·na sér·bi·*lyé*·ta
Un verre à vin	*una copa*	*ou*·na *ko*·pa
	de vino	dé *bi*·no

Pour plus de mots susceptibles d'apparaître sur un menu, voir le **lexique culinaire**, p. 161.

expressions courantes	
lé *gous*·ta...	
¿Le gusta...?	**Vous aimez... ?**
ré·ko·*myén*·do...	
Recomiendo...	**Je vous conseille...**
ko·mo lo *kyé*·ré pré·pa·*ra*·do	
¿Cómo lo quiere preparado?	**Quelle cuisson ?**

Aperitivos	a·pé·ri·*ti*·bos	Apéritifs
Caldos	*kal*·dos	Soupes
Cervezas	Sér·*bé*·Sas	Bières
De entrada	dé én·*tra*·da	Entrées
Digestivos	di·Rhés·*ti*·bos	Digestifs
Ensaladas	én·sa·*la*·das	Salades
Licores	li·*ko*·rés	Alcools
Postres	*pos*·trés	Desserts
Refrescos	ré·*frés*·kos	Boissons fraîches
Segundos platos	sé·*goun*·dos *pla*·tos	Plats principaux
Vinos blancos	*bi*·nos *blann*·kos	Vins blancs
Vinos dulces	*bi*·no doul·Sés	Vins doux
Vinos espumosos	*bi*·nos és·pou·*mo*·sos	Vins pétillants
Vinos tintos	*bi*·nos *tinn*·tos	Vins rouges

parler gastronomie

hablar de comida

J'adore ce plat.
Me encanta este plato.　　mé én·*kann*·ta *és*·té *pla*·to

Nous adorons la cuisine locale.
Nos encanta la comida　　nos én·*kann*·ta la ko·*mi*·da
típica de la zona.　　ti·pi·ka dé la *So*·na

C'était délicieux !
¡Estaba buenísimo!　　és·*ta*·ba bwé·*ni*·si·mo

Mes compliments au chef.
Mi enhorabuena al　　mi én·o·ra·*bwé*·na al
cocinero.　　ko·Si·*né*·ro

Je suis rassasié(e). *Estoy lleno/a.* **m/f**　　és·*toy* lyé·no/a

C'est… 　　*Esto está…*　　*és*·to *és*·ta…
　brûlé　　*quemado*　　ké·*ma*·do
　délicieux　　*exquisito*　　éks·ki·*si*·to
　(trop) froid　　*(muy) frío*　　(moui) *fri*·o

> petit-déjeuner

À quoi ressemble un (petit-déjeuner) espagnol typique ?

¿Cómo es un típico   *ko·mo és oun ti·pi·ko*
(desayuno) español?   *(dé·sa·you·no) és·pa·nyol*

omelette	*tortilla*	*tor·ti·lya*
muesli	*muesli*	*mwés·li*
toasts	*tostadas*	*tos·ta·das*

Pour les plats typiques, voir le **lexique culinaire**, p. 161, et pour d'autres termes alimentaires, voir le **dictionnaire**.

> en-cas

Comment cela s'appelle-t-il ?	*¿Cómo se llama eso?*	*ko·mo sé lya·ma é·so*
Je/J'en voudrais ..., s'il vous plaît.	*Quisiera ..., por favor.*	*ki·syé·ra ... por fa·bor*
un morceau	*un trozo*	*oun tro·So*
un sandwich	*un sándwich*	*oun sann·witch*
une tranche	*una loncha*	*ou·na lonn·tcha*
celui/celle-ci	*ése/a* m/f	*é·sé/a*
deux	*dos*	*dos*

Y a-t-il... ?	¿Hay...?	ay...
du poivre	*pimienta* f	pi·*myén*·ta
de la sauce piquante	*salsa* f *de guindilla*	*sal*·sa dé ginn·*di*·lya
de la sauce tomate	*salsa* f *de tomate*	*sal*·sa dé to·*ma*·té
du sel	*sal* f	sal
du vinaigre	*vinagre* m	bi·*na*·gré

cuissons et préparations

los métodos de cocción

Je le voudrais...	Lo quisiera...	lo ki·*syé*·ra...
Je ne le veux pas...	*No lo quiero...*	no lo kyé·ro...
frit	*frito*	*fri*·to
à point	*no muy hecho*	no moui é·tcho
saignant	*vuelta y vuelta*	*bwél*·ta i *bwél*·ta
réchauffé	*recalentado*	ré·ka·lén·*ta*·do
à la vapeur	*al vapor*	al ba·*por*
bien cuit	*muy hecho*	moui é·tcho
avec	*con*	konn
l'assaisonnement	*el aliño*	él a·*li*·nyo
à part	*aparte*	a·*par*·té
sans...	*sin...*	sinn...

au bar

Excusez-moi ! — *¡Oiga!* — oy·ga
C'est mon tour. — *Ahora voy yo.* — a·o·ra boy yo
Je prendrai... — *Para mí…* — pa·ra mi...

La même chose.
Otra de lo mismo. — o·tra dé lo mis·mo

Pas de glace, merci.
Sin hielo, gracias. — sinn yé·lo gra·Syas

Je t'offre un verre.
Te invito a una copa. — té inn·bi·to a ou·na ko·pa

Qu'est-ce que tu veux boire ?
¿Qué quieres tomar? — ké kyé·rés to·mar

C'est ma tournée.
Es mi ronda. — és mi ronn·da

C'est toi qui paies la prochaine.
La próxima la pagas tú. — la prok·si·ma la pa·gas tou

Combien ça coûte ?
¿Cuánto es eso? — kwann·to és é·so

Vous servez à manger, ici ?
¿Sirven comidas aquí? — sir·bén ko·mi·das a·ki

---

expressions courantes

a·ki tyé·né
¡Aquí tiene! — **Tenez !**

donn·dé lé gous·ta·ri·a sén·tar·sé
¿Dónde le gustaría sentarse? — **Où souhaitez-vous vous asseoir ?**

én ké lé pwé·do sér·bir
¿En qué le puedo servir? — **Puis-je vous aider ?**

kyé·ré to·mar al·go myén·tras és·pé·ra
¿Quiere tomar algo mientras espera? — **Voulez-vous boire quelque chose, en attendant ?**

À TABLE

Emblèmes gastronomiques de l'Espagne, les tapas sont de délicieux en-cas disponibles quasiment toute la journée dans les bars et certains clubs. Parfois gratuites à certaines adresses, elles perpétuent une tradition villageoise qui existait au début du siècle dernier dans toute l'Andalousie, ainsi qu'en Estrémadure, en Castille-La Manche, en Murcie et dans les quartiers ouvriers de Madrid et Barcelone.

Certains établissements en changent régulièrement. Si vous entendez...

da·mé ou·na pri·*mé*·ra
   ¡Dame una primera!   **Donne-moi une première !**

ou·na sé·*goun*·da
   ¡Una segunda!   **Une deuxième !**

... c'est que le barman commande au cuisinier une nouvelle spécialité.

• petite ou grosse faim ?

banderilla/	bann·dé·*ri*·lya/	petite tapa servie
moruno/	mo·*rou*·no/	sur du pain ou un
pinchito	pinn·*tchi*·to	cure-dent
ración	ra·*Syonn*	grosse portion

• tapas fréquentes :

montadito	monn·ta·*dit*·o	tapa sur un morceau de pain
pan tumaca	pann tou·*ma*·ka	pain grillé frotté à l'ail avec de la tomate et de l'huile d'olive
queso en aceite	*ké*·so én a·*Séy*·té	fromage à l'huile d'olive

• tapas régionales :

naveganta	na·bé·gann·ta	à Burgos
pintxo	*pinn*·tcho	au Pays basque

boissons non alcoolisées

las bebidas no alcohólicas

Je ne bois pas d'alcool.
No bebo alcohol.   no *bé*·bo al·ko·*hol*

(tasse de) café...	*(taza de) café* m ...	(*ta*·Sa dé) ka·*fé*...
(tasse de) thé...	*(taza de) té* m ...	(*ta*·Sa dé) té...
avec du lait	*con leche*	konn *lé*·tché
sans sucre	*sin azúcar*	sinn a·*Sou*·kar

rafraîchissements	*refrescos* m	ré·*frés*·kos

eau...	*agua* f ...	*a*·gwa...
bouillie	*hervida*	ér·*bi*·da
minérale	*mineral*	mi·né·*ral*
(pétillante)	*(con gas)*	(konn gas)

boissons alcoolisées

las bebidas alcohólicas

bière	*cerveza* f	Sér·*bé*·Sa
cognac	*coñac* m	ko·*nyak*
champagne	*champán* m	tchamm·*pann*
cocktail	*combinado* m	komm·bi·*na*·do
sangria	*sangría* f	sann·*gri*·a

un(e) petit(e)...	*un chupito* m *de...*	oun tchou·*pi*·to dé...
gin	*ginebra* f	Rhi·*né*·bra
rhum	*ron* m	ronn
tequila	*tequila* m	té·*ki*·la
vodka	*vodka* m	*bod*·ka
whisky	*güisqui* m	*gwis*·ki

Beaucoup de bars espagnols attirent les jeunes fêtards avec d'énormes gobelets en plastique, baptisés *minis*, remplis d'une bière aqueuse au possible puisque coupée avec de l'eau. Le goût est plus que moyen, mais ce n'est pas cher.

Parmi les autres mots à connaître pour commander une bière :

cerveza f ...	Sér·bé·Sa...	**bière...**
de barril	dé ba·*ril*	**à la pression**
negra	*nég*·ra	**brune**
rubia	*rou*·bi·a	**blonde**
sin alcohol	sinn al·kol	**sans alcool**
botellín m	bo·tél·*yinn*	**petite bouteille (25 cl)**
litrona f	li·*tro*·na	**bouteille d'un litre**
mediana f	mé·di·*a*·na	**bouteille moyenne (33 cl)**

un(e) ... (de bière)	*una ... (de cerveza)*	ou·na ... (dé Sér·*bé*·Sa)
chope	*jarra*	*Rha*·ra
demi (20 cl)	*caña*	*ka*·nya
pinte	*pinta*	*pinn*·ta

un(e) bouteille/verre de vin...	*una botella/ copa de vino...*	ou·na bo·*té*·lya/ ko·pa dé *bi*·no...
blanc	*blanco*	*blann*·ko
doux	*dulce*	doul·Sé
pétillant	*espumoso*	és·pou·*mo*·so
rosé	*rosado*	ro·*sa*·do
rouge	*tinto*	*tinn*·to

un verre de trop

Santé !
¡Salud! sa·*lou*

Désolé(e), mais je n'en ai pas envie.
Lo siento, pero no me lo *syén*·to *pé*·ro no mé
apetece. a·pé·té·Sé

Je suis pompette.
Me lo estoy pasando mé lo és·*toy* pa·*sann*·do
muy bien. moui byén

Je suis fatigué(e), je ferais mieux de rentrer.
Estoy cansado/a, mejor és·*toy* kann·*sa*·do/a mé·*Rhor*
me voy a casa. m/f mé boy a *ka*·sa

Où sont les toilettes ?
¿Dónde está el lavabo? donn·dé és·*ta* él la·*ba*·bo

J'ai la tête qui tourne.
Esto me está subiendo és·to mé és·*ta* sou·*byén*·do
mucho. *mou*·tcho

Je me sens super bien !
¡Me siento fenomenal! mé *syén*·to fé·no·mé·*nal*

Je t'aime vraiment beaucoup.
Te quiero muchísimo. té *kyé*·ro mou·*tchi*·si·mo

Je crois que j'ai trop bu.
Creo que he tomado *kré*·o ké é to·*ma*·do
demasiado. dé·ma·*sya*·do

Tu peux m'appeler un taxi ?
¿Me puedes pedir un taxi? mé *pwé*·dés pé·*dir* oun *tak*·si

Je crois que tu ne devrais pas conduire.
No creo que deberías no *kré*·o ké dé·bé·*ri*·as
conducir. konn·dou·*Sir*

Je suis saoul(e).
Estoy borracho/a. m/f és·*toy* bo·*ra*·tcho/a

Je me sens mal.
Me siento mal. mé *syén*·to mal

vocabulaire de base

Un morceau	*Un trozo*	oun tro·So
Une tranche	*Una loncha*	ou·na lonn·tcha
Celui-là	*Ése*	é·sé
Ça	*Esto*	és·to
Un peu plus	*Un poco más*	oun po·ko mas
Moins	*Menos*	mé·nos
Ça suffit !	*¡Basta!*	ba·sta
cuit(e)	*cocido/a* m/f	ko·Si·do/a
sec/sèche	*seco/a* m/f	sé·ko/a
frais/fraîche	*fresco/a* m/f	frés·ko/a
surgelé(e)	*congelado/a* m/f	konn·Rhé·la·do/a
cru(e)	*crudo/a* m/f	krou·do/a

faire les courses

Combien ? (quantité)
¿Cuánto? kwann·to

Combien ? (nombre)
¿Cuántos? kwann·tos

Combien coûte (un kilo de fromage) ?
¿Cuánto vale (un kilo kwann·to ba·lé (oun ki·lo
de queso)? dé ké·so)

Quelle est la spécialité locale ?
¿Cuál es la especialidad kwal és la és·pé·Sya·li·da
de la zona? dé la So·na

Qu'est-ce que c'est ?
¿Qué es eso? ké és é·so

én ké lé *pwé*·do sér·*bir*		
¿En qué le puedo servir?	**Puis-je vous aider ?**	
ké ké·*ri*·as	*¿Qué querías?*	**Que désirez-vous ?**
no *tén*·go	*No tengo.*	**Je n'en ai pas.**

Je peux le/la goûter ?
¿Puedo probarlo/a? m/f pwé·do pro·bar·lo/a

Pouvez-vous me donner un sac, s'il vous plaît ?
¿Me da una bolsa,   mé da ou·na bol·sa
por favor?   por fa·bor

Donnez-moi...	*Póngame...*	*ponn*·ga·mé...
(3) morceaux	*(tres) piezas*	(trés) pyé·Sas
(6) tranches	*(seis) lonchas*	(séys) lonn·tchas
(2) kilos	*(dos) kilos*	(dos) ki·los
(200) grammes	*(doscientos)*	(dos·Syén·tos)
	gramos	gra·mos

Vous avez... ?	*¿Tiene... ?*	tyé·né...
quelque chose	*algo más*	al·go mas
de moins cher	*barato*	ba·ra·to
d'autres sortes	*otros tipos*	ot·ros ti·pos

Où se trouve le	*¿Dónde está la*	donn·dé és·ta la
rayon... ?	*sección de...?*	sék·Syonn dé...
fruits et légumes	*frutas y verduras*	frou·tas i bér·dou·ras
produits laitiers	*productos*	pro·douk·tos
	lácteos	lak·té·os
surgelés	*productos*	pro·douk·tos
	congelados	konn·Rhé·la·dos
viande	*carne*	kar·né
volaille	*aves*	a·bés

ustensiles de cuisine

Peux-tu me prêter un(e)... ?
¿Me puede prestar...?   mé *pwé*·dé prés·*tar*

Où y a-t-il un(e)... ?
¿Dónde hay...?   *donn*·dé ay...

assiette	*plato* m	*pla*·to
bol	*bol* m	bol
casserole	*cazo* m	*ka*·So
couteau	*cuchillo* m	kou·*tchi*·lyo
cuillère	*cuchara* f	kou·*tcha*·ra
décapsuleur	*abrebotellas* m	a·bré·bo·té·lyas
four	*horno* m	*or*·no
fourchette	*tenedor* m	tén·né·*dor*
frigo	*nevera* m	né·*bé*·ra
grille-pain	*tostadora* f	tos·ta·*do*·ra
ouvre-boîte	*abrelatas* m	a·bré·*la*·tas
planche à découper	*tabla* f *para cortar*	*tab*·la *pa*·ra kor·tar
poêle	*sartén* f	sar·*tén*
tasse	*taza* f	*ta*·Sa
tire-bouchon	*sacacorchos* m	sa·ka·*kor*·tchos
verre	*vaso* m	*ba*·so

é·so és (oun mann·*tché*·go)
Eso es (un manchego).   **C'est (un manchego).**

no *ké*·da mas
No queda más.   **Il n'y en a plus.**

é·so és (*Sinn*·ko é·ou·ros)
Eso es (cinco euros).   **Ça fait (cinq euros).**

al·go mas
¿Algo más?   **Autre chose ?**

quantités utiles

Donnez m'en/moi …, s'il vous plaît.	*Por favor, deme…*	por fa·*bor* dé·mé…
(cent) grammes	*(cien) gramos*	(Syén) *gra*·mos
une demi-douzaine	*una media docena*	*ou*·na *mé*·dya do·*Sé*·na
un demi-kilo	*un medio kilo*	oun *mé*·dyo *ki*·lo
un kilo	*un kilo*	oun *ki*·lo
une bouteille (de…)	*una botella (de…)*	*ou*·na bo·*té*·lya (dé…)
une carafe	*una jarra*	*ou*·na *Rha*·ra
un paquet	*un paquete*	oun pa·*ké*·té
une boîte	*una lata*	*ou*·na *la*·ta
(juste) un peu	*(sólo) un poquito*	(*so*·lo) oun po·*ki*·to
beaucoup	*muchos/as* m/f	*mou*·tchos/as
plus	*más*	mas
quelques	*algunos/as* m/f	al·*gou*·nos/as
moins	*menos*	*mé*·nos

commander

Je suis végétarien(ne).
Soy vegetariano/a. m/f   soy bé·Rhé·ta·*rya*·no/a

Y a-t-il un restaurant (végétarien) par ici ?
¿Hay un restaurante   ay oun rés·taou·*rann*·té
(vegetariano) por aquí?   (bé·Rhé·ta·*rya*·no) por a·*ki*

Vous avez de la	*¿Tienen comida...?*	tyé·nén ko·*mi*·da...
cuisine... ?		
casher	*kosher*	ko·Chér
halal	*halal*	a·*lal*
végétalienne	*vegetariana*	bé·Rhé·ta·*rya*·na
	estricta	és·*trik*·ta

Je ne mange pas de viande rouge.
No como carne roja.   no ko·mo kar·né ro·Rha

C'est cuisiné avec du beurre ?
¿Esta cocinado   és·ta ko·Si·*na*·do
con mantequilla?   konn mann·té·*ki*·lya

Pouvez-vous me	*¿Me puede*	mé *pwé*·dé
préparer un	*preparar una*	pré·pa·*rar* ou·na
repas sans... ?	*comida sin...?*	ko·*mi*·da sinn...
bouillon de	*caldo de*	*kal*·do dé
viande/poisson	*carne/pescado*	kar·né/pés·*ka*·do
œufs	*huevos*	*wé*·bos
poisson	*pescado*	pés·*ka*·do
porc	*cerdo*	*Sér*·do
volaille	*aves*	a·bés

159

C'est ... ?	¿Esto es ...?	és·to és ...
bio	*orgánico*	or·*ga*·ni·ko
fermier	*de corral*	dé *ko*·ral
faible en graisse	*bajo en grasas*	ba·Rho én *gra*·sas
faible en sucre	*bajo en azúcar*	ba·Rho én a·*Sou*·kar
sans produit	*sin productos*	sinn pro·*douk*·tos
animal	*de animales*	dé a·ni·*ma*·lés
sans gluten	*sin gluten*	sinn *glou*·tén
sans sel	*sin sal*	sinn sal
transgénique	*transgénico*	tranns·*Rhé*·ni·ko

allergies et régimes spéciaux

alergias y regímenes especiales

Je suis un régime spécial.
Estoy a régimen especial. és·*toy* a ré·Rhi·mén és·pé·*Syal*

Je suis allergique...	Soy alérgico/a ... m/f	soy a·*lér*·Rhi·ko/a
aux produits	*a los productos*	a los pro·*douk*·tos
laitiers	*lácteos*	*lak*·té·os
au miel	*al miel*	al myél
au glutamate	*al glutamato*	al glou·ta·*ma*·to
de sodium	*monosódico*	mo·no·so·di·ko
aux noix	*a las nueces*	a las *nwé*·Sés
aux fruits de mer	*a los mariscos*	a los ma·*ris*·kos
aux crustacés	*a los crustáceos*	a los krous·*ta*·Syos

Les ingrédients et les recettes de ce lexique sont classés par ordre alphabétique. Pour rechercher une recette, rendez-vous au premier mot (par exemple : **arroz abanda** *paella de poisson* sera classée à "arroz").

A

acebuche m a-Sé-bou-tché *olive sauvage*

acedía f a-Sé-di-a *carrelet/flet*

aceite m a-Séy-té *huile*
— **de girasol** dé Rhi-ra-sol *de tournesol*
— **de oliva** dé o-li-ba *d'olive*
— **de oliva virgen extra** dé o-li-ba bir-Rhén éks-tra *d'olive extra vierge*

aceituna f a-Séy-tou-na *olive*
— **negra** né-gra *noire*
— **verde** bér-dé *verte*

ácido/a m/f a-Si-do/a *acide*

adobo m a-do-bo *marinade*

agrios m pl a-gryos *agrumes*

aguacate m a-gwa-ka-té *avocat*

aguaturma f a-gwa-tour-ma *topinambour*

ajiaco m a-Rhya-ko *pommes de terre épicées*

ajoaceite m a-Rho-a-Séy-té *sauce à l'ail et à l'huile • mayonnaise à l'ail*

ajoharina m a-Rho-a-ri-na *pommes de terre à la sauce à l'ail*

ajoarriero (al) a-Rho-a-ryé-ro (al) *à l'"ail de l'ânier" (avec une sauce aux oignons, à l'ail et au piment)*

ala f a-la *aile (volaille)*

alajú m a-la-Rhou *gâteau au miel et aux amandes*

albaricoque m al-ba-ri-ko-ké *abricot*
— **seco** sé-ko *sec*

albóndigas f pl al-bonn-di-gas *boulettes*
— **de pescado** dé pés-ka-do *de poisson*

alcachofas f pl al-ka-tcho-fas *artichauts*
— **guisadas a la española** gi-sa-das a la

és-pa-nyo-la *au vin*
— **rellenas** ré-lyé-nas *farcis*

alcaparra f al-ka-pa-ra *câpre*

alioli m a-li-o-li *aïoli*

almejas f pl al-mé-Rhas *palourdes*
— **a la marinera** a la ma-ri-né-ra *marinière*
— **al horno** al or-no *au four*

almendrado m al-mén-dra-do *gâteau ou biscuit aux amandes • glace nappée de chocolat*

almendras f pl al-mén-dras *amandes*

alubia f a-lou-bya *haricot blanc*

anacardo m a-na-kar-do *noix de cajou*

anchoas f pl ann-tcho-as *anchois*

angelote m ann-Rhé-lo-té *lotte*

anguila f ann-gi-la *anguille*

angulas f pl ann-gou-las *alevins d'anguilles (ressemblant à des vermicelles)*
— **en all i pebre** én al i pé-bré *à l'ail et au poivre*

apio m a-pyo *céleri*

arándano m a-rann-da-no *myrtille*

arenque m a-rén-ké *hareng*
— **ahumado** a-ou-ma-do *fumé*

arroz m a-roS *riz*
— **a la Alcireña** a la al-Si-ré-nya *plat de riz au four*
— **abanda (de València)** a-bann-da (dé ba-lén-Sya) *paella de poisson*
— **con leche** konn lé-tché *au lait*
— **con pollo** konn po-lyo *au poulet*
— **integral** inn-té-gral *complet*
— **marinera** ma-ri-né-ra *avec des fruits de mer*

— salvaje sal-*ba*-Rhé *sauvage*

asadillo m a-sa-*di*-lyo *fritade de poivrons rouges*

asados m pl a-*sa*-dos *viandes rôties*

atún m a-*toun* *thon*

— al horno al *or*-no *au four*

avellana f a-bé-*lya*-na *noisette*

aves f pl *a*-bés *volaille*

azúcar m a-*Sou*-kar *sucre*

B

bacalao m ba-ka-*laou* *morue*

— a la vizcaína a la biS-ka-*i*-na *aux piments et aux poivrons*

— del convento dél konn-*bén*-to *avec pommes de terre et épinards, dans un bouillon*

barbo m *bar*-bo *barbeau*

barra f *ba*-ra *baguette (de pain)*

batata f ba-*ta*-ta *patate douce*

beicon m *béy*-konn *bacon ou lardons*

berberechos m pl bér-bé-*ré*-tchos *coques*

— en vinagre én bi-*na*-gré *au vinaigre*

berenjenas f pl bé-rén-*Rhé*-nas *aubergines*

— a la mallorquina a la ma-lyor-*ki*-na *avec de l'aïoli*

— con setas konn *sé*-tas *aux champignons*

berza f *bér*-Sa *chou*

— a la andaluza a la ann-da-*lou*-Sa *ragoût de chou et de viande*

besugo m bé-*sou*-go *daurade*

— a la Donostiarra a la do-nos-*tya*-ra *daurade grillée à l'ail et au paprika*

— estilo San Sebastián és-*ti*-lo sann sé-bas-*tyann* *daurade grillée à l'ail et au paprika*

bienmesabe m byén-mé-*sa*-bé *gâteau spongieux aux œufs et aux amandes*

bisbe m *bis*-bé *boudin noir ou blanc*

bistec m bis-*ték* *bifteck*

— con patatas konn pa-*ta*-tas *avec des frites*

bizcocha f manchega biS-*ko*-tcha mann-*tché*-ga *gâteau arrosé de lait, sucre, vanille et cannelle*

bizcocho m biS-*ko*-tcho *gâteau spongieux*

— de almendra dé al-*mén*-dra *aux amandes*

— de avellana dé a-bé-*lya*-na *aux noisettes*

bizcochos m pl borrachos biS-*ko*-tchos bo-*ra*-tchos *gâteaux trempés dans de l'alcool (littéralement : gâteaux ivres)*

bocadillo m bo-ka-*di*-lyo *sandwich*

bocas f pl de la isla *bo*-kas dé la *is*-la *grosses pinces de crabe*

bogavante m bo-ga-*bann*-té *homard*

bollo m bo-lyo *petit pain*

bonito m bo-*ni*-to *thon blanc*

boquerón m bo-ké-*ronn* *anchois*

boquerones m pl bo-ké-ro-*nés* *anchois au vinaigre*

— fritos *fri*-tos *anchois frits*

brama f *bra*-ma *brème*

bróculi m *bro*-ko-li *brocoli*

budín m de atún bou-*dinn* dé a-*toun* *gâteau de thon*

bull m de atún boul dé a-*toun* *lapin à l'ail, au thon et aux pommes de terre*

buñuelitos m pl bou-nywé-*li*-tos *petits beignets au fromage ou au jambon*

— de San José dé sann Rho-*sé* *crêpes au citron et à la vanille*

buñuelo m bou-*nywé*-lo *beignet*

burrida f de ratjada bou-*ri*-da dé rat-*Rha*-da *soupe de poisson aux amandes*

butifarra f (blanca) bou-ti-*fa*-ra (*blann*-ka) *sorte de saucisson de porc*

— con setas konn *sé*-tas *aux champignons*

C

caballa f ka·ba·lya *maquereau*

cabra f *ka*·bra *chèvre*

cabracho m ka·bra·tcho *rascasse*

cacahuete m ka·ka·wé·té *cacahuète*

cachelos m pl ka·tché·los *pommes de terre au chorizo et à la viande de porc*

cádiz m *ka*·diS *fromage de chèvre frais*

calabacín m ka·la·ba·Sinn *courgette*

calabaza f ka·la·ba·Sa *citrouille*

calamares m pl ka·la·*ma*·rés *calmars (appréciés frits ou farcis)*
— **fritos a la romana** *fri*·tos a la ro·*ma*·na *beignets de calmars frits*
— **rellenos** ré·lyé·nos *farcis*

calçots m pl kal·sots *pousses de légumes, semblables à des oignons, grillées au barbecue puis consommées avec une sauce romesco*

caldeirada f kal·déy·ra·da *morue salée et pommes de terre à la sauce au paprika • soupe de poisson*

caldereta f kal·dé·ré·ta *ragoût*
— **asturiana** as·tou·rya·na *de poisson*
— **de cordero** dé kor·dé·ro *d'agneau*

caldillo m **de perro** kal·di·lyo dé pé·ro *"soupe de chien" : ragoût à base d'oignons, de poisson frais et de jus d'orange*

caldo m kal·do *bouillon • soupe claire*
— **al estilo del Mar Menor** al és·ti·lo dél mar mé·nor *ragoût de poisson du Mar Menor*
— **gallego** ga·lyé·go *potage à base de haricots, de jambon et de saucisse*

callos m pl ka·lyos *tripes*

camarones fritos m pl ka·ma·ro·nés fri·tos *crevettes frites*

canagroc m ka·na·grok *champignon*

cañaillas f pl **de la Isla** ka·nyay·lyas dé la is·la *limaces de mer bouillies*

canelones m pl ka·na·lo·nés *carrés de pâte servant à la fabrication des cannellonis*
— **con espinaca** konn és·pi·na·ka *cannellonis aux épinards, aux anchois et à la béchamel*
— **con pescado** konn pés·ka·do *cannellonis à la morue, aux œufs et aux champignons*

canapés m pl **de fiambres** ka·na·pés dé fi·amm·brés *canapés*

cangrejo m kann·gré·Rho *crabe*

cantalupo m kann·ta·lou·po *cantaloup*

canutillos m pl ka·nou·ti·lyos *biscuits à la crème*

capones m pl **de Villalba** ka·po·nés dé bi·lyal·ba *chapons marinés (plat de Noël)*

caracoles m pl ka·ra·ko·lés *escargots*

caramelos m pl ka·ra·mé·los *caramels*

cardos m pl **fritos** kar·dos fri·tos *cardons frits*

carne f kar·né *viande*
— **de membrillo** dé mém·bri·lyo *pâte de coing*
— **molida** mo·li·da *viande hachée*

cassolada f ka·so·la·da *potée de pommes de terre et de légumes au lard et aux travers de porc*

castaña f kas·ta·nya *châtaigne*

caviar f Sé·Si·na *caviar*

caza f *ka*·Sa *gibier*

cazón m ka·Sonn *roussette ou requin au goût de coquille Saint-Jacques mais un peu plus doux*

cazuelitas f pl **de langostinos San Rafael** ka·Swé·li·tas dé lann·gos·ti·nos sann ra·fa·él *riz aux fruits de mer*

cebolla f Sé·bo·lya *oignon*

cecina f Sé·Si·na *viande séchée et salée*

cerdo m Sér·do *porc*

cereales m pl Sé·ré·a·lés *céréales*

cereza f Sé·ré·Sa *cerise*
— **silvestre** sil·bés·tré *merise*

ciervo m *Syér*-bo *cerf*

cigala f *Si*-*ga*-la *langoustine*

ciruela f *Si*-rwé-la *prune*

— **pasa** *pa*-sa *pruneau*

civet m de llebre si-*bét* dé *lyé*-bré *civet de lièvre*

clara f *cla*-ra *blanc d'œuf*

cochifrito m de cordero ko-tchi-*fri*-to dé kor-*dé*-ro *agneau poêlé à l'ail et au citron*

cochinillo m ko-tchi-*ni*-lyo *cochon de lait*

— **asado** a-sa-do *rôti*

— **de pelotas** dé pé-*lo*-tas *boulettes de viande*

coco m *ko*-ko *noix de coco*

codornices f pl a la plancha ko-dor-*ni*-Sés a la *plann*-tcha *cailles grillées*

codorniz f ko-dor-*niS caille*

— **con pimientos** konn pi-*myén*-tos *poivrons farcis aux cailles*

col f kol *chou*

— **lombarda** lomm-*bar*-da *chou rouge*

coles f pl de Bruselas ko-*lés* dé brou-*sé*-las *choux de Bruxelles*

coliflor m ko-li-*flor chou-fleur*

conejo m ko-*né*-Rho *lapin*

— **de monte** dé monn-té *de garenne*

coquina f ko-*ki*-na *gros clam*

corazón m ko-ra-*Sonn cœur*

cordero m kor-*dé*-ro *agneau*

— **al chilindrón** al tchi-linn-*dronn agneau à la sauce au poivron et à la tomate*

— **con almendras** konn al-*mén*-dras *aux amandes*

costillas f pl kos-*ti*-lyas *côtes*

crema f *kré*-ma *crème*

— **catalana** ka-ta-*la*-na *crème catalane (dessert)*

— **de espinacas** dé és-pi-*na*-kas *crème d'épinards (soupe)*

— **de naranja** dé na-*rann*-Rha *crème d'orange (dessert)*

— **de San José** dé sann Rho-*sé crème aux œufs parfumée à la cannelle*

— **de verduras** dé bér-*dou*-ras *soupe de légumes*

crocante m kro-*kann*-té *glace aux éclats de noisettes et de chocolat*

CH

chalote m tcha-*lo*-té *échalote*

champiñones m pl tchamm-pi-*nyo*-nés *champignons de Paris*

chanquetes m pl tchann-*ké*-tés *alevins d'anchois en friture*

chilindrón (al) tchi-linn-*dronn* (al) *à la sauce aux poivrons rouges et à la tomate*

chipirón m tchi-pi-*ronn petit calmar – très prisé au Pays basque*

chocolate m tcho-ko-*la*-té *chocolat*

— **caliente** ka-li-*én*-té *chocolat chaud (épais)*

chocos m pl *tcho*-kos *calmars*

chorizo m tcho-*ri*-So *chorizo*

— **de Pamplona** dé pamm-*plo*-na *chorizo dur servi en tranches très fines*

— **de Salamanca** dé sa-la-*mann*-ka *gros chorizo de consistance plus grasse et plus moelleuse*

chuletas f pl tchou-*lé*-tas *côtes • côtelettes*

— **al sarmiento** al sar-*myén*-to *cuites sur des sarments*

— **de buey** dé bwéy *de bœuf*

— **de cerdo a la aragonesa** dé *Sér*-do a la a-ra-go-né-sa *de porc au vin blanc et aux oignons*

churros m *tchou*-ros *beignets très populaires, vendus dans la rue et dans les cafés*

D

de soja dé *so*-Rha *de soja*

despojos m pl dés-po-*Rhos abats*

dorada f a la sal do-*ra*-da a la sal *daurade au sel*

dulce m doul-*Sé* *doux, sucré*
— **de batata** dé ba-*ta*-ta *pâte de patates douces de Málaga*

dulces m pl doul-*Sés* *sucreries*
— **de las monjas** doul-*Sés* dé las *monn*-Rhas *friandises fabriquées par des religieuses et vendues dans les couvents ou les pâtisseries*

E

embutidos m pl ém-bou-*ti*-dos *charcuterie*

empanada f ém-pa-*na*-da *tourte*
— **de carne** dé *kar*-né *à la viande*
— **de espinaca** dé és-pi-*na*-ka *aux épinards*

empanadilla f ém-pa-na-*di*-lya *petit chausson, salé ou sucré*

empanado/a m/f ém-pa-*na*-do/a *pané(e)*

emparedado m ém-pa-ré-*da*-do *sandwich*
— **de jamón y espárragos** dé Rha-*monn* i és-*pa*-ra-gos *au jambon cru et aux asperges*

empiñonado m ém-pi-nyo-*na*-do *petite pâtisserie à la pâte d'amandes et aux pignons de pin*

en salsa verde én *sal*-sa *bér*-dé *à la sauce à l'ail et au persil*

encurtidos m pl én-kour-*ti*-dos *conserves*

ensaimada f mallorquina én-say-*ma*-da ma-lyor-*ki*-na *pâtisserie au saindoux en colimaçon*

ensalada f én-sa-*la*-da *salade*
— **de frutas** dé *frou*-tas *de fruits*
— **de patatas** dé pa-*ta*-tas *de pommes de terre*
— **del tiempo** dél *tyém*-po *de saison*
— **mixta** *miks*-ta *mélangée*

escaldadillas f pl és-kal-da-*di*-lyas *pâte imbibée de jus d'orange puis frite*

escalivada f és-ka-li-*ba*-da *poivrons rouges frits à l'huile d'olive*

escalopes m pl de ternera rellenos és-ka-lo-*pés* dé tér-*né*-ra ré-*lyé*-nos *escalopes de veau farcies à l'œuf et au fromage*

espaguetis m pl és-pa-*gé*-tis *spaghettis*

espárragos m pl és-*pa*-ra-gos *asperges*
— **con dos salsas** konn dos *sal*-sas *à la sauce au paprika et à la tomate*
— **en vinagreta** én bi-na-*gré*-ta *en vinaigrette*

espinacas f pl és-pi-*na*-kas *épinards*
— **a la catalana** a la ka-ta-*la*-na *aux pignons de pin et aux raisins*

esqueixada f és-ki-*cha*-da *morue aux olives, à la tomate et aux oignons*

etxeko kopa é-*tché*-ko *ko*-pa *dessert à base de glace*

F

fabada f asturiana fa-*ba*-da as-tou-*rya*-na *potée à base de porc, de boudin noir et de haricots blancs*

faisán m fay-*sann* *faisan*

faves f pl a la catalana *fa*-bés a la ka-ta-*la*-na *fèves au lard et au boudin noir*

fiambres m pl fi-*amm*-brés *charcuterie*
— **surtidos** sour-*ti*-dos *assortiment de charcuteries*

fideos m pl fi-*dé*-os *vermicelles*

fideua f fi-*dé*-wa *riz ou pâtes au poisson et aux crustacés*

fideus m pl a la cassola fi-*dé*-ous a la ka-so-la *plat catalan à base de pâtes*

filete m fi-*lé*-té *bifteck • filet*
— **a la parrilla** a la pa-*ri*-lya *grillé*
— **de ternera** dé tér-*né*-ra *de veau*

filloas f pl fi-*lyo*-as *galettes galiciennes à la crème*

flan m flann *flan*

flaó f fla-o *flan au fromage sucré*

flor manchega f flor mann-*tché*-ga *gaufrettes sucrées frites*

frambuesa f framm-*bwé*-sa *framboise*

frangellos m pl frann-*Rhé*-lyos *sucrerie à base de maïs, de lait et de miel*

fresa f fré-sa *fraise*

fricandó m **de langostinos** fri-kann-*do* dé lann-gos-*ti*-nos *langoustines à la sauce aux amandes*

frite m fri-té *ragoût d'agneau, servi les jours de fête*

fritos m pl fri-tos *beignets*
— **con miel** konn myél *beignets au miel*

fritura f fri-tou-ra *friture*

fruta f frou-ta *fruit*

frutas en almíbar frou-tas én al-*mi*-bar *fruits au sirop*

frutos m pl **secos** frou-tos sé-kos *fruits secs*

fuet m fou-ét *saucisson de porc fin*

G

gachas f pl **manchegas** ga-tchas mann-*tché*-gas *bouillie parfumée*

galleta f ga-*lyé*-ta *biscuit*

gambas f pl *gamm*-bas *crevettes • gambas*
— **a la plancha** a la *plann*-tcha *grillées*
— **en gabardina** én ga-bar-*di*-na *beignets de crevette*

Gamonedo m ga-mo-*né*-do *fromage fort*

garbanzos m pl gar-*bann*-Sos *pois chiches*
— **con cebolla** konn Sé-bo-lya *aux oignons*
— **tostados** tos-*ta*-dos *grillés (vendus en en-cas)*

garbure f gar-bou-ré *soupe de légumes • plat au porc*

garúm m ga-*roum* *sauce aux olives et aux anchois*

Gata-Hurdes ga-ta-*our*-dés *fromage*

gazpacho m gaS-*pa*-tcho *soupe froide de tomates*
— **andaluz** ann-da-*louz* *gaspacho aux légumes divers*
— **pastoril** pas-to-*ril* *potée de lapin à la tomate et à l'ail*

gazpachos m pl **manchegos** gaS-*pa*-tchos mann-*tché*-gos *ragoût de gibier et de légumes*

Gaztazarra m gaS-ta-*Sa*-ra *fromage*

gitano m Rhi-*ta*-no *potée andalouse aux tripes et aux poix chiches*

gofio m go-fyo *maïs ou orge grillé*

granadilla f gra-na-*di*-lya *fruit de la passion*

grano m gra-no *céréale*
— **largo** lar-go *long grain (riz)*

gratinado m **de berenjenas** gra-ti-*na*-do dé bé-rén-*Rhé*-nas *gratin d'aubergines*

Grazalema f gra-Sa-lé-ma *fromage de brebis demi-sec*

guindilla f guinn-*di*-lya *piment doux*

guisado m gui-sa-do *ragoût*
— **de cordero** dé kor-*dé*-ro *ragoût d'agneau*
— **de ternera** dé tér-*né*-ra *ragoût de veau*

guisante m gui-*sann*-té *petits pois*
— **seco** sé-ko *pois cassés*
— **mollar** mo-*lyar* *haricots mange-tout*

guisantes m pl **con jamón a la española** gui-*sann*-tés konn Rha-*monn* a la és-*pa*-nyo-la *plat à base de petits pois et de jambon*

guisat m **de marisco** gui-*sat* dé ma-*ris*-ko *ragoût de fruits de mer*

guiso m **de conejo estilo canario** gui-so dé ko-*né*-Rho és-*ti*-lo ka-*na*-ryo *ragoût de lapin*

guiso m **de rabo de toro** gui-so dé ra-bo dé to-ro *potée de queue de bœuf aux pommes de terre*

H

habas f pl *a*·bas *fèves*
— **a la granadina** a la gra·na·*di*·na *aux œufs et au jambon*
— **fritas** *fri*·tas *frites (vendues en en-cas)*
habichuela f a·bi·*tchwé*·la *haricot*
hamburguesa f amm·bour·*gé*·sa *hamburger*
harina f a·*ri*·na *farine*
— **integral** inn·té·*gral farine complète*
helado m é·*la*·do *glace*
hígado m *i*·ga·do *foie*
higo m *i*·go *figue*
— **seco** *sé*·ko *figue sèche*
hogaza f o·*ga*·Sa *pain compact à croûte épaisse*
hoja f de parra o·Rha dé *pa*·ra *feuille de vigne*
hojaldres m pl o·*Rhal*·drés *petites pâtisseries feuilletées*
hojas f pl verdes o·Rhas bér·dés *légumes verts*
hornazo m or·*na*·So *pain à la saucisse*
hortalizas f pl or·ta·*li*·Sas *légumes*
huevo m *wé*·bo *œuf*
— **cocido** ko·*Si*·do *œuf dur*
— **de chocolate** dé tcho·ko·*la*·té *œuf en chocolat*
— **frito** *fri*·to *œuf frit*
huevos m pl *wé*·bos *œufs*
— **a la flamenca** a la fla·*mén*·ka *légumes au four, avec œuf et jambon*
— **al estilo Sóller** al és·*ti*·lo so·*lyér œufs frits servis avec une sauce au lait et aux légumes*
— **en salsa agria** én *sal*·sa *a*·grya *œufs durs à la sauce au vin et au vinaigre*
— **escalfados** és·kal·*fa*·dos *œufs pochés*
— **revueltos** ré·*bwél*·tos *œufs brouillés*

J

jabalí m Rha·ba·*li sanglier*
— **con salsa de castaños** konn *sal*·sa dé kas·ta·nyos *sanglier aux châtaignes*
jamón m Rha·*monn jambon*
— **cocido** ko·*Si*·do *jambon blanc*
— **ibérico** i·*bér*·ik·o *jambon issu du cochon ibérique, réputé le meilleur d'Espagne*
— **serrano** sé·*ra*·no *jambon cru*
jengibre m Rhén·*gi*·bré *gingembre*
jerez (al) Rhé·*réS* (al) *au xérès*
judía f Rhou·*di*·a *haricot*
judias f pl del tío Lucas Rhou·*di*·as dél *ti*·o *lou*·kas *ragoût de haricots à l'ail et au lard*
judias f pl verdes a la castellana Rhou·*di*·as bér·dés a la kas·té·*lya*·na *haricots verts, poivrons frits et ail*
judiones m pl de la granja Rhou·di·o·nés dé la *grann*·Rha *ragoût de porc et de haricots verts*

K

kiskilla kis·*ki*·lya *crevette (s'écrit aussi quisquilla)*

L

langosta f lann·*gos*·ta *langouste*
— **a la ibicenca** a la i·bi·*Sén*·ka *langouste aux calmars*
langostinos m pl lann·gos·*ti*·nos *langoustines*
— **a la plancha** a la *plann*·tcha *grillées*
lavanco m la·*bann*·ko *canard sauvage*
lechuga f lé·*tchou*·ga *laitue*
legumbres f pl lé·*goum*·brés *légumes*
— **secas** *sé*·kas *légumes secs*
leguminosas f pl lé·gou·mi·*no*·sas *légumineuses*
lengua f *lén*·gwa *langue*

— a la aragonesa a la a·ra·go·né·sa *à la sauce aux tomates et aux poivrons*

lenguado m lén·*gwa*·do *sole*

— al chacolí con hongos al tcha·ko·*li* konn onn·gos *au vin et aux champignons*

lenguados m pl al plato lén·*gwa*·dos al *pla*·to *cocotte de sole et de champignons*

lenguas f pl con salsa de almendras lén·gwas konn *sal*·sa de al·*mén*·dras *langue à la sauce aux amandes*

lentejas f pl lén·*té*·Rhas *lentilles*

liebre f *lyé*·bré *lièvre*

— con castañas konn kas·*ta*·nyas *lièvre aux châtaignes*

— estofada és·to·*fa*·da *lièvre à l'étouffée*

lima f *li*·ma *citron vert*

limón m li·*monn* *citron*

lomo m *lo*·mo *filet • échine*

— curado kou·*ra*·do *échine de porc (charcuterie)*

— de cerdo dé *Sér*·do *échine de porc*

longaniza f lonn·ga·*ni*·Sa *longue saucisse sèche*

lubina f lou·*bi*·na *bar, loup de mer*

— a la marinera a la ma·ri·né·ra *loup de mer à la sauce au persil*

lucio m *lou*·Syo *brochet*

LL

llagostí m a l'allioli lyann·gos·*ti* a la·lyi·o·li *bouquets (crevettes) grillés à l'aïoli*

llenguado m a la nyoca lyén·*gwa*·do a la *nyo*·ka *sole aux pignons de pin et aux raisins*

M

macedonia f de frutas ma·Sé·*do*·nya dé *frou*·tas *salade de fruits*

macedonia f de verduras ma·Sé·*do*·nya dé bér·*dou*·ras *macédoine de légumes*

magdalena f mag·da·*lé*·na *madeleine*

magras f pl *ma*·gras *œufs frits, jambon, fromage et tomate*

maíz m ma·*iS* *maïs*

— tierno *tyér*·no *maïs tendre*

mandarina f mann·da·*ri*·na *mandarine*

mango m *mann*·go *mangue*

manitas f pl de cerdo ma·*ni*·tas dé *Sér*·do *pieds de cochon*

manitas f pl de cordero ma·*ni*·tas dé kor·*dé*·ro *pieds de mouton*

manteca f mann·*té*·ka *saindoux*

mantecado m mann·té·*ka*·do *gâteau au saindoux • crème glacée*

mantequilla f mann·té·*ki*·lya *beurre*

— sin sal sinn sal *beurre sans sel*

manzana f mann·*Sa*·na *pomme*

manzanas f asadas mann·*Sa*·nas a·*sa*·das *pommes au four*

margarina f mar·ga·*ri*·na *margarine*

marinera (a la) ma·ri·né·ra (a la) *marinière (à la)*

mariscos m ma·*ris*·kos *fruits de mer*

marmitako mar·mi·*ta*·ko *cocotte de thon aux pommes de terre*

marrano m ma·*ra*·no *porc*

mar y cel m mar i *sél* *plat à base de saucisses, de lapin, de crevettes et de lotte*

masa f *ma*·sa *pâte*

mayonesa f ma·yo·né·sa *mayonnaise*

medallones m pl de merluza mé·da·*lyo*·nés dé mér·*lou*·Sa *médaillons de merlu*

mejillones m pl mé·Rhi·*lyo*·nés *moules*

— al vino blanco al *bi*·no blann·ko *au vin blanc*

— con salsa konn sal·sa *moules à la sauce tomate*

mel f i mató mél i ma·to *lait caillé au miel*

melocotón m mé·lo·ko·*tonn* *pêche*

melocotones m pl al vino mé·lo·ko·to·nés al *bi*·no *pêches au vin*

melón m mé-*lonn* melon

membrillo m mém-*bri*-lyo coing

menestra f mé-*nés*-tra *jardinière de légumes*

— **de pollo** dé po-lyo *jardinière de légumes et poulet*

merengue m mé-*rén*-gé meringue

merluza f mér-*lou*-Sa merlu

mermelada f mér-mé-*la*-da confiture

mero m mé-ro mérou

miel f myél miel

— **de azahar** dé a-Sa-*ar* d'oranger

— **de caña** dé *ka*-nya mélasse

migas f pl *mi*-gas dés de pain frits

— **a la aragonesa** a la a-ra-go-né-sa pain frit aux lardons et sauce tomate

— **mulatas** mou-*la*-tas dés de pain trempés dans du chocolat puis frits

mojarra f mo-*Rha*-ra sorte de brème

moje m **manchego** mo-*Rhé* mann-*tché*-go "soupe" froide aux olives noires

mojete m mo-*Rhé*-té préparation à base de pommes de terre, d'ail, de tomates et de paprika

— **murciano** mour-*Sya*-no poisson et poivrons

mojo m mo-*Rho* sauce épicée aux poivrons

mollejas f pl mo-*lyé*-Rhas ris • gésier

mollete m mo-*lyé*-té pain rond et tendre

monas f pl **de Pascua** mo-nas dé *pas*-kwa gâteaux de Pâques • moulages en chocolat

mongetes f pl **seques i butifarra** monn-*Rhé*-tés sé-kés i bou-ti-*fa*-ra haricots et saucisse de porc

mora f mo-ra mûre

moraga f **de sardina** mo-*ra*-ga dé sar-*di*-na sardines grillées

morcilla f mor-*Si*-lya boudin noir

mortadela f mor-ta-*dé*-la mortadelle

morteruelo m mor-té-*rwé*-lo pâté de gibier très épicé

mostachones m pl mos-ta-*tcho*-nés petits gâteaux à tremper dans un café ou un chocolat chaud (s'écrit également mostatxones)

mostaza f mos-ta-Sa moutarde

— **en grano** én *gra*-no moutarde en grains

múgil m mou-Rhil mulet (poisson)

mujol m **guisado** mou-*Rhol* gi-sa-do rouget

mus m **de chocolate** mous dé tcho-ko-*la*-té mousse au chocolat

muslo m *mous*-lo cuisse (volaille)

N

nabo m na-bo navet

naranja f na-*rann*-Rha orange

nata f na-ta crème

— **agria** a-grya crème aigre

— **montada** monn-ta-da crème fouettée

natillas f pl na-*ti*-lyas crème renversée

— **de chocolate** dé tcho-ko-la-té crème au chocolat

navaja f na-*ba*-Rha couteau

nécora f né-ko-ra étrille

nueces f pl néw-Sés noix

nuez f nwéS noix

— **de América** dé a-*mé*-ri-ka noix de pécan

Ñ

ñora f nyo-ra poivron rouge doux (habituellement sec)

O

oca f o-ka oie

olla f o-lya ragoût • cocotte-minute

oreja f **de mar** o-ré-Rha dé mar ormeau

ostiones m pl **a la gaditana** os·tyo·nés a la ga·di·ta·na *huîtres de Cadix à l'ail, au persil et à la panure*

ostra f os·tra *huître*

oveja f o·bé·Rha *mouton*

P

pá m **amb oli** pa ammb o·li *tartine de pain grillé à l'ail et à l'huile d'olive*

pacana f pa·ka·na *pécan*

paella f pa·é·lya *paella*
— **marinera** ma·ri·né·ra *paella au poisson et aux fruits de mer*
— **zamorana** Sa·mo·ra·na *paella à la viande*

palitos m pl **de queso** pa·li·tos dé ké·so *bâtonnets de fromage*

palmera f pal·mé·ra *palmier (gâteau)*

palomitas f pl pa·lo·mi·tas *pop corn*

pan m pann *pain*
— **aceite** a·Séy·té *pain rond et plat*
— **árabe** a·ra·bé *pita*
— **de Alá** dé a·*la* "pain d'Allah" *(dessert)*
— **de boda** dé bo·da *pain façonné, traditionnellement servi aux mariages*
— **de centeno** dé Sén·té·no *pain de seigle*
— **duro** dou·ro *pain dur, à manger grillé avec de l'huile d'olive*
— **integral** inn·té·gral *pain complet*

panaché m pa·na·tché *légumes mélangés*

panallets m pl pa·na·lyéts *sucreries à la pâte d'amandes*

panceta f pann·Sé·ta *poitrine de porc fumée*

panchineta f pann·tchi·né·ta *tarte aux amandes*

panecillo m pa·né·Si·lyo *petit pain*

panojas f pl **malagueñas** pa·no·Rhas ma·la·gué·nyas *plat à base de sardines*

papas f pl **arrugadas** *pa*·pas a·rou·ga·das *pommes de terre à l'eau servies avec la peau*

pargo m *par*·go *brème*

parrillada f pa·ri·lya·da *viande grillée*
— **de mariscos** dé ma·ris·kos *fruits de mer et poissons grillés*

pastel m pas·tél *gâteau*
— **de boda** dé bo·da *gâteau de mariage*
— **de chocolate** dé tcho·ko·la·té *gâteau au chocolat*
— **de cierva** dé Syér·ba *tourte à la viande*
— **de cumpleaños** dé koum·plé·a·nyos *gâteau d'anniversaire*

pastelitos m pl **de miel** pas·té·li·tos dé myél *petits gâteaux au miel*

pataco m pa·ta·ko *ragoût de thon et de pommes de terre*

patatas f pl pa·ta·tas *pommes de terre*
— **a la riojana** a la ri·o·Rha·na *pommes de terre, chorizo et paprika*
— **alioli** a·li·o·li *pommes de terre à l'aïoli*
— **bravas** bra·bas *pommes de terre à la sauce tomate épicée*
— **con chorizo** konn tcho·ri·So *pommes de terre au chorizo*
— **estofadas** és·to·fa·das *pommes de terre à l'eau*

pato m pa·to *canard*
— **a la sevillana** a la sé·bi·lya·na *canard à l'orange*
— **alcaparrada** al·ka·pa·ra·da *canard aux câpres et aux amandes*

pavo m pa·bo *dinde*

pececillos m pl pé·Sé·Si·lyos *petits poissons*

pechina f pé·tchi·na *coquille Saint-Jacques*

pecho m pé·tcho *poitrine*

pechuga f pé·tchou·ga *blanc de volaille*

pepinillo m pé·pi·ni·lyo *cornichon*

pepino m pé·pi·no *concombre*

pepitoria f pé·pi·to·rya *sauce aux œufs at aux amandes*

pepitos m pl pé·pi·tos *éclairs*

pera f pé·ra *poire*

Peral, La f la pé·ral *fromage*

perca f pér·ka *perche*

perdices f pl pér·di·Sés *perdrix*
— **a la manchega** a la mann·tché·ga *perdrix au vin rouge et aux câpres*
— **con chocolate** konn tcho·ko·la·té *perdrix au chocolat*

perdiz f pér·diS *perdrix*

peregrina f pé·ré·gri·na *coquille Saint-Jacques*

pericana f pé·ri·ka·na *olives, huile de morue, ail et câpres*

perrito m caliente pé·ri·to ka·li·én·té *hot dog*

pescada f á galega pés·ka·da a ga·lé·ga *colin frit à l'huile d'olive, servi avec une sauce à l'ail et au paprika*

pescadilla f pés·ka·di·lya *merlan*

pescaditos m pl rebozados pés·ka·di·tos ré·bo·Sa·dos *petits beignets de poisson*

pescado m pés·ka·do *poisson*
— **a l'all cremat** a lal kré·mat *poisson à l'ail brûlé*

pescaíto m frito pés·ka·í·to fri·to *petit poisson frit*

pestiños m pl pés·ti·nyos *pâtisserie anisée fourrée, frite*

pez f espada peS és·pa·da *espadon*
— **frito** fri·to *espadon frit à la broche*

picada f pi·ka·da *mélange d'ail, de persil, d'amandes grillées et de noix, souvent utilisé pour épaissir les sauces*

picadillo m pi·ka·di·lyo *salade de légumes*
— **de atún** dé a·toun *salade de thon et poivrons*
— **de ternera** dé tér·né·ra *viande de veau hachée*

pichón m pi·tchonn *pigeon*

pichones m pl asados pi·tcho·nés a·sa·dos *pigeons rôtis*

pilotes f pl pi·lo·tés *boulettes catalanes*

pimiento m pi·myén·to *poivron*
— **amarillo** a·ma·ri·lyo *jaune*
— **rojo** ro·Rho *rouge*

— **verde** bér·dé *vert*

pimientos m pl pi·myén·tos *poivrons (les poivrons d'El Bierzo sont particulièrement savoureux)*
— **a la riojana** a la ri·o·Rha·na *poivrons rouges rôtis à l'ail frit à l'huile d'olive*
— **al chilindrón** al tchi·linn·dronn *poivrons en cocotte*

piña f pi·nya *ananas*

pinchito m moruno pinn·tchi·to mo·rou·no *kebabs d'agneau et de poulet*

piñón m pi·nyonn *pignon de pin*

pintada f pinn·ta·da *pintade*

piquillo m pi·ki·lyo *petit piment doux*

pistacho m pis·ta·tcho *pistache*

pisto m manchego pis·to mann·tché·go *plat à base de courgettes, de poivrons et de tomates, frits ou cuits à l'étouffée*

plátano m pla·ta·no *banane*

pochas f pl po·tchas *haricots*
— **a la riojana** a la ri·o·Rha·na *haricots au chorizo dans une sauce épicée*
— **con almejas** konn al·mé·Rhas *haricots aux clams*

pollo m po·lyo *poulet*
— **asado** a·sa·do *poulet rôti*
— **con samfaina** konn samm·fay·na *poulet aux légumes*
— **en escabeche** én és·ka·bé·tché *poulet mariné*
— **en salsa de ajo** én sal·sa dé a·Rho *poulet à la sauce à l'ail*
— **granadina** gra·na·di·na *poulet au vin et au jambon*
— **y langosta** i lann·gos·ta *poulet et langouste*

pulpo m a feira poul·po a féy·ra *poulpe épicé*

polvorón m pol·bo·ronn *petit sablé, souvent dégusté pour Noël*

pomelo m po·mé·lo *pamplemousse*

postre m pos·tré *dessert*

— de naranja dé na-*rann*-Rha *oranges à la crème*

potaje m po-*ta*-Rhé *potage*

— castellano kas-té-*lya*-no *potée de haricots et de saucisses*

— de garbanzos dé gar-*bann*-Sos *potée aux pois chiches*

— de lentejas dé lén-té-Rhas *soupe de lentilles*

pote m **gallego** po-té ga-*lyé*-go *potée*

potito m po-*ti*-to *petit pot pour bébé*

pringada f prinn-*ga*-da *pain en sauce • sandwich mariné*

productos m pl **biológicos** pro-*douk*-tos bi-*o-lo*-Rhi-kos *produits bio*

productos m pl **del mar** pro-*douk*-tos dél mar *produits de la mer*

productos m pl **lácteos** pro-*douk*-tos lak-té-os *produits laitiers*

puchero m pou-*tché*-ro *marmite • pot-au-feu*

pudin m pou-dinn *pudding*

puerco m pwér-ko *porc*

puerro m pwé-ro *poireau*

pulpo m poul-po *poulpe*

punta f **de diamante** poun-ta dé dya-*mann*-té *friandise de Valence*

porrusalda f po-rou-*sal*-da *ragoût de morue et de pommes de terre*

Q

queso m ké-so *fromage*

— azul a-*Soul* *bleu*

quisquilla f kis-*ki*-lya *crevette (s'écrit aussi kiskilla)*

R

rábano m ra-ba-no *radis*

rabas f **en salsa verde** ra-bas én *sal*-sa bér-dé *calmars à la sauce verte*

rabassola f ra-ba-so-la *champignon*

rape m ra-pé *lotte*

— a la gallega a la ga-*lyé*-ga *lotte servie avec des pommes de terre et une sauce à l'ail*

— a la Monistrol a la mo-nis-*trol* *lotte à la béchamel*

redondo m ré-donn-do *noix (de bœuf)*

— al horno al or-no *rôti de bœuf*

regañaos m pl ré-ga-*nya*-os *chaussons aux sardines et poivrons rouges*

relleno m ré-*lyé*-no *farce*

remolacha f ré-mo-*la*-tcha *betterave*

reo m ré-o *truite saumonée*

repollo m ré-po-lyo *chou*

repostería f ré-pos-té-*ri*-a *pâtisserie*

requesón m ré-ké-sonn *fromage frais*

riñón m ri-*nyonn* *rognon*

róbalo m ro-ba-lo *bar • églefin*

rodaballo m ro-da-*ba*-lyo *turbot*

romero m ro-*mé*-ro *romarin*

romesco m ro-*més*-ko *sauce au piment doux rouge, aux amandes et à l'ail*

rosca f **de carne** ros-ka dé *kar*-né *tourte à la viande et au lard*

rosco m ros-ko *petit pain sucré*

rossejat m ro-sé-*dyat* *riz au poisson et aux fruits de mer*

rovellons m pl **a la plancha** ro-bé-*lyonn*s a la *plann*-tcha *champignons à l'ail*

ruibarbo m rou-i-*bar*-bo *rhubarbe*

S

salchicha f sal-*tchi*-tcha *saucisse*

salchichón m sal-tchi-*tchonn* *saucisson*

salmón m sal-monn *saumon*

— a la ribereña a la ri-bé-ré-*nya* *saumon au cidre*

— ahumado a-ou-*ma*-do *saumon fumé*

salmonete m sal-mo-*né*-té *roussette, saumonette*

salmorejo m sal-mo-ré-Rho *gaspacho épais à base de tomate, de pain, d'huile d'olive, de vinaigre, d'ail et de poivrons verts*

— de Córdoba dé *kor*·do·ba *gaspacho très vinaigré*

salpicón m sal·pi·*konn salade de poisson ou de viande*

salsa f *sal*·sa *sauce*

— alioli a·li·o·li *vinaigrette à l'ail et à l'huile d'olive • aïoli*

— de holandesa dé o·lann·*dé*·sa *sauce hollandaise*

— de mayonesa dé ma·yo·*né*·sa *mayonnaise*

— de tomate dé to·*ma*·té *sauce tomate*

— inglesa inn·*glé*·sa *sauce Worcestershire*

— tártara *tar*·ta·ra *sauce tartare*

— verde *bér*·dé *sauce à l'ail et au persil*

samfaina f samm·*fay*·na *sauce aux légumes grillés*

sancocho m sann·ko·tcho *poisson aux pommes de terre*

sandía f sann·*di*·a *pastèque*

sándwich m *sann*·witch *sandwich*

— mixto *miks*·to *sandwich toasté jambon-fromage*

sanocho m canario sa·*no*·tcho ka·*na*·ryo *lotte au four et aux pommes de terre*

sardinas f *sar*·di·nas *sardines*

— a la parrilla a la pa·*ri*·lya *sardines grillées*

— en cazuela én ka·*Swé*·la *cassolette de sardines*

sargo m *sar*·go *brème*

sepia f *sé*·pya *seiche*

sesos m pl *sé*·sos *cervelle*

setas f pl *sé*·tas *champignons sauvages*

— a la kashera a la ka·*ché*·ra *sauté de champignons sauvages*

— rellenas ré·*lyé*·nas *champignons farcis*

sofrit pagés m so·*frit* pa·*Rhés potée de légumes*

sofrito m so·*fri*·to *sauce aux tomates frites*

soja f so·Rha *soja*

soldaditos m pl **de Pavía** sol·da·*di*·tos dé pa·*bi*·a *beignets de morue*

solomillo m so·lo·*mi*·lyo *filet*

sopa f *so*·pa *soupe*

— del día dél *di*·a *soupe du jour*

sopas f pl **de leche** so·pas dé *lé*·tché *soupe au lait (morceaux de pain trempés dans du lait et de la cannelle)*

sopas f pl **engañadas** so·pas én·ga·*nya*·das *soupe à base de poivrons, d'oignons, de figues et de vinaigre*

sorbete m sor·*bé*·té *sorbet*

sorropután m so·ro·pou·*toun thon en cocotte*

suizo m swi·So *petit pain sucré*

sukaldi sou·*kal*·di *ragoût de bœuf*

suquet m sou·*két clams à la sauce aux amandes*

suquet de peix m sou·*két* dé *péych ragoût de poisson*

suspiros m pl **de monja** sous·*pi*·ros dé monn·Rha *"soupirs de nonne" (bonbons)*

T

tallarines m pl ta·lya·*ri*·nés *nouilles*

tarta f *tar*·ta *tarte • gâteau*

— de almendra dé al·*mén*·dra *aux amandes*

— de manzana dé mann·*Sa*·na *tarte aux pommes*

tartaleta f tar·ta·*lé*·ta *tartelette*

ternera f tér·*né*·ra *veau*

— a la sevillana a la sé·bi·*lya*·na *veau au vin et aux olives*

— en cazuela con berenjenas én ka·*Swé*·la konn bé·rén·*Rhé*·nas *aubergines et veau en cassolette*

tocino m to·*Si*·no *bacon • lard*

— del cielo dél *Syé*·lo *dessert crémeux, fait à partir de jaunes d'œufs et de sucre, et nappé de caramel*

tocrudo m to·*krou*·do *"tout ce qui est cru"* : salade de viande, d'ail, d'oignon et de piment vert

tomate m to·*ma*·té *tomate*

tomates m pl to·*ma*·tés
— **enteros y pelados** én·*té*·ros i pé·*la*·dos *entières et pelées*
— **rellenos de atún** ré·*lyé*·nos dé a·*toun tomates farcies au thon*

toro m *to*·ro *viande de taureau*

torrefacto m to·ré·*fak*·to *grains de café torréfié*

torrija f to·*ri*·Rha *pain perdu*

torta f *tor*·ta *tarte • pain plat*
— **de aceite** dé a·*Séy*·té *petit gâteau ou biscuit fabriqué avec de l'huile locale*
— **pascualina** pas·kwa·*li*·na *tarte aux épinards et aux œufs, souvent consommée à Pâques.*

tortilla f tor·*ti*·lya *omelette*
— **española** és·pa·*nyo*·la *omelette aux pommes de terre et aux oignons*
— **francesa** frann·*Sé*·sa *omelette nature*

tortillas f pl de camarones tor·*ti*·lyas dé ka·ma·ro·nés *beignets de crevettes*

tortita f tor·*ti*·ta *gaufre*

tostada f tos·*ta*·da *toast*

tripas f pl *tri*·pas *tripes*

trucha f *trou*·tcha *truite*
— **a la marinera** a la ma·ri·né·ra *truite sauce au vin blanc*

truchas f pl *trou*·tchas *truites*
— **a la navarra** a la na·*ba*·ra *truites au jambon*
— **con vino y romero** konn *bi*·no i ro·*mé*·ro *truites au vin rouge et au romarin*

trufa f *trou*·fa *truffe*

— **tarta** *tar*·ta *gâteau truffé au chocolat*

tumbet (de peix) m toum·*bét* (dé *péych*) *soufflé de légumes, parfois avec du poisson*

turrón m tou·*ronn nougat*

U

uva f *ou*·ba *raisin*
— **de corinto** dé ko·*rinn*·to *de Corinthe*
— **sultana** soul·*ta*·na *sultanine*

V

vacuno m ba·*kou*·no *bovin*

venado m bé·*na*·do *venaison*

verduras f bér·*dou*·ras *légumes*

vieira f bi·*éy*·ra *coquille Saint-Jacques*

villagodio m bi·lya·*go*·dyo *grand steak*

vinagre m bi·*na*·gré *vinaigre*

visita f bi·*si*·ta *gâteau aux amandes.*

Y

yemas f pl yé·mas *petits gâteaux ronds • jaunes d'œufs*

yogur m yo·*gour yaourt*

Z

zanahoria f Sa·na·o·*rya carotte*

zarangollo m Sa·rann·*go*·lyo *courgette frite*

zarzamora f Sar·Sa·*mo*·ra *mûre*

zarzuela f de mariscos Sar·*Swé*·la dé ma·ris·kos *ragoût épicé de fruits de mer*

zarzuela f de pescado Sar·*Swé*·la dé pés·*ka*·do *poisson sauce aux amandes*

zurrukutano Sou·rou·kou·*ta*·no *soupe à la morue et aux poivrons verts*

l'essentiel

lo esencial

Français	Español	Prononciation
Au secours !	*¡Socorro!*	so·*ko*·ro
Arrêtez-vous !	*¡Pare!*	pa·ré
Partez !	*¡Váyase!*	*bu*·ya·sé
Au voleur !	*¡Ladrón!*	lad·*ronn*
Au feu !	*¡Fuego!*	fwé·go
Attention !	*¡Cuidado!*	kwi·*da*·do

C'est une urgence.
Es una emergencia.
és ou·na é·mér·*Rhén*·Sya

Appelez la police !
¡Llame a la policía!
lya·mé a la po·li·*Si*·a

Appelez un docteur !
¡Llame a un médico!
lya·mé a oun *mé*·di·ko

Appelez une ambulance !
¡Llame a una ambulancia!
lya·mé a *ou*·na amm·bou·*lann*·Sya

Je suis malade.
Estoy enfermo/a. m/f
és·*toy* én·fér·mo/a

Mon ami(e) est malade.
Mi amigo/a está enfermo/a. m/f
mi a·*mi*·go/a és·*ta* én·*fér*·mo/a

Vous pouvez m'aider, s'il vous plaît ?
¿Me puede ayudar, por favor?
mé *pwé*·dé a·you·*dar* por fa·*bor*

Il faut que je téléphone.
Necesito usar el
teléfono.
né·Sé·si·to ou·sar él
té·lé·fo·no

Je suis perdu(e).
Estoy perdido/a. m/f
és·toy pér·di·do/a

Où sont les toilettes ?
¿Dónde están los
servicios?
donn·dé és·tann los
sér·bi·Syos

---

métro

La petite délinquance est particulièrement active à Madrid et à Barcelone. Essayez de ne pas rester trop longtemps près des portes des trains et de ne pas montrer votre argent. Si l'on tente de vous voler, vous pourriez avoir besoin de crier les phrases suivantes :

Laissez-moi tranquille !	*¡Déjame en paz!*	dé·Rha·mé én paS
Au secours, au voleur !	*¡Socorro, al ladron!*	so·ko·ro al lad·ronn

---

police

la policía

En cas d'urgence, la police devrait pouvoir vous mettre en contact avec le service d'urgence le plus adapté. Pour des détails sur les appels téléphoniques, voir **poste et communications**, p. 72.

où est le commissariat ?
¿Dónde está la
comisaría?
donn·dé és·ta la
ko·mi·sa·ri·a

Je voudrais dénoncer un délit.
Quiero denunciar un
delito.
kyé·ro dé·noun·Syar oun
dé·li·to

Il/Elle a essayé de m'attaquer.
Él/Ella intentó
asaltarme.
él/é·lya inn·tén·to
a·sal·tar·mé

Il/Elle a essayé de me voler.
Él/Ella intentó robarme. — él/é·lya inn·tén·to ro-*bar*·mé

J'ai été victime d'un vol.
Me han robado. — mé ann ro-*ba*·do

J'ai été violé(e).
He sido violado/a. m/f — é si·do bi·o·*la*·do/a

On m'a volé mon/ma...
Mi ... fue robado/a. m/f — mi ... fwé ro-*ba*·do/a

On m'a volé mes...
Mis ... fueron robados/as. m/f — mi ... fwé·*ronn* ro-*ba*·dos/as

J'ai perdu... *He perdido...* — é pér·*di*·do...
  mes valises *mis maletas* — mis ma·*lé*·tas
  mon argent *mi dinero* — mi di·*né*·ro
  mon passeport *mi pasaporte* — mi pa·sa·*por*·té

Je suis désolé(e).
Lo siento. — lo *syén*·to

Je ne savais pas que je faisais quelque chose de mal.
No sabía que estaba — no sa·*bi*·a ké és·*ta*·ba
haciendo algo mal. — a·*Syén*·do *al*·go mal

Je suis innocent.
Soy inocente. — soy i·no·*Sén*·té

Je (ne) comprends (pas).
(No) Entiendo. — (no) én·*tyén*·do

Je veux entrer en contact avec mon ambassade/consulat.
Quiero ponerme en — *kyé*·ro po·*nér*·mé én
contacto con mi — konn·*tak*·to konn mi
embajada/consulado. — ém·ba·*Rha*·da/konn·sou·*la*·do

Puis-je appeler un avocat ?
¿Puedo llamar a un — *pwé*·do lya·*mar* a oun
abogado? — a·bo·*ga*·do

J'ai besoin d'un avocat qui parle français/anglais.
Necesito un abogado   né·Sé·*si*·to oun a·bo·*ga*·do
que hable francés/inglés.   ké *a*·blé frann·*Sés*/inn·*glés*

Puis-je payer une amende sur le champ ?
¿Puedo pagar una   pwé·do pa·*gar ou*·na
multa al contado?   *moul*·ta al konn·*ta*·do

J'ai une ordonnance pour cette drogue.
Tengo receta para esta   *tén*·go ré·*Sé*·ta *pa*·ra *és*·ta
droga.   *dro*·ga

De quoi m'accuse-t-on ?
¿De qué me acusan?   dé ké mé a·*ku*·sann

---

ce que peuvent dire les policiers

Vous avez dépassé le temps autorisé par votre visa.
El plazo de su   él *pla*·So dé sou
visado se ha pasado.   bi·*sa*·do sé a pa·*sa*·do

Vous allez être accusé(e) de/d'...
Será acusado/a de... m/f   sé·*ra* a·kou·*sa*·do/a dé

Il/Elle va être accusé(e) de/d'...
Él/Ella será   él/é·lya sé·*ra*
acusado/a de...   a·kou·*sa*·do/a dé

agression	*asalto*	a·*sal*·to
possession	*posesión*	po·sé·*syonn*
(de substances	*(de sustancias*	(dé sous·*tann*·Syas
illicites)	*ilegales)*	i·lé·*ga*·lés)
vol à l'étalage	*ratería*	ra·té·*ri*·a
excès de	*exceso de*	éks·*Sé*·so dé
vitesse	*velocidad*	bé·lo·*Si*·da

consulter un professionnel de la santé

consultar a un médico

Où se trouve ...	*¿Dónde está …*	*donn·dé és·ta …*
le/la plus proche ?	*más cercano/a?* **m/f**	mas Sér·ka·no/a
la pharmacie	*la farmacia* **f**	la far·ma·Sya
le dentiste	*el dentista* **m**	él dén·tis·ta
le médecin	*el médico* **m**	él mé·di·ko
l'hôpital	*el hospital* **m**	él os·pi·tal
le centre médical	*el consultorio* **m**	él konn·soul·to·ryo
l'occuliste	*el oculista* **m**	él o·kou·lis·ta

Je suis vacciné(e)	*Estoy vacunado/a*	és·toy ba·kou·na·do/a
contre...	*contra…* **m/f**	konn·tra…
Il/Elle est vacciné(e)	*Está vacunado/a*	és·ta ba·kou·na·do/a
contre...	*contra…* **m/f**	konn·tra…
la fièvre...	*la fiebre…*	la fyé·bré
l'hépatite	*la hepatitis*	la é·pa·ti·tis
A/B/C	*A/B/C*	a/bé/Sé
le tétanos	*el tétano*	él té·ta·no
le typhus	*la tifus*	la ti·fous

J'ai besoin d'un docteur (qui parle français).
Necesito un doctor né·Sé·si·to oun dok·tor
(que hable francés). (ké a·blé frann·Sés)

Je suis malade.
Estoy enfermo/a. **m/f** és·toy én·fér·mo/a

Pourrais-je voir une femme médecin ?
¿Puede examinarme pwé·dé ék·sa·mi·nar·mé
una doctora? ou·na dok·to·ra

Pour les problèmes spécifiques aux femmes, voir **santé au féminin**, p. 183.

Qu'est-ce qui vous arrive ?
¿Qué le pasa? ké lé *pa*·sa

Où avez-vous mal ?
¿Dónde le duele? donn·dé lé *dwé*·lé

Vous avez de la fièvre ?
¿Tiene fiebre? tyé·né fyé·bré

Depuis quand ressentez-vous cela ?
¿Desde cuándo se dés·dé kwann·do sé
siente así? syén·té a·si

Ça vous est déjà arrivé avant ?
¿Ha tenido esto antes? a té·ni·do és·to ann·tés

Avez-vous eu des relations sexuelles non protégées ?
¿Ha tenido relaciones a té·ni·do ré·la·Syo·nés
sexuales sin sék·swa·lés sinn
protección? pro·ték·Syonn

Vous avez des allergies ?
¿Tiene usted alergias? tyé·né ous·té a·lér·Rhyas

Vous suivez un traitement médical ?
¿Se encuentra sé én·kwén·tra
bajo medicación? ba·Rho mé·di·ka·Syonn

Vous devez être hospitalisé(e).
Necesita ingresar né·Sé·si·ta inn·gré·sar
en un hospital. én oun os·pi·tal

Pour combien de temps êtes-vous en voyage ?
¿Por cuánto tiempo por kwann·to tyém·po
está viajando? és·ta bya·Rhann·do

Vous devriez faire vérifier cela en rentrant chez vous.
Debería revisarlo dé·bé·ri·a ré·bi·sar·lo
cuando vuelva kwann·do bwél·ba a
a casa. ka·sa

Est-ce que vous... ? *¿Usted…?* ous·té…
buvez *bebe* bé·bé
fumez *fuma* fou·ma

Je n'ai plus de médicaments.
Se me terminaron los medicamentos.
sé mé tér·mi·*na*·ronn los mé·di·ka·*mén*·tos

C'est mon traitement habituel.
Éste es mi medicamento habitual.
és·té és mi mé·di·ka·*mén*·to a·bi·tou·*al*

Mon ordonnance est...
Mi receta es…
mi ré·*Sé*·ta és…

Je ne veux pas recevoir de transfusion sanguine.
No quiero que me hagan una transfusión de sangre.
no *kyé*·ro ké mé *a*·gann ou·na tranns·fou·*syonn* dé *sann*·gré

Utilisez une seringue neuve, s'il vous plaît.
Por favor, use una jeringa nueva.
por fa·*bor* ou·sé ou·na Rhé·*rinn*·ga nwé·ba

J'ai besoin	*Necesito …*	né·*Sé*·si·to …
de nouvelles...	*nuevas.*	nwé·bas
lunettes	*gafas*	*ga*·fas
lentilles	*lentes de*	*lén*·tés dé
de contact	*contacto*	konn·*tak*·to

Voir aussi **achats**, p. 63.

symptômes et condition physique

los síntomas y las condiciones

J'ai...
Tengo…
tén·go

J'ai récemment eu...
Hace poco he tenido…
a·*Sé* po·ko é té·*ni*·do

J'ai des antécédents de...
Hay antecedentes de…
ay ann·té·*Sé*·*dén*·tés dé

Je suis un traitement pour...
Estoy bajo medicación para…
és·*toy* ba·Rho mé·di·ka·*Syonn* pa·ra

santé

181

asthme	*asma* m	*as·ma*
diarrhée	*diarrea* f	*di·a·ré·a*
entorse	*torcedura* f	*tor·Sé·dou·ra*
fièvre	*fiebre* f	*fyé·bré*
infection	*infección* f	*inn·fék·Syonn*

J'ai mal ici.
  Me duele aquí.   mé *dwé·*lé a·*ki*

Je suis blessé(e).
  He sido herido/a. m/f   é *si·*do é·*ri·*do/a

J'ai vomi.
  He estado vomitando.   é és·*ta·*do bo·mi·*tann·*do

Je suis déshydraté(e).
  Estoy deshidratado/a. m/f   és·*toy* dé·sid·ra·*ta·*do/a

Je n'arrive pas à dormir.
  No puedo dormir.   no *pwé·*do dor·*mir*

J'ai l'impression que ce sont les médicaments que je prends.
  Me parece que son los   mé pa·*ré·*Sé ké sonn los
  medicamentos que   mé·di·ka·*mén·*tos ké
  estoy tomando.   és·*toy* to·*mann·*do

Je me sens...	*Me siento…*	mé *syén·*to...
bizarre	*raro/a* m/f	*ra·*ro
déprimé(e)	*deprimido/a* m/f	dé·pri·*mi·*do
faible	*débil*	*dé·*bil
fiévreux/fiévreuse	*destemplado/a* m/f	dés·tém·*pla·*do
mieux	*mejor*	mé·*Rhor*
moins bien	*peor*	pé·*or*
nauséeux/ nauséeuse	*mareado/a* m/f	ma·ré·*a·*do

Pour d'autres symptômes, voir le **dictionnaire**.

santé au féminin

Je crois que je suis enceinte.
Creo que estoy embarazada. kré·o ké és·toy ém·ba·ra·Sa·da

je n'ai pas eu de règles depuis ... semaines.
Hace ... semanas que no a·Sé ... sé·ma·nas ké no
me viene la regla. mé byé·né la rég·la

J'ai besoin d'un test de grossesse.
Necesito una prueba né·Sé·si·to ou·na prwé·ba
de embarazo. dé ém·ba·ra·So

Je prends la pilule.
Tomo la píldora. to·mo la pil·do·ra

J'ai remarqué que j'ai une boule ici.
He notado que tengo é no·ta·do ké tén·go
un bulto aquí. oun boul·to a·ki

Je voudrais...	*Quisiera...*	ki·syé·ra ...
un contraceptif	*usar algún*	ou·sa al·goun
	método	mé·to·do ·
	anticonceptivo	ann·ti·konn·Sép·ti·bo
la pilule	*tomar la*	to·mar la
du lendemain	*píldora del*	pil·do·ra dél
	día siguiente	di·a si·guyén·té

ce que peut dire le médecin

Est-ce que vous êtes enceinte ?
¿Está embarazada? és·ta ém·ba·ra·Sa·da

Vous êtes enceinte.
Está embarazada. és·ta ém·ba·ra·Sa·da

Quand avez-vous eu vos règles pour la dernière fois ?
¿Cuándo le vino la kwann·do lé bi·no la
regla por última vez? rég·la por oul·ti·ma béS

Vous utilisez un contraceptif ?
¿Usa anticonceptivos? ou·sa ann·ti·konn·Sép·ti·bos

Vous avez vos règles ?
¿Tiene la regla? tyé·né la rég·la

allergies

Je suis allergique...	Soy alérgico/a... m/f	soy a·lér·Rhi·ko/a
Il/Elle est allergique...	Es alérgico/a ... m/f	és a·lér·Rhi·ko/a
aux antibiotiques	a los antibióticos	a los ann·ti·byo·ti·kos
aux anti-inflammatoires	a los anti-inflamatorios	a los ann·ti·inn·fla·ma·to·ryos
à l'aspirine	a la aspirina	a la as·pi·ri·na
aux abeilles	a las abejas	a las a·bé·Rhas
à la codéine	a la codeina	a la ko·dé·i·na
aux noix	a las nueces	a las nwé·Sés
aux cacahuètes	a los cacahuetes	a los ka·ka·wé·tés
à la pénicilline	a la penicilina	a la pé·ni·Si·li·na
au pollen	al polen	al po·lén

Pour les allergies alimentaires, voir p. 160 **végétariens/régimes spéciaux**.

J'ai une allergie de la peau.
Tengo una alergia en la piel.
tén·go ou·na a·lér·Rhya én la pyél

Je suis un régime spécial.
Estoy a régimen especial.
és·toy a ré·Rhi·mén és·pé·Syal

inhalateur	inhalador m	inn·a·la·dor
injection	inyección f	inn·yék·Syonn
antihistaminiques	antihistamínicos m pl	ann·tis·ta·mi·ni·kos

médecines alternatives

Je n'ai pas recours à la médecine occidentale.
No uso la medicina   no *ou·*so la mé·di·*Si·*na
occidental.   ok·Si·dén·*tal*

Je préfère...
Prefiero…   pré·*fyé·*ro

Puis-je voir quelqu'un qui pratique... ?
¿Puedo ver a alguien que   pwé·do bér al·gyén ké
practique…?   prak·*ti·*ké

---

salle d'attente

Voici quelques règles de bienséance à respecter en public.
• Les Espagnols attendent généralement que les femmes s'asseoient avant de s'assoir à leur tour.
• Comme partout mais peut-être plus qu'ailleurs, il est inapproprié de bâiller et de s'étirer lorsque l'on est face à d'autres personnes.

---

parties du corps

J'ai mal à/au/aux...
Me duele(n)…   mé *dwé·*lé(n)

Je ne peux plus bouger...
No puedo mover…   no pwé·do mo·bér

J'ai une crampe à/au/aux...
Tengo calambres en…   tén·go ka·lamm·brés én

J'ai le/la ... gonflé(e).
Mi … está hinchado/a.   mi … és·ta inn·tcha·do/a

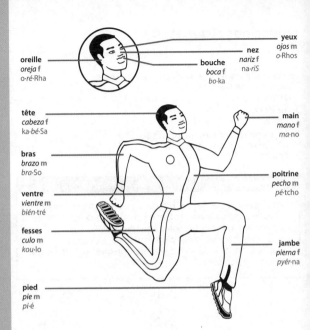

yeux
ojos m
o·*Rhos*

nez
nariz f
na·*riS*

oreille
oreja f
o·ré·*Rha*

bouche
boca f
bo·ka

tête
cabeza f
ka·bé·Sa

main
mano f
ma·no

bras
brazo m
bra·So

poitrine
pecho m
pé·tcho

ventre
vientre m
bién·tré

fesses
culo m
kou·lo

jambe
pierna f
pyér·na

pied
pie m
pi·é

à la pharmacie

en la farmacia

Y a-t-il une pharmacie (de garde) par ici ?
¿Hay una farmacia (de guardía) por aquí?
ay *ou*·na far·*ma*·Sya (dé gwar·*di*·a) por a·*ki*

Je voudrais quelque chose pour...
Necesito algo para …
né·*Sé·si*·to *al*·go *pa·*ra …

Ai-je besoin d'une ordonnance pour ... ?
¿Necesito receta para …?
né·*Sé·si*·to ré·*Sé*·ta *pa*·ra …

J'ai une ordonnance.
Tengo receta médica.   *tén·go ré·Sé·ta mé·di·ka*

Combien de fois par jour ?
¿Cuántas veces al día?   *kwann·tas bé·Sés al di·a*

a to·ma·do és·to ann·tés
¿Ha tomado esto antes?

Vous en avez déjà pris avant ?

dé·bé tér·mi·nar él tra·ta·myén·to
Debe terminar el tratamiento.

Il faut aller au bout du traitement.

dos bé·Sés al di·a (konn la ko·mi·da)
Dos veces al día (con la comida).

Deux fois par jour (pendant les repas).

és·ta·ra lis·to én (béyn·té mi·nou·tos)
Estará listo en (veinte minutos).

Ce sera prêt dans (vingt minutes).

chez le dentiste

con el dentista

J'ai une dent cassée.
Se me ha roto un diente.   *sé mé a ro·to oun dyén·té*

J'ai mal à une molaire.
Me duele una muela.   *mé dwé·lé ou·na mwé·la*

a·bra	*Abra.*	**Ouvrez grand.**
no sé mwé·ba	*No se mueva.*	**Ne bougez pas.**
én·Rhwa·gé	*¡Enjuague!*	**Rincez !**

santé

J'ai perdu un plombage.
Se me ha caído un   sé mé a ka·*i*·do oun
empaste.   ém·*pas*·té

J'ai mal aux gencives.
Me duelen las encías.   mé *dwé*·lén las én·*Si*·as

Je ne veux pas que l'on me l'arrache.
No quiero que me lo saquen.   no *kyé*·ro ké mé lo *sa*·kén

J'ai besoin d'…   *Necesito…*   né·*Sé*·*si*·to…
  une anesthésie   *una anestesia*   *ou*·né a·nés·*té*·sya
  un plombage   *un empaste*   oun ém·*pas*·té

panneaux		
Asistencia sanitaria	a·si·*stén*·Si·a sa·ni·*ta*·ri·a	**Assistance sanitaire**
Farmacia	far·ma·*Si*·a	**Pharmacie**
Horas de visita	o·ras dé bi·si·ta	**Heures de visite**
Hospital	o·spi·*tal*	**Hôpital**
Médico	*mé*·di·ko	**Médecin**
Urgencias	our·*Rhén*·Si·as	**Urgences**

TOURISME RESPONSABLE

À l'heure des grands débats sur l'avenir de la planète, la question des effets du tourisme se pose avec de plus en plus d'insistance. L'une des réponses dans le cadre de vos voyages consiste à faire en sorte que votre impact sur l'environnement, les cultures régionales et l'économie locale soit aussi positif que possible. Voici quelques phrases basiques pour vous aider.

différences culturelles et communication

Veux-tu que je t'apprenne quelques phrases en français ?
¿Quieres que te enseñe   kyé·rés ké té én·sé·nyé
algo de francés?   al·go dé frann·Sés

C'est une coutume locale ou nationale ?
¿Esto es una costumbre   és·to és ou·na kos·toum·bré
local o nacional?   lo·kal o na·Syo·nal

Je respecte vos coutumes.
Respeto sus costumbres.   rés·pé·to sous kos·toum·brés

problèmes de société

À quelle sorte de problèmes cette communauté fait-elle face ?
¿A qué tipo de problemas se   a ké ti·po dé pro·blé·mas sé
enfrenta esta comunidad?   én·frén·ta és·ta ko·mou·ni·da

changement	cambio	kamm·byo
climatique	climático m	kli·ma·ti·ko

liberté de	*libertad de*	li·bér·*ta* dé
culte	*religión* f	ré·li·*Rhyonn*
tensions	*tirantez*	ti·rann·*téS*
interrégionales	*interregional* f	inn·tér·ré·Rhyo·*nal*
racisme	*racismo* m	ra·*Sis*·mo
chômage	*desempleo* m	dés·ém·*plé*·o

J'aimerais offrir mes compétences.
Me gustaría ofrecer mis   mé gous·ta·*ri*·a o·fré·*Sér* mis
conocimientos.   ko·no·Si·*myén*·tos

Y a-t-il des programmes de volontariat dans la région ?
¿Hay programas de   ay pro·*gra*·mas dé
voluntariado en la zona?   bo·loun·ta·*rya*·do én la *So*·na

environnement

Où puis-je recycler ceci ?
¿Dónde se puede   donn·dé sé *pwé*·dé
reciclar esto?   ré·Si·*klar* és·to

transports

Peut-on s'y rendre en transports publics ?
¿Se puede ir en transporte   sé *pwé*·dé ir én tranns·*por*·té
público?   pou·bli·ko

Peut-on y aller en vélo ?
¿Se puede ir en bici?   sé *pwé*·dé ir én *bi*·Si

Je préfère y aller à pied.
Prefiero ir a pie.   pré·*fyé*·ro ir a pyé

hébergement

Je voudrais être hébergé dans un hôtel de quartier.
Me gustaría alojarme   mé gous·ta·*ri*·a a·lo·*Rhar*·mé
en un hotel del barrio.   én oun o·*tél* dél *ba*·ryo

Y a-t-il des écolodges par ici ?

    ¿Hay algún ecolodge   ay al·*goun* é·ko·lotch
    por aquí?   por a·*ki*

Puis-je arrêter la climatisation et ouvrir la fenêtre ?

    ¿Puedo apagar el aire   *pwé*·do a·pa·*gar* él *ay*·ré
    acondicionado y abrir   a·konn·di·Syo·*na*·do i a·*brir*
    la ventana?   la bén·*ta*·na

Ce n'est pas la peine de changer mes draps.

    No hace falta cambiar   no a·*Sé fal*·ta kamm·*byar*
    las sábanas.   las *sa*·ba·nas

achats

Où puis-je acheter des souvenirs produits par ici ?

    ¿Dónde puedo comprar   *donn*·dé *pwé*·do komm·*prar*
    recuerdos   ré·*kwér*·dos dé
    producidos   pro·dou·*Si*·dos
    en la zona?   én a *So*·na

Avez-vous des produits du commerce équitable ?

    ¿Se venden productos   sé *bén*·dén pro·*douk*·tos
    de comercio   dé ko·*mér*·Syo
    equitativo?   é·ki·ta·*ti*·bo

alimentation

Vendez-vous… ?	*¿Se venden…?*	sé *bén*·dén…
des produits comestibles locaux	*comestibles de la zona*	ko·*més*·ti·blés dé la *So*·na
des produits bio	*productos agrícolas biológicos*	pro·*douk*·tos a·*gri*·ko·las bi·o·*lo*·Rhi·kos

Quels plats typiques me conseillez-vous d'essayer ?

    ¿Que platos típicos   ké *pla*·tos *ti*·pi·kos
    debería probar?   dé·bé·*ri*·a pro·*bar*

visites touristiques

Peut-on faire des visites culturelles ?

¿Se pueden hacer recorridos culturales?

sé *pwé*·dén a·*Sér* ré·ko·*ri*·dos koul·tou·*ra*·lés

Le guide parle-t-il une langue régionale ?

¿El guía habla alguna lengua regional?

él *gui*·a *a*·bla al·*gou*·na *lén*·gwa ré·*Rhyo·nal*

basque	*euskera* m	*é·ous·ké·ra*
catalan	*catalán* m	ka·ta·*lann*
galicien	*gallego* m	ga·*lyé*·go

Votre entreprise … ?	*Su empresa …?*	sou ém·*pré*·sa …
donne-t-elle à des organisations caritatives	*hace donativos a organizaciones benéficas*	*a*·Sé do·na·*ti*·bos a or·ga·ni·Sa·*Syo*·nés bé·*né*·fi·kas
emploie-t-elle des guides locaux	*contrata a guías de la zona*	konn·*tra*·ta a *gui*·as dé la *So*·na
propose-t-elle la visite d'entreprises locales	*visita a negocios locales*	bi·*si*·ta a né·*go*·Syos lo·*ka*·lés

Le genre des noms du dictionnaire est indiqué par **m** ou **f**. Lorsque le nom est au pluriel, cela est signalé par le signe **pl**. Si un mot peut être à la fois un verbe et un nom et qu'aucun genre n'est indiqué, c'est qu'il s'agit du verbe.

A

abeille *abeja* f a·bé·Rha
abricot *albaricoque* m al·ba·ri·ko·ké
accepter *aceptar* a·Sép·tar
accident *accidente* m ak·Si·dén·té
accolade *abrazo* m a·bra·So
accord *acuerdo* m a·kwér·do • être d'accord *estar de acuerdo* és·tar dé a·kwér·do
accueillir *dar la bienvenida* dar la byén·bé·ni·da
acheter *comprar* komm·prar
activiste *activista* m et f ak·ti·bis·ta
acupuncture *acupuntura* f a·kou·poun·tou·ra
adaptateur *adaptador* m a·dap·ta·dor
addition *cuenta* f kwén·ta
admettre *admitir* ad·mi·tir
administration *administración* f ad·mi·nis·tra·Syonn
adoration *adoración* f a·do·ra·Syonn
adresse *dirección* f di·rék·Syonn
adulte *adulto* m a·doul·to
aérobic *aeróbic* m ay·ro·bik
aéroport *aeropuerto* m ay·ro·pwér·to • taxe d'aéroport *tasa* f *del aeropuerto* ta·sa dél ay·ro·pwér·to
affaires *negocios* m pl né·go·Syos • classe affaires *clase* f *preferente* kla·sé pré·fé·rén·té
affamé(e) *hambriento/a* m/f amm·bryén·to/a
affranchissement *franqueo* m frann·ké·o

Afrique *África* f a·fri·ka
after-shave *bálsamo de aftershave* bal·sa·mo dé af·tér·chéb
âge *edad* f é·da
agence de voyages *agencia* f *de viajes* a·Rhén·Sya dé bya·Rhés
agenda *agenda* f a·Rhén·da
agent immobilier *agente inmobiliario* m a·Rhén·té inn·mo·bi·lya·ryo
agneau *cordero* m kor·dé·ro
agressif/agressive *agresivo/a* m/f a·gré·si·bo/a
agriculteur/agricultrice *agricultor/agricultora* m/f a·gri·koul·tor/a·gri·koul·to·ra
agriculture *agricultura* f a·gri·kul·tou·ra
aider *ayudar* a·you·dar
aiguille (couture) *aguja* f a·gou·Rha
aiguille (seringue) *jeringa* f Rhé·rinn·ga
ailes *alas* f pl a·las
aimable *amable* a·ma·blé
aimer *querer* ké·rér
air *aire* m ay·ré
alcool *alcohol* m al·col
Allemagne *Alemania* f a·lé·ma·nya
aller *ir* ir • aller simple *billete* m *sencillo* bi·lyé·té sén·Si·lyo • aller-retour *billete* m *de ida y vuelta* bi·lyé·té dé i·da i bwél·ta
allergie *alergia* f a·lér·Rhya • allergie au pollen *alergia* f *al polen* a·lér·Rhya al po·lén
allonger, s' *tumbarse* toum·bar·sé
allumettes *cerillas* f pl Sé·ri·lyas
alpinisme *alpinismo* m al·pi·nis·mo

altitude *altura* f al·tou·ra

amandes *almendras* f pl al·mén·dras

amant *amante* m et f a·mann·té

amateur *amateur* m et f a·ma·tér

ambassade *embajada* f ém·ba·Rha·da

ambassadeur/ambassadrice *embajador/embajadora* m/f ém·ba·Rha·dor/ém·ba·Rha·do·ra

amende *multa* f moul·ta

amener *traer* tra·ér

ami(e) *amigo/a* m/f a·mi·go/a • petit(e) ami(e) *novio/a* m/f no·byo/a

ampoule (électrique) *bombilla* f bomm·*bi*·lya • ampoule (au pied) *ampolla* f amm·po·lya

ananas *piña* f *pi*·nya

analgésiques *analgésicos* m pl a·nal·*Rhé*·si·kos

analyse sanguine *análisis* m *de sangre* a·*na*·li·sis dé sann·gré

anarchiste *anarquista* m et f a·nar·*kis*·ta

ancien(ne) *antiguo/a* m/f ann·*ti*·gwo/a

âne *burro* m bou·ro

anglais *inglés* m inn·*glés*

animal *animal* m a·ni·mal

anniversaire *cumpleaños* m koum·plé·*a*·nyos

annuaire *guía* f *telefónica* gi·a té·lé·fo·ni·ka

annuler *cancelar* kann·*Sé*·lar

anthologie *antología* f ann·to·lo·*Rhi*·a

antibiotiques *antibióticos* m pl ann·ti·*byo*·ti·kos

antinucléaire *antinuclear* ann·ti·nou·klé·*ar*

antiquité *antigüedad* f ann·ti·gwé·*da*

antiseptique *antiséptico* m ann·ti·*sép*·ti·ko

appareil photo *cámara* f *(fotográfica)* *ka*·ma·ra (fo·to·*gra*·fi·ka)

appel *llamada* f lya·*ma*·da • appel en PCV *llamada* f *a cobro revertido* lya·*ma*·da a ko·bro ré·bér·ti·do

appeler *llamar por telefono* lya·mar por té·*lé*·fo·no

appendice *apéndice* m a·*pén*·di·Sé

apporter *traer* tra·ér

apprendre *aprender* a·prén·dér

après *después de* dés·*pwés* dé

après-demain *pasado mañana* pa·*sa*·do ma·*nya*·na

après-midi *tarde* f tar·dé

après-rasage *bálsamo de aftershave* bal·sa·mo dé af·tér·chéb

araignée *araña* f a·ra·nya

arbitre *árbitro* m ar·bi·tro

arbre *árbol* m ar·bol

archéologique *arqueológico/a* m/f ar·kéo·lo·*Rhi*·ko/a

architecte *arquitecto/a* m/f ar·ki·*ték*·to/a

architecture *arquitectura* f ar·ki·ték·*tou*·ra

arène *plaza* f *de toros* pla·*Sa* dé to·ros

argent *dinero* m di·*né*·ro • (métal) *plata* f *pla*·ta

— liquide *dinero* m *en efectivo* di·*né*·ro én é·*fék*·*ti*·bo

argenté(e) *plateado/a* m/f pla·té·*a*·do/a

armée *ejército* m é·*Rhér*·Si·to

armoire *armario* m ar·ma·ryo

arrêt *parada* f pa·ra·da

— de bus *parada* f *de autobús* pa·ra·da dé aou·to·bous

arrêter *detener* dé·té·nér • s'arrêter *parar* pa·rar

arrivées *llegadas* f pl lyé·*ga*·das

arriver *llegar* lyé·*gar*

art *arte* m ar·té

— graphique *arte* m *gráfico* ar·té *gra*·fi·ko

arts martiaux *artes* m pl *marciales* ar·tés mar·*Sya*·lés

artichaut *alcachofa* f al·ka·*tcho*·fa

artisanat *artesanía* f ar·té·sa·ni·a

artiste *artista* m et f ar·*tis*·ta

— de rue *artista callejero/a* m/f ar·*tis*·ta ka·lyé·*Rhé*·ro/a ascenseur *ascensor* m as·Sén·sor

Asie *Asia* f a·sya

aspirine *aspirina* f as·pi·ri·na

assaut *asalto* m a·sal·to

asseoir, s' *sentarse* sén·tar·sé

assez (de) *suficiente* m/f sou·fi·Syén·té

assiette *plato* m pla·to

assurance *seguro* m sé·gou·ro

asthme *asma* m as·ma

atelier *taller* m ta·lyér

athlétisme *atletismo* m at·lé·tis·mo

atmosphère *atmósfera* f at·mos·fé·ra

attendre *esperar* és·pé·rar· salle d'attente *sala* f *de espera* sa·la dé és·pé·ra

au-dessus *arriba* a·ri·ba

aube *alba* f al·ba

auberge de jeunesse *albergue* m *juvenil* al·bér·gé Rhou·bé·nil

aubergine *berenjena* f bé·rén·Rhé·na

audiophone *audífono* m aou·di·fo·no

aujourd'hui *hoy* oy

aussi *también* tamm·byén

autel *altar* m al·tar

automne *otoño* m o·to·nyo

autoroute *autovía* f aou·to·bi·a

autre *otro/a* m/f o·tro/a

avant *antes* ann·tés

avant-hier *anteayer* annté·a·yér

avare *tacaño/a* m/f ta·ka·nyo/a

avec *con* konn

avenir *futuro* m fou·tou·ro

avenue *avenida* f a·bé·ni·da

avertir *advertir* ad·bér·tir

aveugle *ciego/a* m/f Syé·go/a

avion *avión* m a·byonn · par avion *por vía aérea* por bi·a a·é·ré·a

avocat (fruit) *aguacate* m a·gwa·ka·té

avocat(e) *abogado/a* m/f a·bo·ga·do/a

avoine *avena* f a·bé·na

avoir *tener* té·nér

avortement *aborto* m a·bor·to

baby-sitter *canguros* m kann·gou·ros

bagage *equipaje* m é·ki·pa·Rhé · enregistrement des bagages *facturación* f *de equipajes* fak·tou·ra·Syonn dé é·ki·pa·Rhés

bagarre *pelea* f pé·lé·a

baignoire *bañera* f ba·nyé·ra

baiser (nom) *beso* m bé·so

balcon *balcón* m bal·konn

balle *pelota* f pé·lo·ta

ballet *ballet* m ba·lé

banane *plátano* m pla·ta·no

bandage *vendaje* m bén·da·Rhé

banque *banco* m bann·ko · compte en banque *cuenta* f *bancaria* kwén·ta bann·ka·rya

baptême *bautizo* m baou·ti·So

bar *bar* m bar

bas (vêtement) *medias* f pl mé·dyas

bas, en *abajo* a·ba·Rho

bas(se) *bajo/a* m/f ba·Rho/a

base-ball *béisbol* m béys·bol

basket-ball *baloncesto* m ba·lonn·Sés·to

bateau *barco* m bar·ko
  — bateau à moteur *motora* f mo·to·ra

bâtiment *edificio* m é·di·fi·Syo

batterie *batería* f ba·té·ri·a

baume pour les lèvres *bálsamo* m *de labios* bal·sa·mo dé la·byos

beau *hermoso* m ér·mo·so
  — père *suegro* m swé·gro

beauté *belleza* f bé·lyé·Sa · salon de beauté *salón* m *de belleza* sa·lonn dé bé·lyé·Sa

bébé *bebé* m bé·bé · nourriture pour bébé *comida* f *de bebé* ko·mi·da dé bé·bé · siège de sécurité pour bébé *asiento* m *de seguridad para bebés* a·syén·to dé sé·gou·ri·da pa·ra bé·bés · couche (pour bébé) *pañal* m pa·nyal

Belge *Belga* m et f bél·ga

Belgique *Bélgica* f bél·Rhi·ka
belle *hermosa* f ér·mo·sa
— -mère *suegra* f swé·gra
belvédère *mirador* m mi·ra·dor
bénéfice *beneficio* m bé·né·fi·Syo
betterave *remolacha* f ré·mo·la·tcha
beurre *mantequilla* f mann·té·ki·lya
bible *biblia* f bi·blya
bibliothèque *biblioteca* f bi·blyo·té·ka
bicyclette *bicicleta* f bi·Si·klé·ta
bien *bien* byén
— -être *bienestar* m byén·és·tar
bientôt *pronto* pronn·to
bienvenue *bienvenida* f byén·bé·ni·da
bière *cerveza* f Sér·bé·Sa
bifteck *bistec* m bis·ték
bijouterie *joyería* f Rho·yé·ri·a
bilan *saldo* m sal·do
billet *billete* m bi·lyé·té
— (de banque) *billete* m *de banco*
bi·lyé·té dé bann·ko
biodégradable *biodegradable*
bi·o·dé·gra·da·blé
biographie *biografía* f bi·o·gra·fi·a
biscuit f *galleta* ga·lyé·ta
bisou *beso* m bé·so
blague *broma* f bro·ma
blaguer *bromear* bro·mé·ar
blanc(he) *blanco/a* m/f *blann·ko/a
blanc (de volaille) *pechuga* f
pé·tchou·ga
blanchisserie *lavandería* f
la·bann·dé·ri·a
blesser *dañar* da·nyar
blessure *herida* f é·ri·da
bleu *azul* a·Soul • (hématome) *cardenal*
m kar·dé·nal
bœuf (viande) *carne* f *de vaca* kar·né
dé *ba·ka
bois *madera* f ma·dé·ra
boisson *bebida* f bé·bi·da
boîte *caja* f ka·Rha
— de conserve *lata* f la·ta

— aux lettres *buzón* m bou·Sonn
boire *beber* bé·bér
bois (pour faire du feu) *leña* f lé·nya
bol *bol* m bol
bon(ne) *bueno/a* m/f bwé·no/a
bon marché *barato/a* m/f ba·ra·to/a
bondé(e) *abarrotado/a* m/f
a·ba·ro·ta·do/a
bord *borde* m bor·dé • à bord *a bordo*
a bor·do
bosse *bulto* m boul·to
bottes *botas* f pl bo·tas
bouche *boca* f bo·ka
bouchée *bocado* m bo·ka·do
bouché(e) *atascado/a* m/f a·tas·ka·do/a
boucherie *carnicería* f kar·ni·Sé·ri·a
bouchons d'oreilles *tapones* m pl *para
los oídos* ta·po·nés pa·ra los o·í·dos
boucles d'oreilles *pendientes* m pl
pén·dyén·tés
bouddhiste *budista* m et f bou·dis·ta
boue *lodo* m lo·do
bougie *vela* f bé·la
bouillon *caldo* m kal·do
boulangerie *panadería* f pa·na·dé·ri·a
boussole *brújula* f brou·Rhou·la
bouteille *botella* f bo·té·lya
boutique *tienda* f tyén·da
boutons *botónes* m pl bo·to·nés
boxe *boxeo* m bo·sé·o
braille *braille* m bray·lyé
bras *brazo* m bra·So
brebis *oveja* f o·bé·Rha
briquet *encendedor* m én·Sén·dé·dor •
mechero m mé·tché·ro
brochure *folleto* m fo·lyé·to
bronchite *bronquitis* m bronn·ki·tis
brosse à dents *cepillo* m *de dientes*
Sé·pi·lyo dé dyén·tés
brosse à cheveux *cepillo* m Sé·pi·lyo
brûlure *quemadura* f ké·ma·dou·ra
brumeux/brumeuse *brumoso/a* m/f
brou·mo·so

bruyant(e) *ruidoso/a* m/f rwi·do·so/a
buffet *buffet* m bou·fé
buraliste *estanquero* m és·tann·ké·ro
bureau *oficina* f o·fi·*Si*·na • employé(e)
de bureau *oficinista* m et f
o·fi·Si·*nis*·ta
— des objets trouvés *oficina* f
de objetos perdidos o·fi·*Si*·na dé
ob·*Rhé*·tos pér·*di*·dos
bus *autobús* m aou·to·*bous* • arrêt de
bus *parada* f *de autobús* pa·ra·da dé
aou·to·*bous*
business class *clase* f *preferente* kla·sé
pré·fé·rén·té
but (football) *gol* m gol

cabine téléphonique *cabina* f *telefónica*
ka·*bi*·ka te·lé·fo·ni·ka
câble *cable* m ka·blé • câbles de
démarrage *cables* m pl *de arranque*
ka·blés dé a·*rann*·ké
cacahuètes *cacahuetes* m pl
ka·ka·*wé*·tés
cacao *cacao* m ka·*kaou*
cadeau *regalo* m ré·*ga*·lo • cadeau de
mariage *regalo* m *de bodas* ré·*ga*·lo
dé *bo*·das
cadenas *candado* m kann·*da*·do
cafard *cucaracha* f kou·ka·*ra*·tcha
café *café* m ka·*fé*
cahier *cuaderno* m kwa·*dér*·no
caisse *caja* f ka·*Rha*
— enregistreuse *caja* f *registradora*
ka·Rha ré·Rhis·tra·*do*·ra
calculatrice *calculadora* f
kal·kou·la·*do*·ra
caleçon *calzones* m pl kal·*So*·nés
calendrier *calendario* m ka·lén·*da*·ryo
câlin *mimo* m *mi*·mo
camion *camión* m ka·*myonn*
campagne *campo* m *kamm*·po

camper *acampar* a·kamm·*par*
camping *camping* m *kamm*·pinn
Canada *Canadá* f ka·na·*da*
canard *pato* m *pa*·to
cancer *cáncer* m kann·*Sér*
canif *navaja* f na·*ba*·Rha
cantaloup *cantalupo* m kann·ta·*lou*·po
cape *capote* f ka·po·té
car *autocar* m aou·to·*kar*
carafe *jarra* f *Rha*·ra
caramels *caramelos* m pl ka·ra·*mé*·los
caravane *caravana* f ka·ra·*ba*·na
carême *cuaresma* f kwa·*rés*·ma
carotte *zanahoria* f Sa·na·o·*rya*
carré *cuadrado* m kwa·*dra*·do
carte *carta* f *kar*·ta • (géographique)
mapa m *ma*·pa
— de crédit *tarjeta* f *de crédito*
tar·*Rhé*·ta dé *kré*·di·to
— d'embarquement *tarjeta* f *de*
embarque tar·*Rhé*·ta dé ém·*bar*·ké
— d'identité *carnet* m *de identidad*
kar·*nét* dé i·dén·ti·*da*
— postale *postal* f pos·*tal*
— téléphonique *tarjeta* f *de teléfono*
tar·*Rhé*·ta dé té·*lé*·fo·no
carton *cartón* m kar·*tonn*
cascade *cascada* f kas·*ka*·da
casher *kosher* ko·shér
casino *casino* m ka·*si*·no
casque *casco* m *kas*·ko
cassé(e) *roto/a* m/f *ro*·to/a
casser *romper* romm·*pér*
casserole *cazuela* f ka·*Swé*·la
cassette *casete* m ka·sé·té
— vidéo *cinta* f *de vídeo* Sinn·ta dé
bi·dé·o
cathédrale *catedral* f ka·té·*dral*
catholique *católico/a* m/f ka·to·li·ko/a
cave à vin *bodega* f bo·dé·ga
CD *cómpact* m *komm*·pakt

ceinture de sécurité *cinturón m
de seguridad* Sinn·tou·*ronn* dé
sé·*gou·ri·*da

célébration *celebración f*
Sé·lé·bra·*Syonn*

célèbre *famoso/a* m/f fa·*mo·*so/a

célébrer *celebrar* Sé·lé·*brar*

célibataire *soltero/a* m/f sol·té·*ro/*a

celui-ci/celle-ci *éste/a* m/f és·té/a

cendrier *cenicero* m Sé·ni·Sé·ro

centime *centavo* m Sén·*ta·*bo

centimètre *centímetro* m Sén·*ti·*mé·tro

central téléphonique *central f
telefónica* Sén·*tral* té·lé·fo·ni·ka

centre *centro* m Sén·tro

— -ville *centro m de la ciudad* Sén·tro
dé la Siw·*da*

— commercial *centro m comercial*
Sén·tro ko·mér·*Syal*

céramique *cerámica f* Sé·*ra*·mi·ka

céréales *cereales* m pl Sé·ré·a·lés

certificat *certificado* m Sér·ti·fi·ka·do

— de naissance *partida f de
nacimiento* par·ti·da dé na·Si·*myén·*to

chaîne *cadena* f ka·dé·na

— de montagnes *cordillera f*
kor·di·*lyé·*ra

— hi-fi *equipo m de música* é·ki·po
dé *mou·*si·ka

chaise *silla* f *si·*lya

chaleur *calor* m ka·*lor*

chambre *habitación f* a·bi·ta·*Syonn* •
numéro de la chambre *número m
de la habitación* nou·mé·ro dé la
a·bi·ta·*Syonn*

— à air *cámara f de aire* ka·ma·ra
dé *ay·*ré

— double *habitación f doble*
a·bi·ta·*Syonn* do·blé

— simple *habitación f individual*
a·bi·ta·*Syonn* inn·di·bi·*dwal*

champ *campo* m kamm·po

champagne *champán* m tchamm·*pann*

champignon m *champiñón*
tchamm·pi·*nyonn*

chance *suerte* f swér·té

chanceux/chanceuse *afortunado/a* m/f
a·for·tou·*na·*do/a

changement *cambio* m kamm·byo

changer *cambiar* kamm·*byar*

changer de l'argent *cambiar dinero*
kamm·*byar* di·né·ro

chanson *canción* f kann·*Syonn*

chanter *cantar* kann·*tar*

chanteur/chanteuse *cantante* m et f
kann·*tann·*té

chapeau *sombrero* m somm·bré·ro

chapelle *capilla* f ka·*pi·*lya

chaque *cada* ka·da

charmant(e) *encantador/encantadora*
m/f én·kann·ta·dor/én·kann·ta·do·ra

charpentier *carpintero/a* m/f
kar·pinn·*té·*ro/a

chasse *caza* f ka·Sa

chat(te) *gato/a* m/f ga·to/a

château *castillo* m kas·ti·lyo

chaton *gatito/a* m/f ga·ti·to/a

chaud(e) *caliente* ka·lyén·té

chauffage central *calefacción f central*
ka·lé·fak·*Syonn* Sén·*tral*

chaussettes *calcetines* m pl kal·Sé·ti·nés

chaussures *zapatos* m pl Sa·pa·tos •
magasin de chaussures *zapatería* f
Sa·pa·té·*ri·*a

— de randonnée *botas f pl de
montaña* bo·tas dé monn·*ta·*nya

chef *jefe/a* m/f Rhé·fé/a

chemin *camino* m ka·mi·no

— de randonnée *camino m rural*
ka·mi·no rou·ral

chemise *camisa* f ka·mi·sa

chèque *cheque* m tché·ké

— de voyage *cheque m de viajero*
tché·ké dé bya·Rhé·ro

cher/chère *caro/a* m/f ka·ro/a

chercher *buscar* bous·*kar*

cheval *caballo* m ka·ba·lyo

chèvre *cabra* f ka·bra

cheveu *pelo* m pé·lo • brosse à cheveux *cepillo* m Sé·pi·lyo

cheville *tobillo* m to·bi·lyo

chewing-gum *chicle* m tchi·klé

chien(ne) *perro/a* m/f pé·ro/a
— -guide d'aveugle *perro lazarillo* m pé·ro la·Sa·ri·lyo

chiot *cachorro* m ka·tcho·ro

choc *choque* m tcho·ké

chocolat *chocolate* m tcho·ko·la·té

choisir *escoger* és·ko·Rhér

chômage *paro* m pa·ro

chou *col* kol
— -fleur *coliflor* f ko·li·flor

choux de Bruxelles *cole* m pl *de Bruselas* ko·lé dé brou·sé·las

chrétien *cristiano/a* m/f kris·tya·no/a

chute *caída* f ka·i·da

cidre *sidra* f si·dra

ciel *cielo* m Syé·lo

cigare *cigarro* m Si·ga·ro

cigarette *cigarillo* m Si·ga·ri·lyo
• distributeur de cigarettes *máquina* f *de tabaco* ma·ki·na dé ta·ba·ko

cimetière *cementerio* m Sé·mén·té·ryo

cinéma *cine* m Si·né

cirque *circo* m Sir·ko

ciseaux *tijeras* f pl ti·Rhé·ras

citoyenneté *ciudadanía* f Siw·da·da·ni·a

citron *limón* m li·monn

citrouille *calabaza* f ka·la·ba·Sa

classique *clásico/a* m/f kla·si·ko/a

clavier *teclado* m té·kla·do

clé *llave* f lya·bé

client(e) *cliente/a* m/f kli·én·té/a

climatisation *aire* m *acondicionado* ay·ré a·konn·di·Syo·na·do

climatiseur *acondicionador* m a·konn·di·Syo·na·dor

clinique *clínica* f kli·ni·ka

clôture *cerca* f Sér·ka

clou *clavo* m kla·bo

code postal *código postal* m ko·di·go pos·tal

codéine *codeína* f ko·dé·i·na

cœur *corazón* m ko·ra·Sonn

coffre-fort *caja* f *fuerte* ka·Rha fwér·té

cognac *coñac* m ko·nyak

coin *esquina* f és·ki·na

coiffeur/coiffeuse *peluquero/a* m/f pé·lou·ké·ro/a

colis *paquete* m pa·ké·té

collants *medias* f pl mé·dyas

collègue *colega* m et f ko·lé·ga

collier *collar* m ko·lyar

colline *colina* f ko·li·na

collision *choque* m tcho·ké

combien *cuánto* kwann·to

comédie *comedia* f ko·mé·dya

commencer *comenzar* ko·mén·Sar

comment *cómo* ko·mo

commerçant(e) *comerciante* m et f ko·mér·Syann·té

commerce *comercio* m ko·mér·Syo

commissariat *comisaría* f ko·mi·sa·ri·a

communion *comunión* f ko·mou·nyonn

communiste *comunista* m et f ko·mou·nis·ta

compagnie *compañía* f komm·pa·nyi·a

compagnon/compagne *compañero/a* m/f komm·pa·nyé·ro/a

complet/complète *lleno/a* m/f lyé·no/a

comprendre *comprender* komm·prén·dér

compte en banque *cuenta* f *bancaria* kwén·ta bann·ka·rya

compteur de vitesse *velocímetro* m bé·lo·Si·mé·tro

comptoir *mostrador* m mos·tra·dor

concentration *concentración* f konn·Sén·tra·Syonn

concert *concierto* m konn·Syér·to

concombre *pepino* m pé·pi·no

conduire *conducir* konn·dou·*Sir* • permis de conduire *carnet* m *de conducir* kar·*né* dé konn·dou·*Sir*

confession *confesión* f konn·fé·*syonn*

confiance *confianza* f konn·fi·ann·*Sa* • avoir confiance *confiar* konn·fi·*ar*

confirmer *confirmar* konn·fir·*mar*

confiture *mermelada* f mér·mé·*la*·da

confortable *cómodo/a* m/f ko·mo·do/a

connaître *conocer* ko·no·*Sér*

connexion *conexión* f ko·né·*ksyonn*

conseil *consejo* m konn·sé·*Rho*

conservateur/conservatrice *conservador/conservadora* m/f konn·sér·ba·*dor*/konn·sér·ba·*do*·ra

conserve, boîte de *lata* f *la*·ta

consigne *consigna* f konn·*sig*·na
— automatique *consigna* f *automática* konn·*sig*·na aou·to·*ma*·ti·ka

constipation *estreñimiento* m és·tré·nyi·*myén*·to

construire *construir* konns·trou·*ir*

consulat *consulado* m konn·sou·*la*·do

contact, lentilles de *lentes* m pl *de contacto* *lén*·tés dé konn·*tak*·to

conte *cuento* m *kwén*·to

contraceptifs *anticonceptivos* m pl ann·ti·konn·*Sép*·ti·bos • pilule contraceptive *píldora* f *pil*·do·ra

contrat *contrato* m konn·*tra*·to

contrôle *control* m konn·*trol*

contrôleur/contrôleuse *revisor/revisora* m/f ré·bi·*sor*/ré·bi·*so*·ra

corde *cuerda* f *kwér*·da
— à linge *cuerda f para tender la ropa* *kwér*·da *pa*·ra tén·*dér* la *ro*·pa

cornflakes *copos* m pl *de maíz* *ko*·pos dé ma·*iS*

correct(e) *correcto/a* m/f ko·*rék*·to/a

corrida *corrida* f ko·*ri*·da

corrompu(e) *corrupto/a* m/f ko·*roup*·to/a

côte *costa* f *kos*·ta

côté *lado* m *la*·do • à côté de *al lado de* al *la*·do dé

coton *algodón* m al·go·*donn*

cou *cuello* m *kwé*·lyo

couchage, sac de *saco* m *de dormir* *sa*·ko dé dor·*mir*

couche (pour bébé) *pañal* m pa·*nyal*

coudre *coser* ko·*sér*

couleur *color* m ko·*lor*

coup de soleil *quemadura* f *de sol* ké·ma·*dou*·ra dé sol

coupable *culpable* koul·*pa*·blé

Coupe du monde *La Copa* f *Mundial* la *ko*·pa moun·*dyal*

coupe-ongles *cortauñas* m pl kor·ta·*ou*·nyas • couper *cortar* kor·*tar*

couple *pareja* f pa·*ré*·Rha

coupon *cupón* m kou·*ponn*

courant (électricité) *corriente* f ko·*ryén*·té

courageux *valiente* ba·*lyén*·té

courgette *calabacín* m ka·la·ba·*Sinn*

courir *correr* ko·*rér*

courrier *correo* m ko·*ré*·o
— urgent *correo* m *urgente* ko·*ré*·o our·*Rhén*·té
— recommandé *correo* m *certificado* ko·*ré*·o Sér·ti·fi·*ka*·do

courroie du ventilateur *correa f del ventilador* ko·*ré*·a dél bén·ti·la·*dor*

course (sport) *carrera* f ka·*ré*·ra

courses, faire ses *ir de compras* ir dé *komm*·pras

court(e) *corto/a* m/f *kor*·to/a

court (tennis) *pista* f *pis*·ta

couscous *cuscús* m kous kous

couteau *cuchillo* m kou·*tchi*·lyo
— suisse *navaja* f na·*ba*·Rha

coûter *costar* kos·*tar*

couvent *convento* m konn·*bén*·to

couverts *cubiertos* m pl kou·*byér*·tos

couverture *manta* f *mann*·ta

couvrir *tapar* ta·*par*

crabe *cangrejo* m kann·*gré*·Rho

crayon *lápiz* m la·piS

crème *crema* f *kré*·ma

— hydratante *crema* f *hidratante*
kré·ma i·dra·*tann*·té

— à raser *espuma* f *de afeitar*
és·*pou*·ma dé a·*féy*·tar

— aigre *nata* f *agria* *na*·ta *a*·grya

— solaire *crema* f *solar* *kré*·ma so·*lar*

crèche *guardería* f gwar·dé·*ri*·a

crever *pinchar* pinn·*tchar*

crevettes *gambas* f pl *gamm*·bas

cricket *críquet* m kri·*két*

crier *gritar* gri·*tar*

critique *crítica* f *kri*·ti·ka

croisement *cruce* m crou·*Sé*

croître *crecer* kré·*Sér*

cru(e) *crudo/a* m/f *krou*·do/a

cueillette de fruits *recolección* f *de fruta*
ré·ko·lék·*Syonn* dé *frou*·ta

cuillère *cuchara* f kou·*tcha*·ra

— à café *cucharita* f kou·tcha·*ri*·ta

cuir *cuero* m *kwé*·ro

cuisine *cocina* f ko·*Si*·na

cuisinier/cuisinière *cocinero/a* m/f
ko·Si·*né*·ro/a

cuisinière (appareil) *cocina* f ko·*Si*·na

cuisse *muslo* m *mous*·lo

cul *culo* m *kou*·lo

culotte (femme) *bragas* f pl *bra*·gas

cure-dents *palillo* m pa·*li*·lyo

curry *curry* m *kou*·ri

— en poudre *curry* m *en polvo* *kou*·ri
én *pol*·bo

CV *historial* m *profesional* is·to·*ryal*
pro·fé·syo·*nal*

cybercafé *cibercafé* Si·bér·ka·*fé*

cyclisme *ciclismo* m Si·*klis*·mo

cycliste *ciclista* m et f Si·*klis*·ta

cystite *cistitis* f Sis·*ti*·tis

D

dangereux/dangereuse *inseguro/a* m/f
inn·sé·*gou*·ro/a

dans (une heure) *dentro de (una hora)*
dén·tro dé (ou·na o·ra)

danser *bailar* bay·*lar*

date *fecha* f *fé*·tcha

— de naissance *fecha* f *de nacimiento*
fé·tcha dé na·Si·*myén*·to

décapsuleur *abrebotellas* m
a·bré·bo·*té*·lyas

déchets nucléaires *desperdicios* m pl
nucleares dés·pér·di·Syos nou·klé·*a*·rés

déchets toxiques *residuos* m pl *tóxicos*
ré·si·dwos tok·si·kos

décider *decidir* dé·Si·*dir*

découvrir *descubrir* dés·kou·*brir*

dedans *adentro* a·*dén*·tro

défectueux/défectueuse *defectuoso/a*
m/f dé·fék·tou·o·so/a

déforestation *deforestación* f
dé·fo·rés·ta·*Syonn*

déjà *ya* ya

déjeuner *almuerzo* m al·*mwér*·So • petit-
déjeuner *desayuno* m dés·a·*you*·no

délirant *delirante* dé·li·*rann*·té

délivrer *entregar* én·tré·*gar*

demain *mañana* ma·*nya*·na • après-
demain *pasado mañana* pa·*sa*·do
ma·*nya*·na

— après-midi *mañana por la tarde*
ma·*nya*·na por la *tar*·dé

— soir *mañana por la noche* ma·*nya*·na
por la *no*·tché

— matin *mañana por la mañana*
ma·*nya*·na por la ma·*nya*·na

demander *pedir* pé·*dir*

— (poser une question) *preguntar*
pré·goun·*tar*

démangeaison *picazón* f pi·ka·*Sonn*

demi(e) *medio/a* m/f *mé*·dyo/a

— -litre *medio litro* m *mé*·dyo *li*·tro

démocratie *democracia* f dé·mo·kra·Sya

dent *diente* m *dyén*·té • brosse à dents *cepillo* m *de dientes* Sé·pi·lyo dé dyén·tés • dentifrice *pasta* f *dentífrica pas*·ta dén·*ti*·fri·ka • fil dentaire *hilo* m *dental i*·lo dén·*tal* • mal de dents m *de muelas* do·lor dé *mwé*·las • molaire *muela* f *mwé*·la

dentelle *encaje* m én·*ka*·Rhé

dentiste *dentista* m et f dén·*tis*·ta

déodorant *desodorante* m dé·so·do·*rann*·té

départ *salida* f sa·li·da

dépôt *depósito* m dé·po·si·to

depuis (mai) *desde (mayo)* dés·dé (*ma*·yo)

derrière *detrás de* dé·*tras* dé

dés *dados* m pl *da*·dos

descendant *descendiente* m dés·Sén·*dyén*·té

désert *desierto* m dé·*syér*·to

design *diseño* m di·sé·nyo

désirer *desear* dé·sé·*ar*

dessiner *dibujar* di·bou·*Rhar*

dessus *encima* f en·*Si*·ma • au-dessus *arriba* a·*ri*·ba

destination *destino* m dés·*ti*·no

détail *detalle* m dé·ta·lyé

détaillé(e) *detallado/a* m/f dé·ta·*lya*·do/a

détendre, se *relajarse* ré·la·*Rhar*·sé

détruire *destruir* dés·trou·*ir*

deviner *adivinar* a·di·bi·*nar*

devoir *deber* dé·*bér*

devoirs (à faire à la maison) *trabajo* m *de casa* tra·*ba*·Rho dé *ka*·sa

diabète *diabetes* f di·a·*bé*·tés

diaphragme *diafragma* m di·a·*frag*·ma

diapositive *diapositiva* f dya·po·si·*ti*·ba

diarrhée *diarrea* f di·a·*ré*·a

dictionnaire *diccionario* m dik·Syo·*na*·ryo

Dieu *Dios* m dyos

différent *diferente* m/f di·fé·*rén*·té

difficile *difícil* m/f di·*fi*·Sil

dinde *pavo* m *pa*·bo

dîner *cena* f *Sé*·na

dire *decir* dé·*Sir*

direct(e) *directo/a* m/f di·*rék*·to/a

directeur/directrice *director/directora* m/f di·*rék·tor*/di·*rék*·to·ra

discothèque *discoteca* f dis·ko·*té*·ka

discrimination *discriminación* f dis·kri·mi·na·*Syonn*

discuter *discutir* dis·kou·*tir*

disque *disco* m dis·ko

distraction *diversión* f di·bér·*syonn*

distraire, se *divertirse* di·bér·*tir*·sé

distribuer (cartes) *repartir* ré·par·*tir*

distributeur automatique de billets *cajero* m *automático* ka·*Rhé*·ro aou·to·*ma*·ti·ko

distributeur de cigarettes *máquina* f *de tabaco* ma·ki·na dé ta·*ba*·ko

docteur *doctor/doctora* m/f dok·*tor*/dok·*to*·ra

documentaire *documental* m do·kou·mén·*tal*

doigt *dedo* m dé·do

dollar *dólar* m *do*·lar

donner *dar* dar

dormir *dormir* dor·mir

dos *espalda* f és·*pal*·da

dossier (d'une chaise) *respaldo* m rés·*pal*·do

douane *aduana* f a·*dwa*·na

double *doble* m/f *do*·blé • chambre double *habitación* f *doble* a·bi·ta·*Syonn do*·blé

douche *ducha* f *dou*·tcha

douleur *dolor* m do·lor

douleurs menstruelles *dolor* m *menstrual* do·lor méns·*trwal*

douloureux/douloureuse *doloroso/a* m/f do·lo·ro·so/a

douzaine *docena* f do·*Sé*·na

draguer *ligar* li·*gar*

drame *drama* m *dra*·ma

drap *sábana* f *sa*·ba·na

drapeau *bandera* f bann·*dé*·ra

droit(e) *recto/a* m/f *rék*·to/a

droite *derecha* dé·*ré*·tcha

droits de l'homme *derechos* m pl
humanos dé·*ré*·tchos ou·*ma*·nos

drôle *gracioso/a* m/f gra·*Syo*·so/a

dur(e) *duro/a* m/f *dou*·ro/a

E

eau *agua* m *a*·gwa ka
— chaude *agua caliente* m *a*·gwa
ka·*lyén*·té
— du robinet *del grifo* dél *gri*·fo
— en bouteille *cantimplora* f
kann·timm·*plo*·ra
— minérale *agua* m *mineral* *a*·gwa
mi·né·*ral*

écharpe *bufanda* f bou·*fann*·da

échecs (jeu) *ajedrez* m a·Rhé·*dréS*

échiquier *tablero* m *de ajedrez* ta·*blé*·ro
dé a·Rhé·*dréS*

échographie *ecografía* f é·ko·gra·*fi*·a

école *escuela* f és·*kwé*·la

écouter *escuchar* és·kou·*tchar*

écran *pantalla* f pann·*ta*·lya

écrire *escribir* és·kri·*bir*

écrivain *escritor/escritora* m/f és·kri·*tor*/
és·kri·*to*·ra

eczéma *eczema* f ék·*Sé*·ma

éditeur/éditrice *editor/editora* m/f
é·di·*tor*/é·di·*to*·ra

éducation *educación* f é·dou·ka·*Syonn*

égalité *igualdad* f i·gwal·*da*

église *iglesia* f i·*glé*·sya

égoïste *egoista* é·go·*is*·ta

élections *elecciones* f pl é·lék·*Syo*·nés

électricité *electricidad* f é·lék·tri·Si·*da*

elle *ella* é·ya

éloigné(e) *remoto/a* m/f ré·*mo*·to/a

E

embrasser *besar* bé·*sar*

embrayage *embrague* f ém·*bra*·gé

emploi *empleo* m ém·*plé*·o • sans emploi
en el paro én él *pa*·ro

employé(e) *empleado/a* m/f
ém·plé·*a*·do/a

émotionnel *emocional* é·mo·Syo·*nal*

emporter *llevar* lyé·*bar*

emprunter *tomar prestado* to·mar
prés·*ta*·do

en-cas *tentempié* m tén·tém·*pyé*

enceinte *embarazada* f ém·ba·ra·*Sa*·da

encore *otra vez* o·tra béS

(pas) encore *(no)* to·da·*bi*·a (no)

endolori(e) *dolorido/a* m/f do·lo·*ri*·do/a

énergie nucléaire *energía* f *nuclear*
é·nér·*Rhi*·a nou·klé·*ar*

énerver, s' *descomponerse*
dés·komm·po·*nér*·sé

enfant *niño/a* m/f *ni*·nyo/a

engagement *compromiso* m
komm·pro·*mi*·so

ennuyeux(se) *aburrido/a* m/f
a·bou·*ri*·do/a

énorme *enorme* é·*nor*·mé

entorse *torcedura* f tor·Sé·*dou*·ra

entre *entre* én·tré

enregistrement *grabación* f gra·ba·*Syonn*
— des bagages *facturación* f *de
equipajes* fak·tou·ra·*Syonn* dé
é·ki·*pa*·Rhés

enrhumé(e), être *estar constipado/a* m/f
és·*tar* konns·ti·*pa*·do

ensemble *juntos/as* m/f *Rhoun*·tos/as

entendre *oír* o·*ir*

enterrement *funeral* m fou·né·*ral*

entraînement *entreno* m én·*tré*·no

entraîneur/entraîneuse *entrenador/
entrenadora* m/f én·tré·na·*dor*/
én·tré·na·*do*·ra

entre *entre* én·*tré*

entrée, prix d' *precio* m *de entrada*
pré·Syo dé én·*tra*·da

entrer *entrar* én·*trar*

enveloppe *sobre* m so·bré

environnement *medio* m *ambiente* mé·dyo amm·byén·té

environs, des *de cercanías* dé Sér·ka·*ni*·as

envoyer *enviar* én·bi·*ar*

épargner *ahorrar* a·o·rar

épaules *hombros* m pl omm·bros

épicerie *tienda* f *de comestibles* tyén·da dé ko·més·*ti*·blés

— de camping *tienda* f *de provisiones de cámping* tyén·da dé pro·bi·syo·nés dé kamm·pinn

épilepsie *epilepsia* f é·pi·*lép*·sya

épinards *espinacas* f pl és·pi·*na*·kas

équipe *equipo* m é·*ki*·po

équipement *equipo* m é·*ki*·po

équitation *equitación* f é·ki·ta·*Syonn*

erreur *error* m é·ror

escalade *escalada* f és·ka·*la*·da

escalator *escaleras* f pl *mecánicas* és·ka·lé·ras mé·*ka*·ni·kas

escalier *escalera* f és·ka·lé·ra

escargot *caracol* m ka·ra·kol

escarpé(e) *escarpado/a* m/f és·kar·*pa*·do/a

escrime *esgrima* f és·*gri*·ma

escroquerie *estafa* f és·ta·fa

espace *espacio* m és·*pa*·Syo

Espagne *España* f és·*pa*·nya

espèces en danger *especies* f pl *en peligro de extinción* és·*pé*·Syés én pé·*li*·gro dé éks·tinn·*Syonn*

essai *prueba* f prwé·ba • essais nucléaires *pruebas* f pl *nucleares* prwé·bas nou·klé·*a*·rés

essayer *probar* pro·*bar* • (de faire quelque chose) *intentar (hacer algo)* inn·tén·*tar* (a·*Sér* al·go)

essence *gasolina* f ga·so·*li*·na

est *este* és·té

estomac *estómago* m és·*to*·ma·go

et *y* i

étagère *estante* m és·*tann*·té

état-civil *estado* m *civil* és·*ta*·do Si·*bil*

États-Unis *Estados* m pl *Unidos* és·*ta*·dos ou·*ni*·dos

été *verano* m bé·*ra*·no

étoile *estrella* f és·tré·lya

étrange *extraño/a* m/f éks·*tra*·nyo/a

étranger/étrangère *extranjero/a* m/f éks·trann·*Rhé*·ro/a

étranger, à l' *en el extranjero* én él éks·trann·*Rhé*·ro

être *ser* sér • *estar* és·*tar*

étudiant(e) *estudiante* m et f és·tou·*dyann*·té

euro *euro* m é·ou·ro

Europe *Europa* f é·ou·ro·pa

euthanasie *eutanasia* f é·ou·ta·*na*·sya

eux/elles *ellos/ellas* m/f é·lyos/é·lyas

éventail *abanico* m a·ba·*ni*·ko

excellent *excelente* m/f éks·Sé·*lén*·té

excès de vitesse *exceso* m *de velocidad* éks·Sé·so dé bé·lo·Si·*da*

excursion *excursión* f éks·kour·*syonn*

exemple *ejemplo* m é·*Rhém*·plo

expérience *experiencia* f éks·pé·*ryén*·Sya

exposer *exponer* éks·po·*nér*

exposition *exposición* f éks·po·si·*Syonn*

express *expreso/a* m/f éks·*pré*·so/a

extension (visa) *prolongación* f pro·*lonn*·ga·*Syonn*

extérieur *exterior* m éks·té·*ryor*

face, en *enfrente* én·*frén*·té

fâché(e) *enfadado/a* m/f én·fa·*da*·do/a

facile *fácil* fa·Sil

faible *débil* dé·bil

faim, avoir *tener hambre* té·*nér* amm·bré

faire *hacer* a·*Sér*

fait main *hecho a mano* é·tcho a *ma*·no

falaise *acantilado* m a·kann·ti·*la*·do

familie *familia* f fa·*mi*·lya • nom de famille *apellido* m a·pé·*lyi*·do

fantastique *fantástico/a* m/f fann·*tas*·ti·ko/a

farine *harina* f a·*ri*·na

fatigué(e) *cansado/a* m/f kann·*sa*·do/a

fausse couche *aborto* m *natural* a·*bor*·to na·tou·*ral*

faute *falta* f *fal*·ta

fauteuil roulant *silla* f *de ruedas* si·lya dé *rwé*·das

faux/fausse *equivocado/a* m/f é·ki·bo·*ka*·do/a

femme *mujer* f mou·*Rhér*
— (épouse) *esposa* f és·*po*·sa
— au foyer *ama* f *de casa* a·ma dé *ka*·sa

fenêtre *ventana* f bén·*ta*·na

fer à repasser *plancha* f plann·tcha

férié, jour *día festivo* m di·a fés·*ti*·bo

ferme *granja* f grann·Rha

fermé(e) *cerrado/a* m/f *con llave* Sé·*ra*·do/a konn *lya*·bé

fermer *cerrar* Sé·*rar*

festival *festival* m fés·ti·*bal*

fête *fiesta* f *fyés*·ta

feu *fuego* m fwé·go

feuille (de papier) *hoja* f o·Rha

feuilleton télévisé *telenovela* f té·lé·no·*bé*·la

feux de signalisation *semáforos* m pl sé·*ma*·fo·ros

fiancé *prometido* m pro·mé·*ti*·do

fiancée *prometida* f pro·mé·*ti*·da

fiction *ficción* f fik·*Syonn*

fièvre *fiebre* f fyé·bré

figue *higo* m *i*·go

fil de fer *alambre* m a·*lamm*·bré

filet *filete* m fi·*lé*·té

fille *chica* f *tchi*·ka
— (de) *hija (de)* f i·Rha (dé)

film *película* f pé·*li*·kou·la

fils *hijo* m *i*·Rho

filtre *filtro* fil·tro

fin *fin* m finn

finir *terminar* tér·mi·*nar*

finir de *acabar de* a·ka·*bar* dé

flanelle *franela* f fra·*né*·la

fleur *flor* f flor

fleuriste *florista* m et f flo·*ris*·ta

fleuve *río* m *ri*·o

foie *hígado* m *i*·ga·do

fois *vez* f béS • deux fois *dos veces* dos bé·SéS

folle *loca* f *lo*·ka

football *fútbol* m fout·bol

forêt *bosque* m bos·ké

forme *forma* f *for*·ma

fort(e) *fuerte* fwér·té

four *horno* m *or*·no

fourchette *tenedor* m té·né·*dor*

fourmi *hormiga* f or·*mi*·ga

fragile *frágil* fra·Rhil

fraise *fresa* f *fré*·sa

framboise *frambuesa* f framm·*bwé*·sa

français *francés* m frann·*Sés*

Français(e) *Francés/a* m/f frann·*Sés/a*

France *Francia* f frann·Sya

freins *frenos* m pl *fré*·nos

frère *hermano* m ér·*ma*·no

frigo *nevera* f né·*bé*·ra • *frigerífico* m fri·gé·ri·*fi*·ko

frire *freír* fré·*ir* • poêle à frire *sartén* f sar·*tén*

froid(e) *frío/a* m/f *fri*·o/a

fromage *queso* m *ké*·so
— frais *requesón* m ré·ké·*sonn*
— de chèvre *queso* m *de cabra* *ké*·so dé *ka*·bra

frontière *frontera* f fronn·*té*·ra

frottis *citología* f Si·to·lo·*Rhi*·a

fruit *fruta* f *frou*·ta • cueillette de fruits *recolección* f *de fruta* ré·ko·lék·*Syonn* dé *frou*·ta
— sec *fruto* m *seco* frou·to sé·ko

fumer *fumar* fou·*mar*

fumeurs *fumadores* fou·ma·*do*·rés
• non-fumeurs *no fumadores* no fou·ma·*do*·rés

funérailles *funeral* m fou·né·*ral*

G

gagnant/gagnante *ganador/ganadora* m/f ga·na·*dor*/ga·na·*do*·ra

gagner *ganar* ga·*nar*

gants *guantes* m pl *gwann*·tés

garçon *chico* m *tchi*·ko

garde-robe *guardarropa* m gwar·da·*ro*·pa

garderie *guardería* f gwar·dé·*ri*·a

gardien de but *portero/a* m/f por·*té*·ro/a

gare ferroviaire *estación* f *de tren* és·ta·*Syonn* dé trén

gare routière *estación de autobuses/ autocares* f és·ta·*Syonn* dé aou·to·*bou*·sés/aou·to·*ka*·rés

garer (voiture) *estacionar* és·ta·*Syo*·nar

gâteau *pastel* m pas·*tél*
— de mariage *tarta* f *nupcial* *tar*·ta noup·*Syal*

gauche *izquierda* f iS·*kyér*·da

gay *gay* gay

geler *helar* é·*lar*

général *general* Rhé·né·*ral*

genou *rodilla* f ro·*di*·lya

gens *gente* f *Rhén*·té

gérant *gerente* m et f Rhé·*rén*·té

germes de soja *brotes* m pl *de soja* *bro*·tés dé *so*·Rha

gilet de sauvetage *chaleco* m *salvavidas* tcha·*lé*·ko sal·ba·*bi*·das

gin *ginebra* f Rhi·*né*·bra

gingembre *jengibre* m Rhén·*Rhi*·bré

givre *escarcha* f és·*kar*·tcha

glace *hielo* m *yé*·lo • (à manger) *helado* m é·*la*·do

glacier (magasin) *heladería* f é·la·dé·*ri*·a

golf *golf* m golf • parcours de golf *campo* m *de golf* *kamm*·po dé golf

gorge *garganta* f gar·*gann*·ta

gousse (d'ail) *diente* m *(de ajo)* *dyén*·té (dé *a*·Rho)

gouttes pour les yeux *gotas* f pl *para los ojos* *go*·tas *pa*·ra los o·*Rhos*

gouvernement *gobierno* m go·*byér*·no

graisse *manteca* f mann·*té*·ka

gramme *gramo* m *gra*·mo

grand(e) *grande* m et f *grann*·dé

grand magasin *grande almacen* m *grann*·dé al·ma·*Sén*

grand-mère *abuela* f a·*bwé*·la

grand-père *abuelo* m a·*bwé*·lo

grandir *crecer* kré·*Sér*

gratuit *gratis* *gra*·tis

grille-pain *tostadora* f tos·ta·*do*·ra

grimper *trepar* tré·*par*

gris *gris* gris

grippe *gripe* f *gri*·pé

gros(se) (personne) *gordo/a* m/f *gor*·do/a

grossesse, test de *prueba* f *del embarazo* *prwé*·ba dél ém·ba·*ra*·So

grotte *cueva* f *kwé*·ba

groupe *grupo* m *grou*·po
— de rock *grupo* m *de rock* *grou*·po dé rok
— sanguin *grupo* m *sanguíneo* *grou*·po sann·*gi*·néo

guerre *guerra* f *gé*·ra

guichet *taquilla* f ta·*ki*·lya

guide *guía* m et f *gi*·a
— audio *guía* f *audio* *gi*·a *aou*·dyo
— de conversation *libro* m *de frases* *li*·bro dé *fra*·sés
— des loisirs *guía* f *del ocio* *gi*·a dél *o*·Syo

guidon *manillar* m ma·ni·*lyar*

guitare *guitarra* f gi·*ta*·ra

gymnastique *gimnasia* f *rítmica*
Rhimm·*na*·sya rit·mi·ka

gynécologue *ginecólogo* m
Rhi·né·*ko*·lo·go

H

habiter *ocupar* o·kou·*par*

hachée, viande *carne* m *molida* kar·né
mo·*li*·da

halal *halal* a·*lal*

halluciner *alucinar* a·lou·Si·*nar*

hamac *hamaca* f a·*ma*·ka

handicapé(e) *minusválido/a* m/f
mi·nous·*ba*·li·do/a

harcèlement *acoso* m al a·*ko*·so

haricots *judías* f pl Rhou·*di*·as

haut(e) *alto/a* m/f *al*·to/a

hématome *cardenal* m kar·dé·*nal*

hépatite *hepatitis* f é·pa·*ti*·tis

herbe *hierba* f *yér*·ba

herboriste *herbolario/a* m/f
ér·bo·*la*·ri·o/a

héroïne *heroína* f é·ro·*i*·na

heure *hora* f *o*·ra

heures d'ouverture *horas* f pl *de abrir*
o·ras dé a·*brir*

heureux/heureuse *feliz* m et f fé·*liS*

hier *ayer* a·*yér*

hindou *hindú* inn·*dou*

historique *histórico/a* m/f is·*to*·ri·ko/a

hiver *invierno* m inn·*byér*·no

hockey *hockey* m *Rho*·ki
— sur glace *hockey* m *sobre hielo*
Rho·ki so·*bré* yé·lo

Hollande *Holanda* f o·*lann*·da

homme *hombre* m *omm*·bré

homosexuel(le) *homosexual* m et f
o·mo·sé·*kswal*

honteux/honteuse *avergonzado/a* m/f
a·bér·gonn·*Sa*·do/a

hôpital *hospital* m os·pi·*tal*

horaire *horario* m o·*ra*·ryo

horloge *reloj* m ré·*loRh*

horoscope *horóscopo* m o·*ros*·ko·po

hors jeu *fuera de juego* fwé·ra dé Rhwé·go

hôtel *hotel* m o·*tél*

hôtellerie *hosteleria* f os·té·lé·*ri*·a

huile *aceite* m a·*Séy*·té
— d'olive *aceite* m *de oliva* a·*Séy*·té
dé o·*li*·ba
— de tournesol *aceite* m *de girasol*
a·*Séy*·té Rhi·ra·*sol*

huître f *ostra* os·tra

humanité *humanidad* f ou·ma·ni·*da*

I

ici *aquí* a·*ki*

identification *identificación* f
i·dén·ti·fi·ka·*Syonn*

idiot(e) *idiota* m et f i·*dyo*·ta

île *isla* f *is*·la

immatriculation *matrícula* f ma·*tri*·kou·la

immigration *inmigración* f
inn·mi·gra·*Syonn*

imperméable *impermeable*
imm·pér·mé·*a*·blé

important *importante* imm·por·*tann*·té

impôt *impuesto* m imm·*pwés*·to
— sur le revenu *impuesto* m *sobre la
renta* imm·*pwés*·to so·bré la *rén*·ta

inclus *incluido* inn·klou·*i*·do

inconfortable *incómodo/a* m/f
inn·*ko*·mo·do/a

Inde *India* f inn·dya

indicateur *indicador* m inn·di·ka·*dor*

indigestion *indigestion* f
inn·di·Rhés·*tyonn*

industrie *industria* f inn·*dous*·trya

infection *infección* f inn·fék·*Syonn*

infirmier/infirmière *enfermero/a* m/f
én·fér·*mé*·ro/a

inflammation *inflamación* f
inn·fla·ma·*Syonn*

informatique *informática* f
inn·for·*ma*·ti·ka

ingénierie *ingeniería* f inn·Rhé·nyé·*ri*·a

ingénieur *ingeniero/a* m/f
inn·Rhé·*nyé*·ro/a

ingrédient *ingrediente* m
inn·gré·*dyén*·té

injecter, s' *inyectar* inn·yék·*tar*·sé

injection *inyección* f inn·yék·*Syonn*

injuste *injusto* inn·*Rhous*·to

innocent(e) *inocente* i·no·*Sén*·té

inondation *inundación* f
i·noun·da·*Syonn*

inquiet/inquiète *preocupado/a* m/f
pré·o·kou·*pa*·do/a

inquiéter, s' (de) *preocuparse por*
pré·o·kou·*par*·sé por

insecte *bicho* m *bi*·tcho

institut *instituto* m inns·ti·*tou*·to

intéressant(e) *interesante*
inn·té·ré·*sann*·té

international *internacional*
inn·tér·na·Syo·*nal*

Internet *Internet* inn·*tér*·nét

interprète *intérprete* m et f
inn·*tér*·pré·té

interroger *cuestionar* kwés·tyo·*nar*

intersection *cruce* m *crou*·Sé

interview *entrevista* f inn·tré·*bis*·ta

inviter *invitar* inn·bi·*tar*

irritation *irritación* f i·ri·ta·*Syonn*

itinéraire *itinerario* m i·ti·né·*ra*·ryo

J

jaloux/jalouse *celoso/a* m/f Sé·*lo*·so/a

jamais *nunca* *noun*·ka

jambe *pierna* f *pyér*·na

jambon *jamón* m Rha·*monn*

Japon *Japón* m Rha·*ponn*

jardin *jardín* m Rhar·*dinn*
— botanique *jardín* m *botánico*
Rhar·*dinn* bo·*ta*·ni·ko

jaune *amarillo/a* m/f a·ma·*ri*·lyo/a

jeans *vaqueros* m pl ba·*ké*·ros

Jeep *yip* m yip

jeune *joven* Rho·*bén*

Jeux olympiques *juegos* m pl *olímpicos*
Rhwé·gos o·*limm*·pi·kos

jeux vidéo *juegos* m pl *de ordenador*
Rhwé·gos dé or·dé·na·*dor*

jockey *jockey* m dyo·ki

jogging *footing* m fou·tinn

jouer (d'un instrument de musique)
tocar to·*kar*

jouer (sport/jeux) *jugar* Rhou·*gar*

jour *día* m *di*·a

journal *periódico* m pé·*ryo*·di·ko

journaliste *periodista* m et f pé·ryo·*dis*·ta

juge *juez* m et f RhwéS

juif/juive *judío/a* m/f Rhou·*di*·o/a

jumeaux *gemelos* m pl Rhé·*mé*·los

jupe *falda* f *fal*·da

jus *jugo* m *Rhou*·go • *zumo* m *Sou*·mo
— d'orange *zumo* m *de naranja*
Sou·mo dé na·*rann*·Rha

jusqu'à (juin) *hasta (junio)* *as*·ta
(*Rhou*·nyo)

K

kilogramme *kilogramo* m *ki*·lo·gramm·o

kilomètre *kilómetro* m ki·*lo*·mé·tro

kiosque *quiosco* m *kyos*·ko

kiwi *kiwi* m *ki*·wi

kyste ovarien *quiste* m *ovárico* kis·té
o·*ba*·ri·ko

L

lac *lago* m *la*·go

laine *lana* f *la*·na

laisser *dejar* dé·*Rhar*

lait *leche* f *lé*·tché
— écrémé *leche* f *desnatada* *lé*·tché
dés·na·*ta*·da

— de soja *leche* f *de soja* lé·tché dé so·Rha

laitue *lechuga* f lé·tchou·ga

lames de rasoir *cuchillas* f pl *de afeitar* kou·*tchi*·lyas de a·féy·*tar*

lampe de poche *linterna* f linn·*tér*·na

lancer *disparar* dis·pa·*rar*

langue *idioma* m i·*dyo*·ma

lapin *conejo* m ko·*né*·Rho

lard *tocino* m to·*Si*·no

large *ancho/a* m/f ann·tcho/a

laver *lavar* la·*bar* • se laver *lavarse* la·*bar*·sé

lavoir *lavadero* m la·ba·*dé*·ro

leader *líder* m et f *li*·dér

lèche-vitrines *mirar los escaparates* mi·*rar* los és·ka·pa·*ra*·tés

légal *legal* lé·*gal*

léger *leve* lé·bé

législation *legislación* f lé·Rhis·la·*Syonn*

légume *verdura* f bér·*dou*·ra

lent(e) *lento/a* m/f *lén*·to/a

lentement *despacio* dés·*pa*·Syo

lentilles *lentejas* f pl lén·té·Rhas

— de contact *lentes* m pl *de contacto* *lén*·tés dé konn·*tak*·to

lesbienne *lesbiana* f lés·bi·a·na

lettre *carta* f *kar*·ta • boîte aux lettres *buzón* m bou·*Sonn*

leur *su* sou

lèvres *labios* m pl *la*·byos • baume pour les lèvres *bálsamo* m *de labios* bal·sa·mo dé *la*·byos • rouge à lèvres *pintalabios* m pinn·ta *la*·byos

lézard *lagartija* f la·gar·*ti*·Rha

librairie *librería* f li·bré·*ri*·a

libre *libre* li·bré

lieu *lugar* m lou·*gar*

— de naissance *lugar* m *de nacimiento* lou·*gar* dé na·Si·*myén*·to

ligne *línea* f *li*·néa

— aérienne *aerolínea* f aé·ro·*li*·néa

lilas *lila* li·la

lime *lima* f *li*·ma

limonade *limonada* f li·mo·*na*·da

linge, pinces à *pinzas* f pl pinn·Sas

lire *leer* lé·*ér*

lit *cama* f *ka*·ma

— double *cama* f *de matrimonio* *ka*·ma dé ma·tri·*mo*·nyo

— jumeaux *dos camas* f pl dos *ka*·mas

littoral *costa* f *kos*·ta

livre *libro* m *li*·bro

location de voiture *alquiler* m *de coche* al·ki·*lér* dé *ko*·tché

logement *alojamiento* m a·lo·Rha·*myén*·to

loi *ley* f léy

loin *lejos* lé·Rhos

long(ue) *largo/a* m/f *lar*·go/a

longue-distance *a larga distancia* a *lar*·ga dis·*tann*·Sya

louer *alquilar* al·ki·*lar*

lourd(e) *pesado/a* m/f pé·*sa*·do/a

loyer *alquiler* m al·ki·*lér*

lubrifiant *lubricante* m lou·bri·*kann*·té

lui *él* él

lumière *luz* f louS

lune *luna* f *lou*·na • pleine lune *luna* f *llena* lou·na lyé·na

— de miel *luna* f *de miel* *lou*·na dé myél

lunettes *gafas* f pl *ga*·fas

— de plongée *gafas* f pl *de submarinismo* *ga*·fas dé soub·ma·ri·*nis*·mo

— de soleil *gafas* f pl *de sol* *ga*·fas dé sol

lutte *pelea* f pé·lé·a

lutter contre *luchar contra* lou·*tchar* *konn*·tra

luxe *lujo* m *lou*·Rho

M

machine *máquina* f ma·ki·na
— à laver *lavadora* f la·ba·do·ra
machisme *machismo* m ma·tchis·mo
mâchoire *mandíbula* f mann·di·bou·la
magasin *tienda* f tyén·da • grand
magasin *grande almacen* m grann·dé
al·ma·Sén • photographe (magasin)
tienda f *de fotografía* tyén·da dé
fo·to·gra·fi·a
— de jouets *juguetería* f
Rhou·gé·té·ri·a
— de sport *tienda* f *deportiva* tyén·da
dé·por·ti·ba
— de souvenirs *tienda* f *de recuerdos*
tyén·da dé ré·kwér·dos
— de vêtements *tienda* f *de ropa*
tyén·da dé ro·pa
magazine *revista* f ré·bis·ta
magicien *mago/a* m/f ma·go/a
maillot de bain *bañador* m ba·nya·dor
maillot de corps *camiseta* f ka·mi·sé·ta
main *mano* f ma·no • fait main *hecho a*
mano é·tcho a ma·no
maintenant *ahora* a·o·ra
maire *alcalde* m et f al·kal·dé
mais *pero* pé·ro
maïs *maíz* m ma·iS
maison *casa* f ka·sa
maîtresse *amante* m et f a·mann·té
mal de tête *dolor* m *de cabeza* do·lor
dé ka·bé·Sa
mal des transports *mareo* m ma·ré·o
malade *enfermo/a* m/f én·fér·mo/a
maladie *enfermedad* f én·fér·mé·da
mallette *maletín* m ma·lé·tinn
maman *mamá* f ma·ma
mammographie *mamograma* m
ma·mo·gra·ma
mandarine *mandarina* f mann·da·ri·na
manger *comer* ko·mér
mangue *mango* m mann·go

manifestation *manifestación* f
ma·ni·fés·ta·Syonn
manquer (sentimental) *echar de menos*
é·tchar dé mé·nos
manteau *abrigo* m a·bri·go
maquillage *maquillaje* m ma·ki·lya·Rhé
marchand de légumes (magasin)
verdulería f bér·dou·lé·ri·a • (personne)
verdulero/a m/f bér·dou·lé·ro/a
marché *mercado* m mér·ka·do
marcher *caminar* ka·mi·nar
marée *marea* f ma·ré·a
margarine *margarina* f mar·ga·ri·na
mari *marido* m ma·ri·do
mariage *matrimonio* m ma·tri·mo·nyo •
cadeau de mariage *regalo* m *de bodas*
ré·ga·lo dé bo·das
marier, se *casarse* ka·sar·sé
marmelade *mermelada* f mér·mé·la·da
marquer *marcar* mar·kar
marron *marrón* ma·ronn
marteau *martillo* m mar·ti·lyo
massage *masaje* m ma·sa·Rhé
masseur/masseuse *masajista* m et f
ma·sa·Rhis·ta
matelas *colchón* m kol·tchonn
maternelle, école *escuela* f *de párvulos*
és·kwé·la dé par·bou·los
matin (6h-13h) *mañana* f ma·nya·na
mauvais(e) *malo/a* m/f ma·lo/a
mayonnaise *mayonesa* f ma·yo·né·sa
mécanicien(ne) *mecánico/a* m/f
mé·ka·ni·ko
médecine *medicina* f mé·di·Si·na
médias *medios* m pl *de comunicación*
mé·dyos dé ko·mou·ni·ka·Syonn
mendiant(e) *mendigo/a* m/f mén·di·go/a
menuisier *carpintero/a* m/f
kar·pinn·té·ro/a
meilleur *mejor* mé·Rhor
mélanger *mezclar* méS·klar
mélodie *melodía* f mé·lo·di·a
melon *melón* m mé·lonn

membre *miembro* m myém·bro

menstruation *menstruación* f méns·trwa·*Syonn*

menteur/menteuse *mentiroso/a* m/f mén·ti·*ro*·so/a

menthe *menta* f mén·ta

menu *menú* m mé·*nou*

mer *mar* m mar

mère *madre* f ma·dré • belle-mère *suegra* f swé·gra

merveilleux/merveilleuse *maravilloso/a* m/f ma·ra·bi·*lyo*·so/a

message *mensaje* m mén·sa·Rhé

messe *misa* f mi·sa

métal *metal* m mé·*tal*

mètre *metro* m mé·tro

métro *metro* m mé·tro • station de métro *estación* f *de metro* és·ta·*Syonn* dé mé·tro

meubles *muebles* m pl mwé·blés

micro-ondes *microondas* m mi·kro·*onn*·das

midi *mediodía* m mé·dyo·*di*·a

miel *miel* f myél • lune de miel *luna* f *de miel* lou·na dé myél

mieux *mejor* mé·*Rhor*

mignon(ne) *bonito/a* m/f bo·*ni*·to/a

migraine *migraña* f mi·*gra*·nya

millimètre *milímetro* m mi·*li*·mé·tro

million *millón* m mi·*lyonn*

mince *delgado/a* m/f dél·*ga*·do/a

minuscule *pequeñito/a* m/f pé·ké·*nyi*·to/a

minuit *medianoche* f mé·dya·*no*·tché

minute *minuto* m mi·*nou*·to

miroir *espejo* m és·*pé*·Rho

missel *devocionario* m dé·bo·Syo·*na*·ryo

modem *módem* m mo·dém

moi *yo* yo

moins *menos* mé·nos

mois *mes* m més

molaire *muela* f mwé·la

mon/ma *mi* mi

monde *mundo* m moun·do

monnaie *cambio* m kamm·byo

monastère *monasterio* m mo·nas·*té*·ryo

mononucléose infectieuse *fiebre* f *glandular* fyé·bré glann·dou·*lar*

montagne *montaña* f monn·*ta*·nya • chaîne de montagnes *cordillera* f kor·di·*lyé*·ra

monter *subir* sou·*bir*

montre *reloj* m *de pulsera* ré·*loRh* dé poul·sé·ra

montrer *mostrar* mos·*trar* • enseñar én·sé·*nyar*

monument *monumento* m mo·nou·*mén*·to

moquer, se *burlarse de* bour·*lar*·sé dé

morceau *pedazo* m pé·*da*·So

morsure *mordedura* f mor·dé·*dou*·ra

mort(e) *muerto/a* m/f mwér·to/a

mosquée *mezquita* f méS·*ki*·ta

mot *palabra* f pa·*la*·bra

moteur *motor* m mo·*tor*

moto *motocicleta* f mo·to·Si·*klé*·ta

mouchoirs en papier *pañuelos* m pl *de papel* pa·*nywé*·los dé pa·*pél*

mouillé(e) *mojado/a* m/f mo·*Rha*·do/a

moules *mejillones* m pl mé·Rhi·*lyo*·nés

mourir *morir* mo·*rir*

moustique *mosquito* m mos·*ki*·to

moustiquaire *mosquitera* f mos·ki·*té*·ra

moutarde *mostaza* f mos·*ta*·Sa

muesli *muesli* m mwés·li

muet(te) *mudo/a* m/f mou·do/a

mur (intérieur) *pared* f pa·ré

murailles *murallas* f pl mou·*ra*·lyas

muscle *músculo* m mous·kou·lo

musée *museo* m mou·sé·o

musicien(ne) *músico/a* m/f mou·si·ko/a

musique *música* f mou·si·ka

musulman(e) *musulmán/musulmána* m/f mou·soul·*mann*/mou·soul·ma·na

N

nager *nadar* na·*dar*
nappe *mantel* m mann·*tél*
nationalité *nacionalidad* f
  na·Syo·na·li·*da*
natte (de plage) *esterilla* f és·té·*ri*·lya
nature *naturaleza* f na·tou·ra·*lé*·Sa
naturopathie *naturopatia* f
  na·tou·ro·*pa*·tya
nausée *náusea* f naou·sé·a • nausées de
  grossesse *náuseas* f pl *del embarazo*
  naou·sé·as dél ém·ba·*ra*·So
nécessaire *necesario/a* m/f
  né·Sé·*sa*·ryo/a
nécessiter *necesitar* né·Sé·si·*tar*
neige *nieve* f nyé·*bé*
nez *nariz* f na·*riS*
nier *negar* né·*gar*
Noël *Navidad* f na·bi·*da* • (nuit de)
  Nochebuena f no·tché·*bwé*·na
noir(e) *negro/a* m/f né·gro/a
  — et blanc *blanco y negro* blann·ko
  i né·gro
noix *nueces* f pl nwé·Sés
  — de cajou *anacardo* m a·na·*kar*·do
  — de coco *coco* m ko·ko
nom *nombre* m nomm·bré
  — de famille *apellido* m a·pé·*lyi*·do
nombreux/nombreuses *muchos/as* m/f
  pl mou·tchos/as
non *no* no
  — plus *tampoco* tamm·po·ko
nonne *monja* f monn·Rha
nord *norte* m nor·té
notre *nuestro/a* m/f nwés·tro/a
nous *nosotros/nosotras* m/f no·so·tros/
  no·so·tras
nouveau/nouvelle *nuevo/a* m/f
  nwé·bo/a
Nouvel An *Año Nuevo* m a·nyo
  nwé·bo • (réveillon du) *Nochevieja* f
  no·tché·byé·Rha

nourrir *dar de comer* dar dé ko·*mér*
nourriture *comida* f ko·*mi*·da
  — pour bébé *comida* f *de bebé*
  ko·*mi*·da dé bé·*bé*
nouvelles (informations) *noticias* f pl
  no·*ti*·Syas
nuage *nube* f nou·*bé*
nuageux *nublado* nou·*bla*·do
nucléaire *nuclear* nou·klé·*ar* • déchets
  nucléaires *desperdicios* m pl *nucleares*
  dés·pér·*di*·Syos nou·klé·*a*·rés • énergie
  nucléaire *energía* f *nuclear* é·nér·*Rhi*·a
  nou·klé·*ar* • essais nucléaires *pruebas* f
  pl *nucleares* prwé·bas nou·klé·*a*·rés
nuit *noche* f no·tché
numéro *número* m nou·mé·ro
  — de la chambre *número* m *de
  la habitación* nou·mé·ro dé la
  a·bi·ta·*Syonn*

O

objectif *objetivo* m ob·Rhé·*ti*·bo
objets trouvés, bureau des *oficina* f
  de objetos perdidos o·fi·*Si*·na dé
  ob·Rhé·tos pér·*di*·dos
obscur(e) *oscuro/a* m/f os·kou·ro/a
occasion, d' *de segunda mano* dé
  sé·*goun*·da *ma*·no
occupé(e) *ocupado/a* m/f
  o·kou·*pa*·do/a
occuper, s' (de) *cuidar de* kwi·*dar* dé
océan *océano* m o·Sé·a·no
odeur *olor* m o·lor
œil *ojo* m o·Rho • gouttes pour les yeux
  gotas f pl *para los ojos* go·tas *pa*·ra
  los o·Rhos
œuf *huevo* m wé·bo
œuvre *obra* f o·bra
office du tourisme *oficina* f *de turismo*
  o·fi·*Si*·na dé tou·*ris*·mo
offrir *regalar* ré·ga·*lar*
oignon f *cebolla* Sé·bo·lya

oiseau *pájaro* m pa·Rha·ro

ombre *sombra* f somm·bra

opéra *ópera* f o·pé·ra • (théâtre) *teatro* m *de la ópera* té·a·tro de la o·pé·ra

opérateur/opératrice *operador/ operadora* m/f o·pé·ra·dor/ o·pé·ra·do·ra

opération *operación* f o·pé·ra·Syonn

opinion *opinión* f o·pi·nyonn

opportunité *oportunidad* f o·por·tou·ni·da

orage *tormenta* f tor·ménn·ta

orange (fruit ou couleur) *naranja* f na·rann·Rha

orchestre *orquesta* f or·kés·ta

ordinaire *corriente* ko·ryén·té

ordinateur *ordenador* m or·dé·na·dor
— portable m *portátil* or·dé·na·dor por·ta·til

ordonner *ordenar* or·dé·nar

ordre *orden* m or·dén

oreille *oreja* f o·ré·Rha • boucles d'oreilles *pendientes* m pl pén·dyén·tés • bouchons d'oreilles *tapones* m pl *para los oídos* ta·po·nés pa·ra los o·i·dos

oreiller *almohada* f al·mwa·da • taie d'oreiller *funda* f *de almohada* foun·da dé al·mwa·da

orgasme *orgasmo* m or·gas·mo

original *original* o·ri·Rhi·nal

orteil *dedo* m *del pie* dé·do dél pyé

os *hueso* m wé·so

ou *o* o

où *donde* donn·dé

oublier *olvidar* ol·bi·dar

ouest *oeste* m o·és·té

oui *sí* si

ouvert(e) *abierto/a* m/f a·byér·to/a

ouvre-boîte *abrelatas* m a·bré·la·tas

ouvrier/ouvrière *obrero/a* m/f o·bré·ro/a

ouvrir *abrir* a·brir

oxygène *oxígeno* m o·ksi·Rhé·no

ozone, couche d' *capa* f *de ozono* ka·pa dé o·So·no

P

pacemaker *marcapasos* m mar·ka·pa·sos

page *página* f pa·Rhi·na

paiement *pago* m pa·go

pain *pan* m pann • petit pain *bollo* bo·lyo
— au levain *pan de masa fermentada* pann dé ma·sa fér·ménn·ta·da
— blanc *pan blanco* pann blann·ko
— complet *integral* inn·té·gral
— de seigle *pan de centeno* pann dé Sén·té·no
— noir *pan moreno* pann mo·ré·no

paix *paz* f paS

palais *palacio* m pa·la·Syo

pamplemousse *pomelo* m po·mé·lo

panier *canasta* f ka·nas·ta

pansements *tiritas* f pl ti·ri·tas

pantalon *pantalones* m pl pann·ta·lo·nés

papa *papá* m pa·pa

paperasse *trabajo* m *administrativo* tra·ba·Rho ad·mi·nis·tra·ti·bo

papier *papel* m pa·pél
— à cigarettes *papel* m *de fumar* pa·pél dé fou·mar
— toilettes *papel* m *higiénico* pa·pél i·Rhyé·ni·ko

papillon *mariposa* f ma·ri·po·sa

Pâques *Pascua* f pas·kwa

paquet *paquete* m pa·ké·té

par (jour) *por (día)* por (di·a)

parachutisme *paracaidismo* m pa·ra·kay·dis·mo
— ascensionnel *esquí* m *acuático con paracaídas* és·ki a·kwa·ti·ko konn pa·ra·ka·i·das

paraplégique *parapléjico/a* m/f pa·ra·plé·Rhi·ko/a

parapluie *paraguas* m pa·ra·gwas

parc *parque* m par·ké

— national *parque* m *nacional* par·ké
na·Syo·nal

parce que *porque* por·ké

pardonner *perdonar* pér·do·nar

pare-brise *parabrisas* m pa·ra·bri·sas

pareil *igual* i·gwal

parents *padres* m pl pa·drés

parfois *de vez en cuando* dé béS én
kwann·do

parfum *perfume* m pér·fou·mé

pari *apuesta* f a·pwés·ta

parking *aparcamiento* m
a·par·ka·myén·to

parlement *parlamento* m par·la·mén·to

parler *hablar* a·blar

part *parte* f par·té

partager (avec) *compartir* komm·par·tir

partager (un dortoir) *compartir (un
dormitorio)* komm·par·tir (oun
dor·mi·to·ryo)

parti *partido* m par·ti·do

partiel, à temps *a tiempo parcial* a
tyém·po par·Syal

partir de *salir de* sa·lir dé

pas *paso* m pa·so

pass *pase* m pa·sé

passage pour piétons *paso de cebra*
pa·so dé Sé·bra

passager/passagère *pasajero/a* m/f
pa·sa·Rhé·ro

passé *pasado* m pa·sa·do

passeport *pasaporte* m pa·sa·por·té

pastèque f *sandía* sann·di·a

pastilles (à la menthe) *pastillas* f pl *(de
menta)* pas·ti·lyas (dé mén·ta)

pâte *pasta* f pas·ta

pâté *paté* m pa·té

pâtisserie *pastelería* f pas·té·lé·ri·a

pauvre *pobre* po·bré

pauvreté *pobreza* f po·bré·Sa

payer *pagar* pa·gar

pays *país* m pa·is

PCV, appel en *llamada* f *a cobro revertido*
lya·ma·da a ko·bro ré·bér·ti·do

peau *piel* f pyél

pêche (activité) *pesca* f pés·ka

pêche (fruit) *melocotón* m mé·lo·ko·tonn

pédale *pedal* m pé·dal

peigne *peine* m péy·né

peindre *pintar* pinn·tar

peintre *pintor/pintora* m/f pinn·tor/
pinn·to·ra

peinture *pintura* f pinn·tou·ra

pellicule couleur *película* f *en color*
pé·li·kou·la én ko·lor

penser *pensar* pén·sar

pension *pensión* f pén·syonn

pénurie *escasez* f és·ka·séS

perdre *perder* pér·dér

perdu(e) *perdido/a* m/f pér·di·do/a

père *padre* m pa·dré • beau-père *suegro*
m swé·gro

périmé(e) *pasado/a* m/f pa·sa·do/a

permettre *permitir* pér·mi·tir

permis *permiso* m pér·mi·so

— de conduire *carnet* m *de conducir*
kar·né dé konn·dou·Sir

— de travail *permiso* m *de trabajo*
pér·mi·so dé tra·ba·Rho

permission *permiso* m pér·mi·so

persil *perejil* m pé·ré·Rhil

personne *persona* f pér·so·na

peser *pesar* pé·sar

petit(e) *pequeño/a* m/f pé·ké·nyo/a

— -ami(e) *novio/a* m/f no·byo/a

— -déjeuner *desayuno* m dés·a·you·no

— -fils/fille *nieto/a* m/f nyé·to/a

— pain *bollo* bo·lyo

pétition *petición* f pé·ti·Syonn

peu *poco* po·ko

peut-être *quizás* ki·Sas

phares *faros* m pl fa·ros

pharmacie *farmacia* f far·ma·Sya

pharmacien(ne) *farmacéutico/a* m/f
far·ma·Sé·ou·ti·ko/a

photo *foto* f fo·to

photographe *fotógrafo/a* m/f
fo·to·gra·fo/a • (magasin) *tienda* f *de
fotografía* tyén·da dé fo·to·gra·fí·a

photographie *fotografía* f fo·to·gra·fí·a

pic *piqueta* f pi·ké·ta

pièces (de monnaie) *monedas* f pl
mo·né·das

pied *pie* m pyé

pierre *roca* f ro·ka • *piedra* f pyé·dra

piéton(ne) *peatón* m et f pé·a·tonn

piolet *piolet* m pyo·lé

pile *pila* f pi·la

pilule *pastilla* f pas·tí·lya • contraceptif
píldora f píl·do·ra • pilules pour
dormir *pastillas* f pl *para dormir*
pas·tí·lyas pa·ra dor·mir

piment *guindilla* f ginn·dí·lya

pinces à linge *pinzas* f pl pinn·Sas

ping-pong *ping pong* m pinng ponng

pique-nique *comida* f *en el campo*
ko·mi·da én él kamm·po

piqûre *inyección* f inn·yék·Syonn •
(d'insecte) *picadura* f pi·ka·dou·ra

piscine *piscina* f pis·Sí·na

pistache *pistacho* m pis·ta·tcho

place (principale) *plaza* f *(mayor)* f
pla·Sa ma·yor

plage *playa* f pla·ya

plaindre, se *quejarse* ké·Rhar·sé

plaire *gustar(le)* gous·tar(lé)

planche à voile *windsurf* winn·sourf

planche de surf *tabla de surf* f ta·bla
dé sourf

planète *planeta* m pla·né·ta

plante *planta* f plann·ta

planter *sembrar* sém·brar

plat(e) *llano/a* m/f lya·no/a

plate-forme *plataforma* f pla·ta·for·ma

plaisanter *bromear* bro·mé·ar

plastique *plástico* m plas·ti·ko

plateau *meseta* f mé·sé·ta

plein(e) *lleno/a* m/f lyé·no/a

plomb *plomo* m plo·mo • sans plomb *sin
plomo* sinn plo·mo

plongée *submarinismo* m
soub·ma·ri·nís·mo • matériel de
plongée *equipo* m *de inmersión* m
é·ki·po dé i·mér·syonn

plongée avec tuba *buceo* m bou·Sé·o

plonger *bucear* bou·Sé·ar

pluie *lluvia* f lyou·bya

plusieurs *varias/os* m/f ba·ryas/os

pneu *neumático* m né·ou·ma·ti·ko

poche *bolsillo* m bol·sí·lyo

poêle (chauffage) *estufa* f és·tou·fa

poêle à frire *sartén* f sar·tén

poésie *poesía* f po·é·sí·a

poids *peso* m pé·so • (sur une balance)
pesas f pl pé·sas

poignet *muñeca* f mou·nyé·ka

poil *pelo* m pé·lo

point *punto* m poun·to

pointer *apuntar* a·poun·tar

poire *pera* f pé·ra

poireau *puerro* m pwé·ro

pois *guisantes* m pl gi·sann·tés
— chiches *garbanzos* m pl
gar·bann·Sos

poisson (animal) *pez* m péS • (à manger)
pescado m pés·ka·do

poissonnerie *pescadería* f pés·ka·dé·rí·a

poitrine *pecho* m pé·tcho

poivre *pimienta* f pi·myén·ta

poivron (rouge/vert) *pimiento* m *rojo/
verde* pi·myén·to ro·Rho/bér·dé

poker *póquer* m po·kér

police *policía* f po·li·Sí·a

police (d'assurance) *póliza* f po·li·Sa

politicien *político* m po·lí·ti·ko

politique *política* f po·lí·ti·ka

pollen *polen* m po·lén

pollution *contaminación* f
konn·ta·mi·na·Syonn

pomme *manzana* f mann·Sa·na
— de terre *patata* f pa·ta·ta

pompe *bomba* f *bomm*·ba

pont *puente* m *pwén*·té

porc *cerdo* m *Sér*·do

port *puerto* m *pwér*·to

porte *puerta* f *pwér*·ta

portefeuille *cartera* f *kar*·té·ra

porter *llevar* lyé·*bar*

porto *oporto* m o·*por*·to

poser *poner* po·*nér*

possible *posible* po·si·*blé*

poste, bureau de correos m ko·*ré*·os •
    code postal *código postal* m ko·di·go
    pos·*tal*

poster (décoration) *póster* m pos·*tér*

pot (pour une plante) *tiesto* m *tyés*·to

pot-de-vin *soborno* m so·*bor*·no

pot d'échappement *tubo* m *de escape*
    tou·bo dé és·*ka*·pé

poterie *alfarería* f al·fa·ré·*ri*·a

poubelle *basura* f ba·*sou*·ra

poulet *pollo* m po·lyo

poumons *pulmones* m pl poul·*mo*·nés

poupée *muñeca* f mou·*nyé*·ka

populaire *popular* po·pou·*lar*

pour cent *por ciento* por Syén·to

pourboire *propina* f pro·*pi*·na

pourquoi *por qué* por ké

pousser *empujar* ém·pou·*Rhar*

pouvoir *poder* m po·*dér*

poux *piojos* m pl pyo·Rhos

précieux/précieuse *valioso/a* m/f
    ba·*lyo*·so/a

préférer *preferir* pré·fé·*rir*

prémenstruel, syndrome *tensión* f
    premenstrual tén·syonn
    pré·méns·*trwal*

premier/première *primero/a* m/f
    pri·*mé*·ro/a

Premier ministre *primer ministro/*
    primera ministra m/f pri·*mér*
    mi·*nis*·tro/pri·*mé*·ra mi·*nis*·tra

prendre (le train) *tomar* to·*mar*

prendre (une photo) *sacar* sa·*kar*

prénom *nombre* m *de pila* nomm·bré
    dé *pi*·la

préparer *preparar* pré·pa·*rar*

près *cerca* Sér·ka

préservatifs *condones* m pl konn·*do*·nés

président(e) *presidente/a* m/f
    pré·si·*dén*·té/a

presque *casi* ka·si

pression *presión* f pré·*syonn*
    — artérielle *presión* f *arterial* pré·syonn
    ar·té·*ryal*

prêt(e) *listo/a* m/f lis·to/a

prêtre *sacerdote* m sa·Sér·do·té

prévenir *prevenir* pré·bé·*nir*

prière *oración* f o·ra·*Syonn*

principal *principal* prinn·Si·*pal*

printemps *primavera* f pri·ma·*bé*·ra

prison *cárcel* f *kar*·Sél

prisonnier/prisonnière *prisionero/a* m/f
    pri·syonn·*né*·ro/a

privé(e) *privado/a* m/f pri·*ba*·do/a

prix *precio* m *pré*·Syo

prochain *próximo* prok·si·mo

proche *cerca* Sér·ka

produire *producir* pro·dou·*Sir*

professeur *profesor/profesora* m/f
    pro·fé·sor/pro·fé·*so*·ra

profond(e) *profundo/a* m/f pro·*foun*·do/a

programme *programa* m pro·*gra*·ma

projecteur *proyector* m pro·yék·*tor*

prolongation (visa) *prolongación* f
    pro·lonn·ga·*Syonn*

promenade *paseo* m pa·*sé*·o

promesse *promesa* f pro·*mé*·sa

propre *limpio/a* m/f limm·pyo/a

propreté *limpieza* f limm·*pyé*·Sa

propriétaire *propietario/propietaria*
    m/f pro·pyé·*ta*·ryo/pro·pyé·*ta*·rya •
    dueño/a m/f dwé·nyo/a

protège-slip *salvaslip* m sal·ba·é·*slip*

protégée (espèce) *protegido/a* m/f
    pro·té·*Rhi*·do/a

protéger *proteger* pro·té·*Rhér*

protestation *protesta* f pro-*tés*-ta
protester *protestar* pro-tés-*tar*
provisions *provisiones* f pl
    pro-bi-syo-nés
prudent *prudente* prou-*dén*-té
prune *ciruela* Si-*rwé*-la
pruneau *ciruela* f *pasa* Si-*rwé*-la *pa*-sa
pub *pub* m poub
publicité *anuncio* m a-*noun*-Syo
puce *pulga* f *poul*-ga
puits *pozo* m po-So
pull-over *jersey* m Rhér-*say*
punir *castigar* kas-ti-*gar*
pur(e) *puro/a* m/f *pou*-ro/a

Q

qualifications *cualificaciones* f pl
    kwa-li-fi-ka-*Syo*-nés
qualité *calidad* f ka-li-*da*
quand *cuando* kwann-do
quarantaine *cuarentena* f kwa-rén-*té*-na
quart *cuarto* m *kwar*-to
quartier *barrio* m *ba*-ryo
quelque *alguno/a* m/f al-*gou*-no/a
    — chose *algo* al-go
quelqu'un *alguien* al-*gyén*
querelle *pelea* f pé-*lé*-a
question *pregunta* f pré-*goun*-ta
queue *rabo* m *ra*-bo • *cola* f *ko*-la
qui *quien* kyén
quincaillerie *ferretería* f fé-ré-té-*ri*-a
quinzaine *quincena* f kinn-*Sé*-na
quitter *dejar* dé-*Rhar*
quotidiennement *diariamente*
    dya-rya-*mén*-té

R

race *raza* f *ra*-Sa
raconter *contar* konn-*tar*
radiateur *radiador* m ra-dya-*dor*
radin *tacaño/a* m/f ta-*ka*-nyo/a

radis *rábano* m *ra*-ba-no
rafraîchissement *refresco* m ré-*frés*-ko
rafting *rafting* m rahf-tinn
raifort *rábano* m *picante* ra-ba-no
    pi-*kann*-té
raisin *uva* f *ou*-ba
    — sec *uva* f *pasa* ou-ba *pa*-sa
raison *razón* f ra-*Sonn*
rame *remo* m *ré*-mo
randonnée *excursionismo* m
    éks-kour-syo-*nis*-mo • chaussures de
    randonnée *botas* f pl *de montaña*
    bo-tas dé monn-*ta*-nya • chemins
    de randonnée *caminos* m pl *rurales*
    ka-*mi*-nos rou-*ra*-lés
rapide *rápido/a* m/f *ra*-pi-do/a
raquette *raqueta* f ra-*ké*-ta
rare *raro/a* m/f *ra*-ro/a
raser, se *afeitarse* a-féy-*tar*-sé
rasoir *afeitadora* f a-féy-ta-*do*-ra • lames
    de rasoir *cuchillas* f pl *de afeitar*
    kou-*tchi*-lyas dé a-féy-*tar*
rat *rata* f *ra*-ta
réaliser (se rendre compte) *darse cuenta*
    de dar-sé *kwén*-ta dé
réaliste *realista* ré-a-*lis*-ta
récemment *recientemente*
    ré-Syén-té-*mén*-té
recevoir *recibir* ré-Si-*bir*
recommander *recomendar* ré-ko-mén-*dar*
reconnaître *reconocer* ré-ko-no-*Sér*
récolte *cosecha* f ko-sé-*tcha*
reçu *recibo* m ré-*Si*-bo
recyclable *reciclable* ré-Si-*kla*-blé
recycler *reciclar* ré-Si-*klar*
références *referencias* f pl ré-fé-rén-Syas
réfrigérateur *nevera* f né-*bé*-ra • *frigerífico*
    m fri-gé-ri-fi-ko
réfugié(e) *refugiado/a* m/f
    ré-fou-*Rhya*-do/a
refuser *negar* né-*gar*
regarder *mirar* mi-*rar*
régime *régimen* m ré-Rhi-mén

règles *reglas* f pl *ré·glas* • douleurs menstruelles *dolor* m *menstrual* do·*lor* méns·*trwal*

regretter *lamentar* la·mén·*tar*

reine *reina* f *réy*·na

relation *relación* f ré·la·*Syonn*

religieux/religieuse *religioso/a* m/f ré·li·*Rhyo*·so/a

religion *religión* f ré·li·*Rhyonn*

relique *reliquia* f ré·*li*·kya

remboursement *reembolso* m ré·ém·*bol*·so

rembourser *reembolsar* ré·ém·bol·*sar*

remercier *dar gracias* dar *gra*·Syas

remise *descuento* m dés·kwén·to

remplir *llenar* lyé·*nar*

rencontrer *encontrar* én·konn·*trar*

rendez-vous *cita* f *Si*·ta

rendre compte de, se *darse cuenta de dar*·sé kwén·ta dé

réparer *reparar* ré·pa·*rar*

répéter *repetir* ré·pé·*tir*

répondeur automatique *contestador* m *automático* konn·tés·ta·*dor* aou·to·*ma*·ti·ko

réponse *respuesta* f rés·pwés·ta

repos *descanso* m dés·*kann*·so

reposer, se *descansar* dés·kann·*sar*

république *república* f ré·*pou*·bli·ka

réseau *red* f réd

réservation *reserva* f ré·*sér*·ba

réserver *reservar* ré·sér·*bar*

résider *alojarse* a·lo·*Rhar*·sé

respirer *respirar* rés·pi·*rar*

ressort *muelle* m mwé·lyé

restaurant *restaurante* m rés·taou·*rann*·té

rester *quedar* ké·*dar*

retard *demora* f dé·*mo*·ra

retraité(e) *pensionista* m et f pén·syo·*nis*·ta • *jubilado/a* m/f Rhou·bi·*la*·do/a

réveille-matin *despertador* m dés·pér·ta·*dor*

rêver *soñar* so·*nyar*

revenir *volver* bol·*bér*

réviser *revisar* ré·bi·*sar*

rhum *ron* ronn

rhume *resfriado* m rés·fri·*a*·do

riche *rico/a* m/f *ri*·ko/a

rien *nada* na·da

rire *reírse* ré·*ir*·sé

risque *riesgo* m *ryés*·go

rivière *río* m *ri*·o

riz *arroz* m a·*roS*

robe *vestido* m bés·*ti*·do

robinet *grifo* m *gri*·fo

rock *rock* m rok

roi *rey* m réy

romantique *romántico/a* m/f ro·*mann*·ti·ko/a

rond(e) *redondo/a* m/f ré·*donn*·do/a

rond-point *glorieta* f glo·*ryé*·ta

rose *rosa* ro·sa

roue *rueda* f rwé·da

rouge *rojo/a* m/f ro·*Rho*/a
 — à lèvres *pintalabios* m *pinn*·ta *la*·byos

rougeole *sarampión* m sa·ramm·*pyonn*

route *carretera* f ka·ré·té·ra

rue *calle* f ka·lyé

rugby *rugby* m *roug*·bi

ruines *ruinas* f pl *rwi*·nas

ruisseau *arroyo* m a·ro·yo

rythme *ritmo* m *rit*·mo

S

sable *arena* f a·*ré*·na

sac *bolso* m *bol*·so
 — à dos *mochila* f mo·*tchi*·la
 — de couchage *saco* m *de dormir sa*·ko dé dor·*mir*

saigner *sangrar* sann·*grar*

saillie *saliente* m sa·*lyén*·té

saint(e) *santo/a* m/f *sann·to/a*

saison *estación* f és·ta-*Syonn* • (en sport) *temporada* f *tém·po·ra·da*

salaire *salario* m sa·*la·ryo* • *sueldo* m *swél·do*

sale *sucio/a* m/f *sou·Syo/a*

salle d'attente *sala* f *de espera* sa·la dé és·*pé·ra*

salle de bains *baño* m *ba·nyo*

salle de transit *sala* f *de tránsito* sa·la dé *trann·si·to*

salon de beauté *salón* m *de belleza* sa·*lonn* dé bé·lyé·Sa

sandales *sandalias* f pl sann-*da·lyas*

sang *sangre* f sann-gré

sans *sin* sinn
— -abri *sin hogar* sinn o·*gar*
— emploi *en el paro* én él *pa·ro*
— plomb *sin plomo* sinn *plo·mo*

santé *salud* f sa·*lou*

sardines (pour une tente) *piquetas* f pl pi·*ké·tas*

sauce *salsa* f *sal·sa*
— soja *salsa* f *de soja* sal·sa dé so·*Rha*
— tomate *salsa* f *de tomate* sal·sa dé to·*ma·té*

saucisse *salchicha* f sal·*tchi·tcha*

saumon *salmón* m sal·*monn*

sauna *sauna* f *saou·na*

sauter *saltar* sal·*tar*

sauver *salvar* sal·*bar*

savoir *saber* sa·*bér*

savon *jabón* m Rha·*bonn*

savoureux/savoureuse *sabroso/a* m/f sa·*bro·so/a*

scène *escenario* m és·Sé·na·ryo

science *ciencia* f *Syén·Sya*

scientifique *científico/a* m/f *Syén·ti·fi·ko/a*

salad(e) *ensalada* f én·sa·*la·da*

script *guión* m gi·*onn*

sculpture *escultura* f és·koul·*tou·ra*

seau *cubo* m *kou·bo*

sécher *secar* sé·*kar*

second(e) *segundo/a* m/f sé·*goun·do/a*

seconde *segundo* m sé·*goun·do*

secrétaire *secretario/a* m/f sé·kré·*ta·ryo/a*

seins *senos* m pl sé·nos

sel *sal* f sal

self-service *autoservicio* m aou·to·sér·*bi·Syo*

selle *sillín* m si·*lyinn*

Semaine sainte *Semana* f *Santa* sé·*ma·na* sann·ta

sensibilité *sensibilidad* f sén·si·bi·li·*da*

sensuel(le) *sensual* sén·*swal*

sentier *sendero* m sén·*dé·ro*

sentiments *sentimientos* m pl sén·ti·*myén·*tos

sentir (un sentiment) *sentir* sén·*tir* • (une odeur) *oler* o·*lér*

séparé(e) *separado/a* m/f sé·pa·*ra·do/a*

séparer *separar* sé·pa·*rar*

série télévisée *serie* f sé·*ryé*

sérieux/sérieuse *serio/a* m/f sé·*ryo/a*

seringue *jeringa* f Rhé·*rinn·ga*

séropositif/séropositive *seropositivo/a* m/f sé·ro·po·si·*ti·bo/a*

serpent *serpiente* f sér·*pyén·té*

serré(e) *apretado/a* m/f a·pré·*ta·do/a*

serrure *cerradura* f Sé·ra·*dou·ra*

serveur/serveuse *camarero/a* m/f ka·ma·*ré·ro/a*

service militaire *servicio* m *militar* sér·*bi·*Syo mi·li·*tar*

serviette(table) *servilleta* f sér·bi·*lyé·ta* • (salle de bains) *toalla* f to·*a·lya*
— hygiénique *compresa* f komm·*pré·sa*

seul(e) *solo/a* m/f so·lo/a

seulement *sólo* so·lo

sexe *sexo* m sé·kso

sexy *sexy* sé·ksi

shampoing *champú* m tchamm·*pou*

shooter *dar una patada* dar ou·na pa·*ta·da*

shorts *pantalones* m pl *cortos* pann·ta·*lo*·nés

si *si* si

sida *sida* m *si*·da

siège *asiento* m a·*syén*·to
— de sécurité pour bébé *asiento* m *de seguridad para bebés* a·*syén*·to dé sé·gou·*ri*·da *pa*·ra bé·*bés*

signal *señal* f sé·*nyal*

signature *firma* f *fir*·ma

signer *firmar* fir·*mar*

similaire *similar* si·mi·*lar*

simple *sencillo/a* m/f sén·*Si*·lyo/a

sirop *jarabe* m Rha·*ra*·bé

skate-board *monopatinaje* m mo·no·pa·ti·*na*·Rhé

ski *esquí* m és·*ki*
— nautique *esquí* m *acuático* és·*ki* a·*kwa*·ti·ko

skier *esquiar* és·ki·*ar*

slip (homme) *calzoncillos* m pl kal·Sonn·*Si*·lyos

snorkeling *buceo* m bou·*Sé*·o

snow-board *surf* m *sobre la nieve* sourf *so*·bré la *nyé*·bé

socialiste *socialista* m et f so·Sya·*lis*·ta

sœur *hermana* f ér·*ma*·na

soie *seda* f *sé*·da

soif *sed* f sé

soir *noche* f no·*tché*

soja, sauce *salsa* f *de soja* *sal*·sa dé *so*·Rha

sol *suelo* m swé·lo

soldat *soldado* m sol·*da*·do

soleil *sol* m sol • lever du soleil *amanecer* m a·ma·né·*Sér* • coucher du soleil *puesta* f *del sol* pwés·ta dél sol • crème solaire *crema* f *solar* kré·ma so·*lar* • coup de soleil *quemadura* f *de sol* ké·ma·*dou*·ra dé sol

sombre *oscuro/a* m/f os·kou·ro/a

sommeil, avoir (tener) *sueño* (té·*nér*) swé·nyo

sommet *cumbre* f koum·bré

son *su* sou

sondage *sondeo* m sonn·*dé*·o

sortie *salida* f sa·*li*·da

sortir avec (quelqu'un) *salir con* sa·*lir* konn

soûl *borracho/a* m/f bo·ra·tcho/a

soudoyer *sobornar* so·bor·*nar*

souffrir *sufrir* sou·*frir*

soupe *sopa* f so·pa

sourd(e) *sordo/a* m/f sor·do/a

sourire *sonreír* sonn·ré·ir

souris *ratón* m ra·*tonn*

sous *abajo* a·*ba*·Rho
— -titres *subtítulos* m pl soub·*ti*·tou·los
— -vêtements *ropa interior* f ro·pa inn·té·*ryor*

soutien-gorge *sujetador* m sou·Rhé·ta·*dor*

souvenir *recuerdo* m ré·*kwér*·do

souvenir, se *recordar* ré·kor·*dar*

souvent *a menudo* a mé·*nou*·do

spécial *especial* és·pé·*Syal*

spécialiste *especialista* m et f és·pé·Sya·*lis*·ta

spectacle *espectáculo* m és·pék·*ta*·kou·lo

sport *deporte* m dé·*por*·té

sportif *deportista* m et f dé·por·*tis*·ta

stade *estadio* m és·*ta*·dyo

station *estación* f és·ta·*Syonn*
— -service *gasolinera* f ga·so·li·né·*ra*
— de métro *estación* f *de metro* és·ta·*Syonn* dé *mé*·tro
— de taxis *parada* f *de taxis* pa·*ra*·da dé *tak*·sis

statue *estatua* f és·*ta*·twa

stérilet *DIU* m dé i ou

stop, faire du *hacer dedo* a·*Sér* dé·do

studio *estudio* m és·*tou*·dyo

stupide *estúpido/a* m/f és·*tou*·pi·do/a

style *estilo* m és·*ti*·lo

stylo *bolígrafo* m bo·*li*·gra·fo

succursale *sucursal* f sou·kour·*sal*

sucre *azúcar* m a·Sou·kar

sucré *dulce* doul·Sé

sucreries *dulces* m pl doul·Sés

sud *sur* m sour

suer *sudar* sou·dar

suffisant(e) *suficiente* m/f sou·fi·Syén·té

Suisse (pays) *Suiza* f soui·Sa •
(nationalité)

suivre *seguir* sé·gir

super *cojonudo/a* m/f ko·Rho·nou·do/a

supermarché *supermercado* m
sou·pér·mér·ka·do

superstition *superstición* f
sou·pérs·ti·Syonn

supporters *hinchas* m et f pl inn·tchas

sur *sobre* so·bré • *en* én

sûr(e) *seguro/a* m/f sé·gou·ro/a

surf, planche de *tabla de surf* f ta·bla
dé sourf

surfer *hacer surf* a·Sér sourf

surgelés *productos congelados* m pl
pro·douk·tos konn·Rhé·la·dos

surnom *apodo* m a·po·do • *apellido* m
a·pé·lyi·do

surprise *sorpresa* f sor·pré·sa

survivre *sobrevivir* so·bré·bi·bir

sympathique *simpático/a* m/f
simm·pa·ti·ko/a

synagogue *sinagoga* f si·na·go·ga

synthétique *sintético/a* m/f
sinn·té·ti·ko/a

T

ta fam sg *tu* tou

tabac *tabaco* m ta·ba·ko

table *mesa* f mé·sa

tableau d'affichage (sport) *marcador*
m mar·ka·dor

taie d'oreiller *funda f de almohada*
foun·da dé al·mwa·da

taille (vêtements) *talla* f ta·lya

tailleur *sastre* m sas·tré

talc *talco* m tal·ko

tampons *tampones* m pl tamm·po·nés

tante *tía* f ti·a

taper (à la machine) *escribir a máquina*
és·kri·bir a ma·ki·na

tapis *alfombra* f al·fomm·bra

tard *tarde* tar·dé

tasse *taza* f ta·Sa

taureau *toro* m to·ro

taux de change *tipo m de cambio* ti·po
dé kamm·byo

taxe d'aéroport *tasa f del aeropuerto*
ta·sa dél ay·ro·pwér·to

taxi *taxi* m tak·si • station de taxis *parada
f de taxis* pa·ra·da dé tak·sis

technique *técnica* f ték·ni·ka

tee-shirt *camiseta* f ka·mi·sé·ta

télécommande *mando* m a distancia
mann·do a dis·tann·Sya

télégramme *telegrama* m té·lé·gra·ma

téléphérique *teleférico* m té·lé·fé·ri·ko

téléphone *teléfono* m té·lé·fo·no cabine
téléphonique *cabina f • telefónica*
ka·bi·ka té·lé·fo·ni·ka • central
téléphonique *central f telefónica*
Sén·tral té·lé·fo·ni·ka
— portable *teléfono* m móvil
té·lé·fo·no mo·bil
— public *teléfono m público* té·lé·fo·no
pou·bli·ko

téléphoner *llamar (por teléfono)* lya·mar
(por té·lé·fo·no)

télescope *telescopio* m té·lés·ko·pyo

télévision *televisión* f té·lé·bi·syonn • série
télé *serie* f sé·ryé

température *temperatura* f
tém·pé·ra·tou·ra

temple *templo* m tém·plo

temps (horaire et météo) *tiempo* m
tyém·po

temps plein, à *a tiempo completo* a
tyém·po komm·plé·to

tennis *tenis* m té·nis

tente *tienda* f *(de campaña)* tyén·da (dé kamm·*pa*·nya)

tenter (de faire quelque chose) *intentar (hacer algo)* inn·ténn·tar (a·*Sér* al·go)

terre (élément) *tierra* f tyé·ra

Terre *Tierra* f tyé·ra • tremblement de terre *terremoto* m té·ré·*mo*·to

terrible *terrible* té·*ri*·blé

tête *cabeza* f ka·bé·Sa • mal de tête *dolor* m *de cabeza* do·lor dé ka·bé·Sa

tétine *chupete* m tchou·*pé*·té

têtu(e) *testarudo/a* m/f tés·ta·*rou*·do/a

thé *té* m té

théâtre *teatro* m té·*a*·tro

thon *atún* m a·*toun*

tiède *templado/a* m/f tém·*pla*·do/a

tiers *tercio* m tér·Syo

timbre *sello* m sé·lyo

timide *tímido/a* m/f *ti*·mi·do/a

tirer *tirar* ti·*rar*

titre *título* m *ti*·tou·lo

toast *tostada* f tos·*ta*·da

tofu *tofu* m to·*fou*

toi *fam sg tú* tou

toile *tela* f té·la

toilettes *servicio* m sér·*bi*·Syo

tomate *tomate* m to·*ma*·té • sauce tomate *salsa* f *de tomate* sal·sa dé to·*ma*·té

— séchée au soleil *tomate* m *secado al sol* to·*ma*·té sé·*ka*·do al sol

tombe *tumba* f *toum*·ba

ton *tono* m *to*·no

ton/ta *fam sg tu* tou

torche *linterna* f linn·tér·na

tôt *temprano* tém·*pra*·no

toucher *tocar* to·*kar*

toujours *siempre* syém·pré

tour *torre* f to·ré

tourner *doblar* do·*blar*

tourisme *turismo* m tou·*ris*·mo • office du tourisme *oficina* f *de turismo* o·fi·*Si*·na dé tou·*ris*·mo

touriste *turista* m et f tou·*ris*·ta • (argot) *guiri* m gi·ri

tout *todo* to·do

toux *tos* f tos

traduire *traducir* tra·dou·Sir

tranquille *tranquilo/a* m/f trann·*ki*·lo/a

tranquilité *tranquilidad* f trann·ki·li·*da*

trace (pas) *rastro* m *ras*·tro

trafic *tráfico* m tra·fi·ko

train *tren* m trén

tramway *tranvía* m trann·*bi*·a

transit, salle de *sala* f *de tránsito* sa·la dé *trann*·si·to

transports *medios* m pl *de transporte* mé·dyos dé trann·s·*por*·té

travail *trabajo* m tra·ba·Rho • permis de travail *permiso* m *de trabajo* pér·*mi*·so dé tra·ba·Rho

travailler *trabajar* tra·ba·Rhar

travers, à *a través* a tra·bés

tremblement de terre *terremoto* m té·ré·*mo*·to

très *muy* moui

tricheur/tricheuse *tramposo/a* m/f tramm·*po*·so/avestiaires *vestuarios* m pl bés·*twa*·ryos

triste *triste* tris·té

trop (cher) *demasiado (caro/a)* m/f dé·ma·*sya*·do (*ka*·ro/a)

trottoir *acera* f a·Sé·ra

trousse de premiers secours *maletín* m *de primeros auxilios* ma·lé·*tinn* dé pri·*mé*·ros aou·*ksi*·lyos

trouver *encontrar* én·konn·trar

TVA *IVA* m *i*·ba

tuer *matar* ma·*tar*

type *tipo* m *ti*·po

typique *típico/a* m/f *ti*·pi·ko/a

U

uniforme *uniforme* m ou·ni·*for*·mé

univers *universo* m ou·ni·*bér*·so

université *universidad* f ou·ni·bér·si·*da*
urgence *emergencia* f é·mér·*Rhén*·Sya
urgent *urgente* our·*Rhén*·té
usine *fábrica* f *fa*·bri·ka
utile *útil* ou·*til*

V

vacances *vacaciones* f pl ba·ka·*Syo*·nés
vacant(e) *vacante* ba·*kann*·té
vaccination *vacuna* f ba·*kou*·na
vache *vaca* f *ba*·ka
vagin *vagina* f ba·*Rhi*·na
vague *ola* f *o*·la
valeur *valor* m ba·*lor*
valider *validar* ba·li·*dar*
valise *maleta* f ma·*lé*·ta
vallée *valle* m *ba*·lyé
veau *ternero* m tér·*né*·ro • *ternera* f
    tér·*né*·ra
végétarien *vegetariano/a* m/f
    bé·Rhé·ta·*rya*·no/a
veine *vena* f *bé*·na
vélo *bici* f *bi*·Si
    — de course *bicicleta* f *de carreras*
    bi·Si·*klé*·ta dé ka·*ré*·ras
    — tout terrain *bicicleta* f *de montaña*
    bi·Si·*klé*·ta dé monn·*ta*·nya
vendre *vender* bén·*dér*
vénéneux/vénéneuse *venenoso/a* m/f
    bé·né·*no*·so/a
vénérienne, maladie *enfermedad* f
    venérea én·fér·mé·*da* bé·né·*ré*·a
venimeux/venimeuse *venenoso/a* m/f
    bé·né·*no*·so/a
venir *venir* bé·*nir*
vent *viento* m *byén*·to
ventilateur *ventilador* m bén·ti·la·*dor* •
    courroie du ventilateur *correa* f *del*
    ventilador ko·*ré*·a dél bén·ti·la·*dor*
ventre, douleurs de *dolor* m *de*
    estómago do·*lor* dé és·*to*·ma·go

ver de terre *lombriz* f lomm·*briS*
vermicelles *fideos* m pl fi·*dé*·os
verre (matière) *vidrio* m *bi*·dryo
verre (pour boire) *vaso* m *ba*·so
    — à vin *copa* f *de vino* *co*·pa dé *bi*·no
vers (direction) *hacia* a·Sya
vert *verde* *bér*·dé
veste *chaqueta* f tcha·*ké*·ta
vestibule *vestíbulo* m bés·*ti*·bou·lo
vestiaire *vestuario* m bés·*twa*·ryo
vêtements *ropa* f sg *ro*·pa • magasin de
    vêtements *tienda* f *de ropa* *tyén*·da dé
    ro·pa • sous-vêtements *ropa interior* f
    ro·pa inn·té·*ryor*
viande *carne* f *kar*·né
vide *vacío/a* m/f ba·*Si*·o/a
vie *vida* f *bi*·da
vieux/vieille *viejo/a* m/f byé·*Rho*/a
vigne *vid* f bid
vignoble *viñedo* m bi·*nyé*·do
village *pueblo* m *pwé*·blo
ville *ciudad* f Siw·*da*
vin *vino* m *bi*·no • cave à vin *bodega* f
    bo·*dé*·ga • verre à vin *copa* f *de vino*
    co·pa dé *bi*·no
vinaigre *vinagre* m bi·*na*·gré
violer *violar* byo·*lar*
virus *virus* m *bi*·rous
visa *visado* m bi·*sa*·do
visage *cara* f *ka*·ra
visite *visita* f bi·*si*·ta
    — guidée *recorrido* m *guiado*
    ré·ko·*ri*·do gi·*a*·do
visiter *visitar* bi·si·*tar*
vitamines *vitaminas* f pl bi·ta·*mi*·nas
vite *de prisa* dé *pri*·sa
vitesse *velocidad* f bé·lo·Si·*da* • excès
    de vitesse *exceso* m *de velocidad*
    éks·*Sé*·so dé bé·lo·Si·*da*
vivre *vivir* bi·*bir*
vivres *víveres* m pl *bi*·bé·rés
vodka *vodka* f *bod*·ka

voile, planche à *windsurf* winn·sourf

voir *ver* bér

voiture *coche* m ko·tché • location de voiture *alquiler* m *de coche* al·ki·lér dé ko·tché

voix *voz* f boS

vol à l'étalage *ratería* f ra·té·ri·a

vol intérieur *vuelo* m *doméstico* bwé·lo do·més·ti·ko

voler (dans les airs) *volar* bo·lar • (quelque chose) *robar* ro·bar

voleur/voleuse *ladrón/ladrona* m/f la·dronn/la·dro·na

volume *volumen* m bo·lou·mén

voter *votar* bo·tar

votre **pol sg** *su* sou

vouloir *querer* ké·rér

vous **pol sg** *usted* ous·té

voyage *viaje* m bya·Rhé • agence de voyages *agencia* f *de viajes* a·Rhén·Sya dé bya·Rhés

voyager *viajar* bya·Rhar

VTT *bicicleta* f *de montaña* bi·Si·klé·ta dé monn·ta·nya

vue *vista* f bís·ta

W

wagon-lit *coche cama* m ko·tché ka·ma

wagon-restaurant *vagón* m *restaurante* ba·gonn rés·taou·rann·té

week-end *fin de semana* m finn dé sé·ma·na

whisky *güisqui* m gwis·ki

Y

yaourt *yogur* m yo·gour

yoga *yoga* m yo·ga

Z

zodiaque *zodíaco* m So·di·a·ko

zoo *zoológico* m zo·o·lo·Rhi·ko

Le genre des noms du dictionnaire est indiqué par **m** ou **f**. Lorsque le nom est au pluriel, cela est signalé par le signe **pl**. Si un mot peut être à la fois un verbe qu'un nom et qu'aucun genre n'est indiqué, c'est qu'il s'agit du verbe.

A

abajo a·*ba*·Rho *dessous*

abanico m a·ba·*ni*·ko *éventail*

abarrotado a·ba·ro·*ta*·do *bondé, plein à craquer*

abeja f a·*bé*·Rha *abeille*

abierto/a m/f a·*byér*·to/a *ouvert(e)*

abogado/a m/f a·bo·*ga*·do/a *avocat(e)*

aborto m a·*bor*·to *avortement*

abrazo m a·*bra*·So *accolade*

abrebotellas m a·bré·bo·té·lyas *décapsuleur*

abrelatas m a·bré·*la*·tas *ouvre-boîte*

abrigo m a·*bri*·go *manteau*

abrir a·*brir ouvrir*

abuela f a·*bwé*·la *grand-mère*

abuelo m a·*bwé*·lo *grand-père*

aburrido/a m/f a·bou·*ri*·do/a *ennuyeux/ennuyeuse • qui s'ennuie*

acabar a·ka·*bar finir*

acampar a·kamm·*par camper*

acantilado m a·kann·ti·*la*·do *falaise*

accidente m ak·Si·*dén*·té *accident*

aceite m a·*Séy*·té *huile*

aceptar a·Sép·*tar accepter*

acera f a·*Sé*·ra *trottoir*

acondicionador m a·konn·di·Syo·na·*dor climatiseur • après-shampooing*

acoso m a·*ko*·so *harcèlement*

activista m et f ak·ti·*bis*·ta *activiste*

actuación f ak·twa·*Syonn jeu (interprétation)*

acupuntura f a·kou·poun·*tou*·ra *acupuncture*

adaptador m a·dap·ta·*dor adaptateur*

adentro a·*dén*·tro *à l'intérieur*

adivinar a·di·bi·*nar deviner*

administración f ad·mi·nis·tra·*Syonn administration*

admitir ad·mi·*tir admettre*

adoración f a·do·ra·*Syonn adoration*

aduana f a·*dwa*·na *douane*

adulto/a m/f a·*doul*·to/a *adulte*

aeróbic m aé·ro·bik *aérobic*

aerolínea f aé·ro·li·nya *ligne aérienne*

aeropuerto m aé·ro·*pwér*·to *aéroport*

afeitadora f a·féy·ta·do·ra *rasoir*

afeitarse a·féy·*tar*·sé *se raser*

afortunado/a m/f a·for·tou·na·do/a *chanceux/chanceuse*

África f a·fri·ka *Afrique*

agencia f de viajes a·*Rhén*·Sya dé bya·Rhés *agence de voyages*

agenda f a·*Rhén*·da *agenda*

agente m inmobiliario a·*Rhén*·té inn·mo·bi·*lya*·ryo *agent immobilier*

agresivo/a m/f a·gré·si·bo/a *agressif/ agressive*

agricultor(a) m/f a·gri·koul·*tor*/ a·gri·koul·*to*·ra *agriculteur/agricultrice*

agricultura f a·gri·koul·*tou*·ra *agriculture*

agua f a·gwa *eau*
— **caliente** ka·*lyén*·té *eau chaude*
— **mineral** mi·né·*ral eau minérale*

aguacate m a·gwa·*ka*·té *avocat (fruit)*

aguja f a·gou·Rha *aiguille (couture)*

ahora a·o·ra *maintenant*

ahorrar a·o·*rar épargner*

aire m *ay*·ré *air*
— **acondicionado** a·konn·di·Syo·na·do *climatisation*

ajedrez m a·Rhé·*dréS échecs*

al lado de al *la*·do dé *à côté de*
alambre m a·*lamm*·bré *fil de fer*
alba f *al*·ba *aube*
albaricoque m al·ba·ri·*ko*·ké *abricot*
albergue m *juvenil* al·*bér*·gé Rhou·bé·*nil auberge de jeunesse*
alcachofa f al·ka·*tcho*·fa *artichaut*
alcohol m al·*col alcool*
Alemania a·lé·*ma*·nya *Allemagne*
alérgia f a·*lér*·Rhya *allergie*
alérgia f **al polen** a·*lér*·Rhya al *po*·lén *allergie au pollen*
alfarería f al·fa·ré·*ri*·a *poterie*
alfombra f al·*fomm*·bra *tapis*
algo *al*·go *quelque chose*
algodón m al·go·*donn coton*
alguien *al*·gyén *quelqu'un*
algún *al*·goun *quelque*
alguno/a m/f al·*gou*·no/a *un, une, quelque*
almendra f al·*mén*·dra *amande*
almohada f al·*mwa*·da *oreiller*
almuerzo m al·*mwér*·So *déjeuner*
alojamiento m a·lo·Rha·*myén*·to *logement*
alojarse a·lo·*Rhar*·sé *loger*
alpinismo m al·pi·*nis*·mo *alpinisme*
alquilar al·ki·*lar louer*
alquiler m al·ki·*lér location*
  — de coche dé *ko*·tché *de voiture*
altar m al·*tar autel*
alto/a m/f *al*·to/a *haut(e)*
altura f al·*tou*·ra *altitude*
ama f **de casa** *a*·ma dé *ka*·sa *femme au foyer*
amable a·*ma*·blé *aimable*
amanecer a·ma·né·*Sér lever du soleil*
amante m et f a·*mann*·té *amant, maîtresse*
amarillo/a m/f a·ma·*ri*·lyo/a *jaune*
amigo/a m/f a·*mi*·go/a *ami(e)*
ampolla f amm·*po*·lya *ampoule (au pied)*
anacardo a·na·*kar*·do *noix de cajou*
analgésico m a·nal·*Rhé*·si·ko *analgésique*

análisis de sangre m a·*na*·li·sis dé *sann*·gré *analyse sanguine*
anarquista m/f a·nar·*kis*·ta *anarchiste*
ancho/a m/f *ann*·tcho/a *large*
andar ann·*dar marcher*
animal m a·ni·*mal animal*
Año m **Nuevo** *a*·nyo *nwé*·bo *Nouvel An*
antes *ann*·tés *avant*
antibiótico m ann·ti·*byo*·ti·ko *antibiotique*
anticonceptivos m pl ann·ti·konn·Sép·ti·bos *contraceptifs*
antigüedad f ann·ti·gwé·*da antiquité*
antiguo/a m/f ann·*ti*·gwo/a *ancien(ne)*
antiséptico m ann·ti·*sép*·ti·ko *antiseptique*
antología f ann·to·lo·*Rhi*·a *anthologie*
anuncio m a·*noun*·Syo *publicité*
aparcamiento m a·par·ka·*myén*·to *parking*
apellido m a·pé·*lyi*·do *nom de famille*
apéndice m a·*pén*·di·Sé *appendice*
apodo m a·*po*·do *surnom*
aprender a·prén·*dér apprendre*
apretado/a m/f a·pré·*ta*·do/a *serré(e)*
apuesta f a·*pwés*·ta *pari*
apuntar a·poun·*tar pointer*
aquí a·*ki ici*
araña f a·*ra*·nya *araignée*
árbitro m *ar*·bi·tro *arbitre*
árbol m *ar*·bol *arbre*
arena f a·*ré*·na *sable*
armario m ar·*ma*·ryo *armoire*
arqueológico/a m/f ar·ké·o·lo·*Rhi*·ko/a *archéologique*
arquitecto/a m/f ar·ki·*ték*·to/a *architecte*
arquitectura f ar·ki·ték·*tou*·ra *architecture*
arriba a·*ri*·ba *au-dessus • en haut*
arroyo m a·*ro*·yo *ruisseau*
arroz m a·*roS riz*
arte m ar·*té art*
  — gráfico *gra*·fi·ko *graphique*
artes m pl **marciales** *ar*·tés mar·*Sya*·lés *arts martiaux*
artesanía f ar·té·sa·*ni*·a *artisanat*
artista m et f ar·*tis*·ta *artiste*

ascensor m as·Sén·sor *ascenseur*

Asia f *a*·sya *Asie*

asiento m a·syén·to *siège*

— de seguridad para bebés dé sé·gou·ri·*da* pa·ra bé·*bés* *de sécurité pour bébé*

asma m *as*·ma *asthme*

aspirina f as·pi·*ri*·na *aspirine*

atascado/a m/f a·tas·*ka*·do/a *bouché(e)*

atletismo m at·lé·*tis*·mo *athlétisme*

atmósfera f at·*mos*·fé·ra *atmosphère*

atún m a·*toun* *thon*

audífono m aou·*di*·fo·no *audiophone*

Australia f aou·*stra*·lya *Australie*

autobús m aou·to·*bous* *bus*

autocar m aou·to·*kar* *car*

autódromo m aou·*to*·dro·mo *autodrome*

autoservicio m aou·to·sér·*bi*·Syo *self-service*

autovia f aou·to·*bi*·a *autoroute*

avenida f a·bé·*ni*·da *avenue*

avergonzado/a m/f a·bér·gonn·*Sa*·do/a *honteux/honteuse*

avión m a·*byonn* *avion*

ayer a·*yér* *hier*

ayudar a·you·*dar* *aider*

azúcar m a·*Sou*·kar *sucre*

azul a·*Soul* *bleu*

B

bailar bay·*lar* *danser*

bajo/a m/f ba·Rho/a *bas(se)*

balcón m bal·*konn* *balcon*

ballet m ba·*lé* *ballet*

baloncesto m ba·lonn·*Sés*·to *basket-ball*

bálsamo m **de aftershave** bal·sa·mo dé af·tér·*sha*·ib *après-rasage*

bálsamo m **de labios** bal·sa·mo dé la·byos *baume à lèvres*

bañador m ba·nya·*dor* *maillot de bain*

banco m bann·ko *banque*

bandera f bann·dé·ra *drapeau*

bañera f ba·nyé·ra *baignoire*

baño m *ba*·nyo *salle de bains*

bar m bar *bar*

barato/a m/f ba·*ra*·to/a *bon marché*

barco m *bar*·ko *bateau*

barrio m *ba*·ryo *quartier*

basura f ba·*sou*·ra *poubelle*

batería f ba·té·*ri*·a *batterie*

bebé m bé·*bé* *bébé*

béisbol m *béys*·bol *base-ball*

Bélgica f *bél*·Rhi·ka *Belgique*

beneficio m bé·né·*fi*·Syo *bénéfice*

berenjena f bé·rén·*Rhé*·na *aubergine*

besar bé·*sar* *embrasser*

beso m *bé*·so *baiser (nom)*

biblia f *bi*·blya *bible*

biblioteca f bi·blyo·té·ka *bibliothèque*

bicho m *bi*·tcho *insecte*

bici f *bi*·Si *vélo*

bicicleta f bi·Si·*klé*·ta *bicyclette*

— de carreras dé ka·ré·ras *vélo de course*

— de montaña dé monn·*ta*·nya *VTT*

bien byén *bien*

bienestar m byén·és·*tar* *bien-être*

bienvenida f byén·bé·*ni*·da *bienvenue*

billete m bi·*lyé*·té *billet*

— de ida y vuelta dé *i*·da i *bwél*·ta *aller-retour*

— de lista de espera dé *lis*·ta dé és·pé·ra *sur liste d'attente*

billete m **de banco** bi·*lyé*·té dé *bann*·ko *billet de banque*

biografía f bi·o·gra·*fi*·a *biographie*

bistec m bis·*ték* *bifteck*

blanco y negro *blann*·ko i *né*·gro *noir et blanc*

blanco/a m/f *blann*·ko/a *blanc(he)*

boca f *bo*·ka *bouche*

bocado m bo·ka·do *bouchée (morceau)*

boda f *bo*·da *mariage*

bodega f bo·*dé*·ga *cave à vin • magasin d'alcool*

bol m bol *bol*

bolas f pl **de algodón** *bo*·las dé al·go·donn *boules de coton*

bolígrafo m bo·*li*·gra·fo *stylo*

bollos m pl bo·lyos *petits pains*

bolsillo m bol·si·lyo *poche*

bolso m bol·so *sac • sac à main*

bomba f bomm·ba *pompe • bombe*

bombilla f bomm·bi·lya *ampoule (lumière)*

bondadoso/a m/f bonn·da·do·so/a *bon(ne)*

bonito/a m/f bo·ni·to/a *joli(e)*

bordo m bor·do *bord •* **a bordo** a bor·do *à bord*

borracho/a m/f bo·ra·tcho/a *soûl(e)*

bosque m bos·ké *forêt*

botas f pl bo·tas *bottes*
  — de montaña dé monn·ta·nya *chausseures de randonnée*

botella f bo·té·lya *bouteille*

botón m bo·ton *bouton (sur un vêtement)*

boxeo m bo·ksé·o *boxe*

bragas f pl bra·gas *culotte*

brazo m bra·So *bras*

broma f bro·ma *blague*

bronceador m bronn·Sé·a·dor *crème solaire*

bronquitis m bronn·ki·tis *bronchite*

brotes m pl **de soja** bro·tés dé so·Rha *germes de soja*

brújula f brou·Rhou·la *boussole*

brumoso brou·mo·so *brumeux*

buceo m bou·Sé·o *plongée avec tuba*

budista m et f bou·dis·ta *bouddhiste*

bueno/a m/f bwé·no/a *bon(ne)*

bufanda f bou·fann·da *écharpe*

buffet m bou·fé *buffet*

bulto m boul·to *bosse*

burlarse de bour·lar·sé dé *se moquer de*

burro m bou·ro *âne*

buscar bous·kar *chercher*

buzón m bou·Sonn *boîte aux lettres*

C

caballo m ka·ba·lyo *cheval*

cabeza f ka·bé·Sa *tête*

cabina f **telefónica** ka·bi·na té·lé·fo·ni·ka *cabine téléphonique*

cable m ka·blé *câble*

cables m pl **de arranque** ka·blés dé a·rann·ké *câbles de démarrage*

cabra f ka·bra *chèvre*

cacahuetes m pl ka·ka·wé·tés *cacahuètes*

cacao m ka·kaou *cacao*

cachorro m ka·tcho·ro *chiot*

cada ka·da *chaque*

cadena f **de bici** ka·dé·na dé bi·Si *chaîne de vélo*

café m ka·fé *café*

caída f ka·i·da *chute*

caja f ka·Rha *boîte • caisse*
  — fuerte fwér·té *coffre-fort*
  — registradora ré·Rhis·tra·do·ra *caisse enregistreuse*

cajero m **automático** ka·Rhé·ro aou·to·ma·ti·ko *distributeur automatique*

calabacín m ka·la·ba·Sinn *courgette*

calabaza f ka·la·ba·Sa *citrouille*

calcetines m pl kal·Sé·ti·nés *chaussettes*

calculadora f kal·kou·la·do·ra *calculatrice*

caldo m kal·do *bouillon*

calefacción f **central** ka·lé·fak·Syonn Sén·tral *chauffage central*

calendario m ka·lén·da·ryo *calendrier*

calidad f ka·li·da *qualité*

caliente ka·lyén·té *chaud(e)*

calle f ka·lyé *rue*

calor m ka·lor *chaleur*

calzoncillos m pl kal·Sonn·Si·lyos *caleçon (homme)*

calzones m pl kal·So·nés *caleçon*

cama f ka·ma *lit*
  — de matrimonio dé ma·tri·mo·nyo *lit double*

cámara f **(fotográfica)** ka·ma·ra (fo·to·gra·fi·ka) *appareil photo*

cámara f **de aire** ka·ma·ra dé ay·ré *chambre à air*

camarero/a m/f ka·ma·ré·ro/a *serveur/ serveuse*

cambiar kamm·byar *changer*

C

cambio *kamm·byo* m *monnaie (pièces)*
— **de dinero** *dé di·né·ro change de devises*
caminar *ka·mi·nar marcher*
camino m *ka·mi·no chemin*
— **rural** *ka·mi·nos rou·ral chemin de randonnée*
camión m *ka·myonn camion*
camisa f *ka·mi·sa chemise*
camiseta f *ka·mi·sé·ta débardeur • T-shirt*
cámping m *kamm·pinn camping*
campo m *kamm·po campagne • champ*
Canadá f *ka·na·da Canada*
canasta f *ka·nas·ta panier*
cancelar *kann·Sé·lar annuler*
cáncer m *kann·Sér cancer*
canción f *kann·Syonn chanson*
candado m *kann·da·do cadenas*
cangrejo m *kann·gré·Rho crabe*
cansado/a m/f *kann·sa·do/a fatigué(e)*
cantalupo m *kann·ta·lou·po cantaloup*
cantante m et f *kann·tann·té chanteur/chanteuse*
cantar *kann·tar chanter*
cantimplora f *kann·timm·plo·ra gourde (pour boire)*
capa f **de ozono** *ka·pa dé o·So·no couche d'ozone*
capilla f *ka·pi·lya chapelle*
capote m *ka·po·té cape*
cara f *ka·ra visage*
caracol m *ka·ra·kol escargot*
caramelo m *ka·ra·mé·lo caramel*
caravana f *ka·ra·ba·na caravane • embouteillage*
cárcel f *kar·Sél prison*
cardenal m *kar·dé·nal bleu (hématome)*
carne f *kar·né viande*
— **de vaca** *dé ba·ka de bœuf*
— **molida** *mo·li·da viande hachée*
carnet m *kar·né carte*
— **de identidad** *dé i·dén·ti·da carte d'identité*
— **de conducir** *dé konn·dou·Sir permis de conduire*
carnicería f *kar·ni·Sé·ri·a boucherie*
caro/a m/f *ka·ro/a cher/chère*

carpintero m *kar·pinn·té·ro charpentier • ébéniste*
carrera f *ka·ré·ra course (sport)*
carta f *kar·ta lettre*
carta f *kar·ta carte*
cartón m *kar·tonn carton*
casa f *ka·sa maison*
(en) casa *(én) ka·sa (à la) maison*
casarse *ka·sar·sé se marier*
cascada f *kas·ka·da cascade*
casco m *kas·ko casque*
casete m *ka·sé·té cassette*
casi *ka·si presque • quasi*
casino m *ka·si·no casino*
castigar *kas·ti·gar punir*
castillo m *kas·ti·lyo château*
catedral f *ka·té·dral cathédrale*
católico/a m/f *ka·to·li·ko/a catholique*
caza f *ka·Sa chasse*
cazuela f *ka·Swé·la casserole*
cebolla f *Sé·bo·lya oignon*
celebración f *Sé·lé·bra·Syonn célébration*
celebrar *Sé·lé·brar célébrer*
celoso/a m/f *Sé·lo·so/a jaloux/jalouse*
cementerio m *Sé·mén·té·ryo cimetière*
cena f *Sé·na dîner*
cenicero m *Sé·ni·Sé·ro cendrier*
centavo m *Sén·ta·bo centime*
centímetro m *Sén·ti·mé·tro centimètre*
central f **telefónica** *Sén·tral té·lé·fo·ni·ka central téléphonique*
centro m *Sén·tro centre*
— **comercial** *ko·mér·Syal commercial*
— **de la ciudad** *dé la Siw·da centre-ville*
cepillo m *Sé·pi·lyo brosse à cheveux*
— **de dientes** *dé dyén·tés brosse à dents*
cerámica f *Sé·ra·mi·ka céramique*
cerca f *Sér·ka clôture*
cerca *Sér·ka proche • près*
cerdo m *Sér·do porc*
cereales m pl *Sé·ré·a·lés céréales*
cerillas f pl *las Sé·ri·lyas allumettes*
cerrado/a m/f *Sé·ra·do/a fermé(e)*
— **con llave** *konn lya·bé à clé*
cerradura f *Sé·ra·dou·ra serrure*

cerrar Sé·*rar* fermer

certificado m Sér·ti·fi·*ka*·do certificat

cerveza f Sér·bé·*Sa* bière

— **rubia** rou·*bya* blonde

cibercafé m Si·bér·ka·*fé* cybercafé

ciclismo m Si·*klis*·mo cyclisme

ciclista m et f Si·*klis*·ta cycliste

ciego/a m/f Syé·*go*/a aveugle

cielo m Syé·*lo* ciel

ciencia f Syén·*Sya* science

científico/a m/f Syén·ti·fi·*ko*/a scientifique

cigarrillo m Si·ga·ri·*lyo* cigarette

cigarro m Si·*ga*·ro cigarette

cine m Si·*né* cinéma

cinta f **de vídeo** Sinn·ta dé bi·dé·o cassette vidéo

cinturón m **de seguridad** Sinn·tou·*ronn* dé sé·gou·ri·*da* ceinture de sécurité

circuito m **de carreras** Sir·*kwi*·to dé ka·ré·ras circuit automobile

ciruela f Si·*rwé*·la prune

— **pasa** pa·*sa* pruneau

cistitis f Sis·*ti*·tis cystite

cita f Si·ta rendez-vous

citarse Si·*tar*·sé se donner rendez-vous

citología f Si·to·lo·*Rhi*·a frottis

ciudad f Siw·*da* ville

ciudadanía f Siw·da·da·*ni*·a citoyenneté

clase f **preferente** kla·sé pré·fé·*rén*·té classe affaires

clase f **turística** kla·sé tou·*ris*·ti·ka classe tourisme

clásico/a m/f kla·si·*ko*/a classique

clienta/e m/f kli·*én*·ta/é client(e)

clínica f *kli*·ni·ka clinique

cobrar (un cheque) ko·*brar* (oun tché·ké) encaisser (un chèque)

coche m ko·*tché* voiture

— **cama** ko·ma wagon-lit

cocina f ko·*Si*·na cuisine • cuisinière (appareil)

cocinar ko·Si·*nar* cuisiner

cocinero m ko·Si·*né*·ro cuisinier/ cuisinière

coco m ko·ko noix de coco

codeína f ko·dé·*i*·na codéine

código m **postal** ko·di·go pos·*tal* code postal

cojonudo/a m/f ko·Rho·*nou*·do/a génial(e)

col m kol chou

cola f ko·la queue

colchón m kol·*tchonn* matelas

colega m et f ko·*lé*·ga collègue • pote

coles m pl **de Bruselas** ko·lés dé brou·sé·las choux de Bruxelles

coliflor m ko·li·*flor* chou-fleur

colina f ko·*li*·na colline

collar m ko·*lyar* collier

color m ko·*lor* couleur

comedia f ko·mé·*dya* comédie

comenzar ko·mén·*Sar* commencer

comer ko·*mér* manger

comerciante m et f ko·mér·*Syann*·té commerçant(e)

comercio m ko·mér·*Syo* commerce

comezón m ko·mé·*Sonn* démangeaison

comida f ko·*mi*·da nourriture

— **de bebé** dé bé·*bé* pour bébé

— **en el campo** én él kamm·po pique-nique

comisaría f ko·mi·sa·*ri*·a commissariat

cómo ko·mo comme

cómodo/a m/f ko·mo·do/a confortable

cómpact m komm·pak CD

compañero/a m/f komm·pa·*nyé*·ro/a compagnon/compagne

compañía f komm·pa·*nyi*·a compagnie

compartir komm·par·*tir* partager

comprar komm·*prar* acheter

comprender komm·prén·*dér* comprendre

compresas f pl komm·pré·sas serviettes hygiéniques

compromiso m komm·pro·*mi*·so engagement

comunión f ko·mou·*nyonn* communion

comunista m et f ko·mou·*nis*·ta communiste

con konn avec

coñac m ko·*nyak* cognac

concentración f konn·Sén·tra·Syonn *concentration*

concierto m konn·Syér·to *concert*

condición f **cardíaca** konn·di·Syonn kar·di·a·ka *condition cardiaque*

condón m konn·don *préservatif*

conducir konn·dou·Sir *conduire*

conejo m ko·né·Rho *lapin*

conexión f ko·né·ksyonn *connexion*

confesión f konn·fé·syonn *confession*

confianza f konn·fi·ann·Sa *confiance*

confiar konn·fi·ar *faire confiance · confier*

confirmar konn·fir·mar *confirmer*

conocer ko·no·Sér *connaître (quelqu'un)*

conocido/a m/f ko·no·Si·do/a *célèbre*

consejo m konn·sé·Rho *conseil*

conservador(a) m/f konn·sér·ba·dor/ konn·sér·ba·do·ra *conservateur/ conservatrice*

consigna f konn·sig·na *consigne*
— **automática** aou·to·ma·ti·ka *automatique*

construir konns·trou·ir *construire*

consulado m konn·sou·la·do *consulat*

contaminación f konn·ta·mi·na·Syonn *pollution*

contar konn·tar *conter*

contestador m **automático** konn·tés·ta·dor aou·to·ma·ti·ko *répondeur automatique*

contrato m konn·tra·to *contrat*

control m konn·trol *contrôle*

convento m konn·bén·to *couvent*

copa f ko·pa *verre*
— **de vino** dé bi·no *à vin*

copos de maíz ko·pos dé ma·iS *corn flakes*

corazón m ko·ra·Sonn *cœur*

cordero m kor·dé·ro *agneau*

cordillera f kor·di·lyé·ra *chaîne de montagnes*

correcto/a m/f ko·rék·to/a *correct(e)*

correo m ko·ré·o *courrier*
— **urgente** our·Rhén·té *urgent*

correos ko·ré·os *bureau de poste*

correr ko·rér *courir*

corrida f **de toros** ko·ri·da dé to·ros *corrida*

corriente f ko·ryén·té *courant (électricité)*

corriente ko·ryén·té *ordinaire*

corrupto/a m/f ko·roup·to/a *corrompu(e)*

cortar kor·tar *couper*

cortauñas m pl kor·ta·ou·nyas *coupe-ongles*

corto/a m/f kor·to/a *court(e)*

cosecha f ko·sé·tcha *récolte*

coser ko·sér *coudre*

costa f kos·ta *côte · littoral*

costar kos·tar *coûter*

crecer kré·Sér *croître*

crema f kré·ma *crème*
— **hidratante** i·dra·tann·té *hydratante*
— **solar** so·lar *solaire*

críquet m kri·két *cricket*

cristiano/a m/f kris·tya·no/a *chrétien(ne)*

crítica f kri·ti·ka *critique*

cruce m krou·Sé *croisement*

crudo/a m/f krou·do/a *cru(e)*

cuaderno m kwa·dér·no *cahier*

cualificaciones f pl kwa·li·fi·ka·Syo·nés *qualifications*

cuando kwann·do *quand*

cuánto kwann·to *combien*

cuarentena f kwa·rén·té·na *quarantaine*

cuaresma f kwa·rés·ma *carême*

cuarto m kwar·to *quart*

cubiertos m pl kou·byér·tos *couverts*

cubo m kou·bo *seau*

cucaracha f kou·ka·ra·tcha *cafard*

cuchara f kou·tcha·ra *cuillère*

cucharita f kou·tcha·ri·ta *cuillère à café*

cuchillas f pl **de afeitar** kou·tchi·lyas dé a·féy·tar *lames de rasoir*

cuchillo m kou·tchi·lyo *couteau*

cuenta f kwén·ta *addition*
— **bancaria** bann·ka·rya *compte bancaire*

cuento m kwén·to *conte*

cuerda f kwér·da *corde*
— **para tender la ropa** pa·ra tén·dér la ro·pa *corde à linge*

cuero m kwé·ro *cuir*

cuerpo m *kwér·po* corps
cuesta abajo *kwés·ta a·ba·*Rho *en bas de la côte*
cuesta arriba *kwés·ta a·ri·ba en haut de la côte*
cuestionar *kwés·tyo·nar* questionner
cueva f *kwé·ba* grotte
cuidar *kwi·dar* soigner
cuidar de *kwi·dar dé* prendre soin de
culo m *kou·lo* cul
culpable *koul·pa·blé* coupable
cumbre f *koum·bré* sommet
cumpleaños m *koum·plé·a·nyos* anniversaire
currículum m *kou·ri·kou·loum* cv
curry m *kou·ri* curry
cuscús m *kous kous* couscous

CH

chaleco m **salvavidas** *tcha·lé·ko sal·ba·ba·bi·das* gilet de sauvetage
champán m *tchamm·pann* champagne
champiñón m *tchamm·pi·nyonn* champignon
champú m *tchamm·pou* shampooing
chaqueta f *tcha·ké·ta* gilet
cheque m *tché·ké* chèque
cheque m **de viajero** *tché·ké dé bya·Rhé·ro* chèque de voyage
chica f *tchi·ka* fille
chicle m *tchi·klé* chewing-gum
chico m *tchi·ko* garçon
chocolate m *tcho·ko·la·té* chocolat
choque m *tcho·ké* choc • collision
chorizo m *tcho·ri·So* chorizo
chupete m *tchou·pé·té* tétine

D

dados m pl *da·dos* dés
dañar *da·nyar* blesser
dar *dar* donner
— **de comer** *dé ko·mér* nourrir
— **gracias** *gra·Syas* remercier

— **la bienvenida** la *byén·bé·ni·da* accueillir
— **una patada** *ou·na pa·ta·da* donner un coup de pied
darse cuenta de *dar·sé kwén·ta dé* réaliser, se rendre compte
de *dé*
— **(cuatro) estrellas** *dé (kwa·tro) és·tré·lyas (quatre)* étoiles
— **izquierda** *dé iS·kyér·da* de gauche
— **pena** *dé pé·na* terrible
— **primera clase** *dé pri·mé·ra kla·sé de* première classe
— **segunda mano** *dé sé·goun·da ma·no* de seconde main
— **vez en cuando** *dé béS én kwann·do* parfois
deber *dé·bér* devoir
débil *dé·bil* faible
decidir *dé·Si·dir* décider
decir *dé·Sir* dire
dedo m *dé·do* doigt
— **del pie** *dél pyé* orteil
defectuoso/a m/f *dé·fék·tou·o·so/a* défectueux/défectueuse
deforestación f *dé·fo·rés·ta·Syonn* déforestation
dejar *dé·Rhar* laisser • abandonner
delgado/a m/f *dél·ga·do/a* mince
delirante *dé·li·rann·té* délirant(e)
demasiado caro/a m/f *dé·ma·sya·do ka·ro/a* trop (cher)
democracia f *dé·mo·kra·Sya* démocratie
demora f *dé·mo·ra* retard
dentista m et f *dén·tis·ta* dentiste
dentro de (una hora) *dén·tro dé (ou·na o·ra)* dans (une heure)
deporte m *dé·por·té* sport
deportista m et f *dé·por·tis·ta* sportif/ sportive
depósito m *dé·po·si·to* dépôt
derecha f *dé·ré·tcha* droite (opposé de gauche)
derechista *dé·ré·tchis·ta* de droite
derechos m pl **civiles** *dé·ré·tchos Si·bi·lés* droits civils

derechos m pl **humanos** dé·ré·tchos ou·*ma*·nos *droits de l'homme*

desayuno m dés·a·*you*·no *petit-déjeuner*

descansar dés·kann·*sar* *se reposer*

descanso m dés·kann·so *repos* · *entracte*

descendiente m dés·Sén·*dyén*·té *descendant*

descomponerse dés·komm·po·nér·sé *se décomposer*

descubrir dés·kou·*brir* *découvrir*

descuento m dés·*kwén*·to *remise, rabais*

desde (mayo) dés·dé (*ma*·yo) *depuis (mai)*

desear dé·sé·*ar* *désirer*

desierto m dé·*syér*·to *désert*

desodorante m dé·so·do·*rann*·té *déodorant*

despacio dés·*pa*·Syo *lentement*

desperdicios m pl **nucleares** dés·pér·*di*·Syos nou·klé·*a*·rés *déchets nucléaires*

despertador m dés·pér·ta·*dor* *réveille-matin*

después de dés·*pwés* dé *après*

destino m dés·*ti*·no *destination*

destruir dés·trou·*ir* *détruire*

detallado/a m/f dé·ta·*lya*·do/a *détaillé(e)*

detalle m dé·*ta*·lyé *détail*

detener dé·té·*nér* *arrêter*

detrás de dé·*tras* dé *derrière*

devocionario m dé·bo·Syo·*na*·ryo *missel*

día m *di*·a *jour*

— **festivo** fés·*ti*·bo *jour férié*

diabetes f di·a·*bé*·tés *diabète*

diafragma m di·a·*frag*·ma *diaphragme*

diapositiva f dya·po·si·*ti*·ba *diapositive*

diariamente dya·rya·*mén*·té *quotidien*

diarrea f di·a·*ré*·a *diarrhée*

dieta f di·*é*·ta *régime*

dibujar di·bou·*Rhar* *dessiner*

diccionario m dik·Syo·*na*·ryo *dictionnaire*

diente (de ajo) *dyén*·té (dé *a*·Rho) *gousse (d'ail)*

dientes m pl *dyén*·tés *dents*

diferencia f **de horas** di·fé·*rén*·Sya dé *o*·ras *décalage horaire*

diferente di·fé·*rén*·té *différent*

difícil di·*fi*·Sil *difficile*

dinero m di·*né*·ro *argent*

— **en efectivo** én é·*fék*·ti·bo *liquide*

Dios dyos *Dieu*

dirección f di·*rék*·Syonn *adresse*

directo/a m/f di·*rék*·to/a *direct(e)*

director(a) m/f di·*rék*·tor/di·*rék*·to·ra *directeur/directrice*

disco m *dis*·ko *disque*

discoteca f dis·ko·*té*·ka *discothèque*

discriminación f dis·kri·mi·na·*Syonn* *discrimination*

discutir dis·kou·*tir* *discuter*

diseño m di·*sé*·nyo *design*

disparar dis·pa·*rar* *tirer*

DIU m dé i ou *stérilet*

diversión f di·bér·*syonn* *distraction*

divertirse di·bér·*tir*·sé *se divertir*

doblar do·*blar* *tourner* · *plier*

doble do·blé *double*

docena f do·*Sé*·na *douzaine*

doctor(a) m/f dok·*tor*/dok·to·ra *docteur*

dólar m do·lar *dollar*

dolor m do·*lor* *douleur*

— **de cabeza** dé ka·*bé*·Sa *mal de tête*

— **de estómago** dé és·to·ma·go *mal de ventre*

— **de muelas** dé *mwé*·las *mal de dents*

— **menstrual** méns·*trwal* *douleurs menstruelles*

dolorido/a m/f do·lo·*ri*·do/a *endolori(e)*

doloroso/a m/f do·lo·*ro*·so/a *douloureux/douloureuse*

donde donn·dé *où*

dormir dor·*mir* *dormir*

dos m/f pl dos *deux*

— **camas** *ka*·mas *lits jumeaux*

— **veces** bé·*Sés* *deux fois*

drama m *dra*·ma *drame*

droga f *dro*·ga *drogue*

drogadicción f dro·ga·dik·*Syonn* toxicomanie

ducha f *dou*·tcha douche

dueño/a m/f dwé·nyo/a propriétaire

dulce doul·*Sé* doux

dulces m pl doul·*Sés* bonbons

duro/a m/f *dou*·ro/a dur(e)

E

eczema f ék·*Sé*·ma eczéma

edad f é·*da* âge

edificio m é·di·fi·*Syo* bâtiment

editor(a) m/f é·di·*tor*/é·di·*to*·ra éditeur/ éditrice

educación f é·dou·ka·*Syonn* éducation

egoísta é·go·*is*·ta égoïste

ejemplo m é·*Rhém*·plo exemple

ejército m é·*Rhér*·Si·to armée

él m él il

elecciones f pl é·lék·*Syo*·nés élections

electricidad f é·lék·tri·Si·*da* électricité

elegir é·lé·*Rhir* choisir

ella f é·*lya* elle

ellos/ellas m/f é·lyos/é·lyas ils/elles

embajada f ém·ba·*Rha*·da ambassade

embajador(a) m/f ém·ba·*Rha*·dor/ ém·ba·*Rha*·do·ra ambassadeur/ ambassadrice

embarazada ém·ba·ra·*Sa*·da enceinte

embarcarse ém·bar·*kar*·sé embarquer

embrague m ém·*bra*·gé embrayage

emergencia f é·mér·*Rhén*·Sya urgence

emocional é·mo·Syo·*nal* émotionnel

empleado/a m/f ém·plé·a·do/a employé(e)

empujar ém·pou·*Rhar* pousser

en én sur • en • à

    — **el extranjero** él éks·trann·*Rhé*·ro à l'étranger

    — **el paro** él *pa*·ro au chômage

encaje m én·*ka*·Rhé dentelle

encantador(a) m/f én·kann·ta·*dor*/ én·kann·ta·do·ra enchanteur/ enchanteresse

encendedor m én·Sén·dé·*dor* briquet

encontrar én·konn·*trar* rencontrer • trouver

encurtidos m pl én·kour·*ti*·dos conserves

energía f **nuclear** é·nér·*Rhi*·a nou·klé·*ar* énergie nucléaire

enfadado/a m/f én·fa·*da*·do/a en colère

enfermedad f én·fér·mé·*da* maladie

    — **venérea** bé·né·*ré*·a maladie vénérienne

enfermero/a m/f én·fér·mé·ro/a infirmier/ infirmière

enfermo/a m/f én·*fér*·mo/a malade

enfrente de én·*frén*·té dé en face de

enorme é·*nor*·mé énorme

ensalada én·sa·*la*·da salade

enseñar én·sé·*nyar* montrer • apprendre

entrar én·*trar* entrer

entre én·*tré* entre • parmi

entregar én·tré·*gar* délivrer

entrenador(a) m/f én·tré·na·*dor*/ én·tré·na·do·ra entraîneur/entraîneuse

entreno m én·*tré*·no entraînement

entrevista f én·tré·*bis*·ta interview

enviar én·bi·*ar* envoyer

epilepsia f é·pi·*lép*·sya épilepsie

equipaje m é·ki·pa·*Rhé* bagage

equipo m é·*ki*·po équipement • équipe

    — **de inmersión** dé inn·*mér*·syonn matériel de plongée

    — **de música** m dé *mou*·si·ka chaîne stéréo

equitación f é·ki·ta·*Syonn* équitation

equivocado/a m/f é·ki·bo·*ka*·do/a erroné(e)

error m é·*ror* erreur

escalada f és·ka·*la*·da escalade

escalera f és·ka·*lé*·ra escalier

escaleras f pl **mecánicas** és·ka·*lé*·ras mé·*kann*·icas escalator

escarcha f és·*kar*·tcha givre

escarpado/a m/f és·kar·*pa*·do/a escarpé(e)

escasez f és·ka·*séS* pénurie

escenario m és·Sé·*na*·ryo scène

escoger és·ko·*Rhér* choisir

escribir és·kri·*bir* écrire

— a máquina a ma·ki·na *taper à la machine*

escritor(a) m/f és·kri·tor/és·kri·to·ra *écrivain*

escuchar és·kou·tchar *écouter*

escuela f és·kwé·la *école*

— de párvulos dé par·bou·los *école maternelle*

escultura f és·koul·tou·ra *sculpture*

espacio m és·pa·Syo *espace*

espalda f és·pal·da *dos (corps)*

España f és·pa·nya *Espagne*

especial és·pé·Syal *spécial*

especialista m et f és·pé·Sya·lis·ta *spécialiste*

especie f **en peligro de extinción** és·pé·Syé én pé·li·gro dé éks·tinn·Syonn *espèce menacée*

espectáculo m és·pék·ta·kou·lo *spectacle*

espejo m és·pé·Rho *miroir*

esperar és·pé·rar *attendre*

espinaca f és·pi·na·ka *épinards*

esposa f és·po·sa *épouse*

espuma f **de afeitar** és·pou·ma dé a·féy·tar *crème à raser*

espumoso/a m/f és·pou·mo·so/a *pétillant(e) · mousseux/mousseuse*

esquí m és·ki *ski*

— acuático a·kwa·ti·ko *ski nautique*

esquiar és·ki·ar *skier*

esquina f és·ki·na *angle*

esta noche és·ta no·tché *ce soir*

Estados m pl **Unidos** és·ta·dos ou·ni·dos *États-Unis*

éste/a m/f és·té/a *celui-ci, celle-ci*

estación f és·ta·Syonn *saison · station*

— de autobuses dé aou·to·bou·sés *gare routière*

— de metro dé mé·tro *station de métro*

— de tren dé trén *gare ferroviaire*

estacionar és·ta·Syo·nar *se garer*

estadio m és·ta·dyo *stade*

estado m **civil** és·ta·do Si·bil *état civil*

estado m **del bienestar** és·ta·do dél byén·és·tar *bien-être*

estafa f és·ta·fa *escroquerie*

estanquero m és·tann·ké·ro *buraliste*

estante m és·tann·té *étagère*

estar és·tar *être*

— constipado/a m/f konns·ti·pa·do/a *être enrhumé(e)*

— de acuerdo dé a·kwér·do *être d'accord*

estatua f és·ta·twa *statue*

este és·té *est*

esterilla f és·té·ri·lya *natte (de plage)*

estilo m és·ti·lo *style*

estómago m és·to·ma·go *estomac*

estrella f és·tré·lya *étoile*

estreñimiento m és·tré·nyi·myén·to *constipation*

estudiante m et f és·tou·dyann·té *étudiant(e)*

estudio m és·tou·dyo *studio*

estufa f és·tou·fa *poêle (chauffage)*

estúpido/a m/f és·tou·pi·do/a *stupide*

etiqueta f **de equipaje** é·ti·ké·ta dé é·ki·pa·Rhé *étiquette de bagage*

euro m é·ou·ro *euro*

Europa f é·ou·ro·pa *Europe*

eutanasia f é·ou·ta·na·sya *euthanasie*

excelente éks·Sé·lén·té *excellent(e)*

excursión f éks·kour·syonn *excursion*

excursionismo m éks·kour·syo·nis·mo *randonnée*

experiencia f éks·pé·ryén·Sya *expérience*

exponer éks·po·nér *exposer*

exposición f éks·po·si·Syonn *exposition*

expreso éks·pré·so *express*

exterior m éks·té·ryor *extérieur*

extrañar éks·tra·nyar *manquer (se sentir triste)*

extranjero/a m/f éks·trann·Rhé·ro/a *étranger/étrangère*

F

fábrica f fa·bri·ka *usine*

fácil fa·Sil *facile*

facturación f de equipajes
fak·tou·ra·Syonn dé é·ki·pa·Rhés
enregistrement des bagages

falda f fal·da jupe

falta f fal·ta faute

familia f fa·mi·lya famille

fantástico/a m/f fann·tas·ti·ko/a
fantastique

farmacia f far·ma·Sya pharmacie

farmacéutico m far·ma·Si·ou·ti·ko
pharmacien

faros m pl fa·ros phares

fecha f fé·tcha date
— **de nacimiento** dé na·Si·myén·to
date de naissance

feliz fé·liS heureux/heureuse

ferretería f fé·ré·té·ri·a quincaillerie

festival m fés·ti·bal festival

ficción f fik·Syonn fiction

fideos m pl fi·dé·os vermicelles

fiebre f fyé·bré fièvre
— **glandular** glann·dou·lar
mononucléose infectieuse

fiesta f fyés·ta fête

filete m fi·lé·té filet

film m film film

fin m finn fin
— **de semana** dé sé·ma·na week-end

final m fi·nal final

firma f fir·ma signature

firmar fir·mar signer

flor f flor fleur

florista m et f flo·ris·ta fleuriste

follar fo·lyar baiser (verbe, sexe)

folleto m fo·lyé·to brochure

footing m fou·tinn jogging

forma f for·ma forme

fotografía f fo·to·gra·fi·a photographie

fotógrafo/a m/f fo·to·gra·fo/a
photographe

fotómetro m fo·to·mé·trô photomètre

frágil fra·Rhil fragile

frambuesa f framm·bwé·sa framboise

francés m frann·Sés français

Francia f frann·Sya France

franela f fra·né·la flanelle

franqueo m frann·ké·o affranchissement

freír fré·ir frire

frenos m pl fré·nos freins

frente a frén·té a en face de

fresa f fré·sa fraise

frío/a m/f fri·o/a froid(e)

frontera f fronn·té·ra frontière

fruta f frou·ta fruit

fruto m seco frou·to sé·ko fruit sec

fuego m fwé·go feu

fuera de juego fwé·ra dé Rhwé·go
hors jeu

fuerte fwér·té fort(e)

fumar fou·mar fumer

funda f de almohada foun·da dé
al·mwa·da taie d'oreiller

funeral m fou·né·ral funérailles

fútbol m fout·bol football
— **australiano** aou·stra·lya·no
Australian Rules football

futuro m fou·tou·ro avenir

G

gafas f pl ga·fas lunettes
— **de sol** dé sol lunettes de soleil
— **de submarinismo** dé
soub·ma·ri·nis·mo lunettes de plongée

galleta f ga·lyé·ta biscuit

galletas f pl saladas ga·lyé·tas sa·la·das
biscuits salés

gambas f pl gamm·bas crevettes •
gambas

ganador(a) m/f ga·na·dor/ga·na·do·ra
gagnant(e)

ganar ga·nar gagner

garbanzos m pl gar·bann·Sos pois
chiches

garganta f gar·gann·ta gorge

gasolina f ga·so·li·na essence

gasolinera f ga·so·li·né·ra station-service

gatito/a m/f ga·ti·to/a chaton

gato/a m/f ga·to/a chat(te)

gay gay gay

gemelos m pl Rhé·mé·los jumeaux/
jumelles

general Rhé·né·*ral* général
gente f Rhén·té gens
gimnasia f rítmica Rhimm·*na*·sya rit·mi·ka gymnastique rythmique
ginebra f Rhi·*né*·bra gin
ginecólogo m Rhi·né·ko·lo·go gynécologue
gobierno m go·byér·no gouvernement
gol m gol but (football)
goma f *go*·ma préservatif • gomme, caoutchouc
gordo/a m/f gor·do/a gros(se) (personne)
grabación f gra·ba·*Syonn* enregistrement
gracioso/a m/f gra·*Syo*·so/a drôle
gramo m *gra*·mo gramme
grande grann·dé grand(e)
grande almacene m grann·dé al·ma·*Sé*·né grand magasin
granja f grann·Rha ferme
gratis *gra*·tis gratuit
grifo m gri·fo robinet
gripe f gri·pé grippe
gris gris gris
gritar gri·*tar* crier
grupo m *grou*·po groupe
— **de rock** dé rok groupe de rock
— **sanguíneo** sann·*gi*·né·o groupe sanguin
guantes m pl *gwann*·tés gants
guardarropa m gwar·da·*ro*·pa garde-robe
guardería f gwar·dé·*ri*·a crèche
guerra f *gé*·ra guerre
guía m et f *gi*·a guide (personne)
guía f *gi*·a guide (livre)
— **audio** *aou*·dyo audioguide
— **del ocio** dél o·*Syo* guide des sorties
— **telefónica** té·lé·fo·ni·ka annuaire
guindilla f ginn·*di*·lya piment
guión m gi·*onn* script
guiri m *gi*·ri touriste (argot)
guisantes gi·*sann*·tés pois
güisqui *gwis*·ki whisky

guitarra f gi·*ta*·ra guitare
gustar(le) gous·*tar*(·lé) aimer • plaire

H

habitación f a·bi·ta·*Syonn* chambre • salle
— **doble** do·blé chambre double
— **individual** inn·di·bi·*dwal* chambre simple
hablar a·*blar* parler
hace sol a·Sé sol il y a du soleil
hacer a·*Sér* faire
— **dedo** dé·do faire du stop
— **surf** sourf faire du surf
— **windsurf** winn·sourf faire de la planche à voile
hacia a·*Sya* vers
— **abajo** a·*ba*·Rho en bas
halal a·*lal* halal
hamaca f a·*ma*·ka hamac
hambriento/a m/f amm·*bryén*·to/a affamé(e)
harina f a·*ri*·na farine
hasta (junio) as·ta (Rhou·nyo) jusqu'à (juin)
hecho/a m/f é·tcho/a fait(e)
— **a mano** a *ma*·no fait main
— **de (algodón)** dé (al·go·*donn*) en (coton)
heladería f é·la·dé·*ri*·a glacier (magasin)
helado m é·*la*·do glace
helar é·*lar* geler
hepatitis f é·pa·*ti*·tis hépatite
herbolario m ér·bo·*la*·ryo herboristerie
herida f é·*ri*·da blessure
hermana f ér·*ma*·na sœur
hermano m ér·*ma*·no frère
hermoso/a m/f ér·mo·so/a beau/belle
hielo m *yé*·lo glace (verglas)
hierba f yér·ba herbe
hígado m *i*·ga·do foie
higo m *i*·go figue
hija f *i*·Rha fille (de quelqu'un)
hijo m *i*·Rho fils (de quelqu'un)
hijos m pl *i*·Rhos enfants (de quelqu'un)
hilo m **dental** *i*·lo dén·*tal* fil dentaire

hinchas m et f pl *inn*-tchas *supporters*

hindú inn-*dou* *hindou*

hipódromo m i-po-dro-mo *hippodrome*

historial m *profesional* is-to-*ryal*
pro-fé-syo-*nal* *CV*

histórico/a m/f is-*to*-ri-ko/a *historique*

hockey m *Rho*-ki *hockey*

— **sobre hielo** so-bré yé-lo *hockey sur*
glace

hoja f o-*Rha* *feuille*

hojalata f o-*Rha*-*la*-ta *fer blanc*

Holanda f o-*lann*-da *Hollande*

hombre m *omm*-bré *homme*

hombros m pl *omm*-bros *épaules*

homosexual m et f o-mo-sé-*kswal*
homosexuel(le)

hora f o-ra *heure*

horario m o-ra-ryo *horaire*

horas f pl **de abrir** o-ras dé a-*brir* *heures*
d'ouverture

hormiga f or-*mi*-ga *fourmi*

horno m *or*-no *four*

horóscopo m o-ros-ko-po *horoscope*

hospital m os-pi-*tal* *hôpital*

hosteleria f os-té-lé-*ri*-a *hôtellerie*

hotel m o-*tél* *hôtel*

hoy oy *aujourd'hui*

hueso m *wé*-so *os*

huevo m *wé*-bo *œuf*

humanidad f ou-ma-ni-*da* *humanité*

identificación f i-dén-ti-fi-ka-*Syonn*
identification

idioma m i-*dyo*-ma *langue*

idiota m/f i-*dyo*-ta *idiot(e)*

iglesia f i-*glé*-sya *église*

igual i-*gwal* *égal* • *identique*

igualdad f i-gwal-*da* *égalité*

impermeable m imm-pér-mé-*a*-blé
imperméable

importante imm-por-*tann*-té *important*

impuesto m imm-*pwés*-to *impôt*

— **sobre la renta** so-bré la *rén*-ta *impôt*
sur le revenu

incluido inn-klou-*i*-do *inclus*

incómodo/a m/f inn-*ko*-mo-do/a
inconfortable

India f *inn*-dya *Inde*

indicador m inn-di-ka-*dor* *indicateur*

indigestion f inn-di-*Rhés*-tyonn
indigestion

industria f inn-*dous*-trya *industrie*

infección f inn-*fék*-*Syonn* *infection*

inflamación f inn-fla-ma-*Syonn*
inflammation

informática f inn-for-*ma*-ti-ka
informatique

ingeniería f inn-Rhé-nyé-*ri*-a *ingénierie*

ingeniero/a m/f inn-Rhé-*nyé*-ro/a
ingénieur

Inglaterra f inn-gla-*té*-ra *Angleterre*

inglés m inn-*glés* *anglais*

ingrediente m inn-gré-*dyén*-té
ingrédient

injusto/a m/f inn-*Rhous*-to/a *injuste*

inmigración f inn-mi-gra-*Syonn*
immigration

inocente i-no-*Sén*-té *innocent*

inseguro/a m/f inn-sé-*gou*-ro/a
dangereux/dangereuse

instituto m inns-ti-*tou*-to *institut*

intentar (hacer algo) inn-tén-*tar* (a-*Sér*
al-go) *essayer*

interesante inn-té-ré-*sann*-té *intéressant*

internacional inn-tér-na-Syo-*nal*
international

Internet m *inn*-tér-nét *Internet*

intérprete m et f inn-*tér*-pré-té *interprète*

inundación f i-noun-da-*Syonn*
inondation

invierno m inn-*byér*-no *hiver*

invitar inn-bi-*tar* *inviter*

inyección f inn-*yék*-*Syonn* *injection*

ir ir *aller*

— **de compras** dé *komm*-pras *faire les*
courses

— **de excursión** dé éks-kour-*syonn* *faire*
de la randonnée

— **en tobogán** én to-bo-*gann* *faire du*
toboggan

Irlanda f ir-*lann*-da *Irlande*
irritación f i-rri-ta-*Syonn irritation*
— **de pañal** dé pa-*nyal irritation due aux couches*
isla f *is*-la *île*
itinerario m i-ti-né-*ra*-ryo *itinéraire*
IVA m *i*-ba *TVA*
izquierda f iS-*kyér*-da *gauche*

jabón m Rha-*bonn savon*
jamón m Rha-*monn jambon*
Japón m Rha-*ponn Japon*
jarabe m Rha-*ra*-bé *sirop*
jardín m **botánico** Rhar-*dinn bo*-ta-ni-ko *jardin botanique*
jarra f Rha-ra *jarre*
jefe/a m/f Rhé-fé/a *chef*
— **de sección** dé sék-*Syonn chef de section*
jengibre m Rhén-*Rhi*-bré *gingembre*
jeringa f Rhé-*rinn*-ga *seringue*
jersey m Rhér-*séy pull-over*
jet lag m dyét lag *jet lag*
jockey m *dyo*-ki *jockey*
joven Rho-bén *jeune*
joyería f Rho-yé-*ri*-a *bijouterie*
jubilado/a m/f Rhou-bi-*la*-do/a *retraité(e)*
judías f pl Rhou-*di*-as *haricots*
judío/a m/f Rhou-*di*-o/a *juif/juive*
juegos m pl **de ordenador** Rhwé-gos dé or-dé-na-*dor jeux vidéo*
juegos m pl **olímpicos** Rhwé-gos o-*limm*-pi-kos *Jeux olympiques*
juez m et f RhwéS *juge*
jugar Rhou-*gar jouer (sport · jeux)*
jugo m Rhou-go *jus*
juguetería f Rhou-gé-té-*ri*-a *magasin de jouets*
juntos/as m/f pl Rhoun-tos/as *ensemble*

kilo m *ki*-lo *kilogramme*
kilómetro m ki-*lo*-mé-tro *kilomètre*
kiwi m *ki*-wi *kiwi*
kosher ko-shér *casher*

La Copa f **Mundial** la *ko*-pa moun-*dyal Coupe de monde*
labios m pl *la*-byos *lèvres*
lado m *la*-do *côté*
ladrón m la-*dronn voleur*
lagartija f la-gar-*ti*-Rha *lézard*
lago m *la*-go *lac*
lamentar la-mén-*tar regretter*
lana f *la*-na *laine*
lápiz m *la*-piS *crayon*
— **de labios** dé *la*-byos *rouge à lèvres*
largo/a m/f *lar*-go/a *long(ue)*
lata f *la*-ta *boîte de conserve*
lavadero m la-ba-*dé*-ro *lavoir*
lavadora f la-ba-*do*-ra *machine à laver*
lavandería f la-bann-dé-*ri*-a *blanchisserie*
lavar la-*bar laver*
lavarse la-*bar*-sé *se laver*
leche f *lé*-tché *lait*
— **de soja** dé *so*-Rha *lait de soja*
— **desnatada** dés-na-*ta*-da *lait écrémé*
lechuga f lé-*tchou*-ga *laitue*
leer lé-*ér lire*
legal lé-*gal légal*
legislación f lé-Rhis-la-*Syonn législation*
legumbre f lé-*goum*-bré *légume*
lejos *lé*-Rhos *loin*
leña f *lé*-nya *bois de chauffage*
lentejas f pl lén-*té*-Rhas *lentilles*
lentes m pl **de contacto** *lén*-tés dé konn-*tak*-to *lentilles de contact*
lento/a m/f *lén*-to/a *lent(e)*
lesbiana f lés-bi-*a*-na *lesbienne*
leve *lé*-bé *léger/légère*
ley f *léy loi*
libre *li*-bré *libre*

librería f li·bré·*ri*·a *librairie*

libro m *li*·bro *livre*

— **de frases** dé *fra*·sés *guide de conversation*

lider m li·dér *leader*

ligar li·*gar draguer*

lila *li*·la *lilas*

lima *li*·ma *lime*

limón m li·*monn citron*

limonada f li·mo·*na*·da *limonade*

limpio/a m/f *limm*·pyo/a *propre*

línea f *li*·né·a *ligne*

linterna f linn·*tér*·na *torche électrique*

listo/a m/f *lis*·to/a *prêt(e)*

lo que lo ké *ce qui*

local lo·*kal local*

loco/a m/f lo·ko/a *fou/folle*

lodo *lo*·do *boue*

lombrices f pl lomm·*bri*·Sés *vers de terre*

los dos los dos *les deux*

lubricante m lou·bri·*kann*·té *lubrifiant*

luces f pl lou·Sés *lumières*

luchar contra lou·*tchar* konn·tra *lutter contre*

lugar m lou·*gar lieu*

— **de nacimiento** dé na·Si·*myén*·to *lieu de naissance*

lujo m *lou*·Rho *luxe*

luna f *lou*·na *lune*

— **llena** *lyé*·na *pleine lune*

— **de miel** dé myél *lune de miel*

luz f louS *lumière*

LL

llamada f lya·*ma*·da *appel*

— **a cobro revertido** a *ko*·bro ré·bér·*ti*·do *appel en PCV*

llamar por telefono lya·*mar* por té·lé·fo·no *appeler au téléphone*

llano/a m/f *lya*·no/a *plat(e)*

llave f *lya*·bé *clé*

llegadas f pl lyé·*ga*·das *arrivées*

llegar lyé·*gar arriver*

llenar lyé·*nar remplir*

lleno/a m/f *lyé*·no/a *plein(e)*

llevar lyé·*bar porter*

lluvia f *lyou*·bya *pluie*

M

machismo m ma·*tchis*·mo *machisme*

madera f ma·*dé*·ra *bois*

madre f *ma*·dré *mère*

madrugada f ma·drou·*ga*·da *petit matin*

mago/a m/f *ma*·go/a *magicien(ne)*

maíz m ma·*iS maïs*

maleta f ma·*lé*·ta *valise*

maletín m ma·lé·*tinn mallette*

— **de primeros auxilios** m dé pri·*mé*·ros aou·*ksi*·lyos *trousse de premiers secours*

malo/a m/f *ma*·lo/a *méchant(e)*

mamá f ma·*ma maman*

mamograma m ma·mo·*gra*·ma *mammographie*

mañana f ma·*nya*·na *demain · matin (6h-13h)*

— **por la mañana** por la ma·*nya*·na *demain matin*

— **por la noche** por la *no*·tché *demain soir*

— **por la tarde** por la *tar*·dé *demain après-midi*

mandarina f mann·da·*ri*·na *mandarine*

mandíbula f mann·*di*·bou·la *mâchoire*

mando a distancia *mann*·do a dis·*tann*·Sya *télécommande*

mango m *mann*·go *mangue*

manifestación f ma·ni·fés·ta·*Syonn manifestation*

manillar m ma·ni·*lyar guidon*

mano f *ma*·no *main*

manta f *mann*·ta *couverture*

manteca f mann·*té*·ka *graisse*

mantel m mann·*tél nappe*

mantequilla f mann·té·*ki*·lya *beurre*

manzana f mann·*Sa*·na *pomme*

mapa m *ma*·pa *carte (plan)*

maquillaje m ma·ki·*lya*·Rhé *maquillage*

máquina f ma·ki·na *maci*
  — de billetes dé bi·lyé·tés
  automatique
  — de tabaco dé ta·ba·ko *distn.*
  de cigarettes
mar m mar *mer*
marido m ma·ri·do *mari*
maravilloso/a m/f ma·ra·bi·lyo·so/a
  merveilleux/merveilleuse
marcador m mar·ka·dor *tableau*
  d'affichage (sport)
marcapasos m mar·ka·pa·sos *pacemaker*
marcar mar·kar *marquer*
marea f ma·ré·a *marée*
mareado/a m/f ma·ré·a·do/a *qui se*
  sent mal, qui a le mal de mer
mareo m ma·ré·o *mal des transports*
margarina f mar·ga·ri·na *margarine*
mariposa f ma·ri·po·sa *papillon*
marrón ma·ronn *marron*
martillo m mar·ti·lyo *marteau*
más cercano/a m/f mas Sér·ka·no/a
  plus près
masaje m ma·sa·Rhé *massage*
masajista m et f ma·sa·Rhis·ta *masseur/*
  masseuse
matar ma·tar *tuer*
matrícula f ma·tri·kou·la
  immatriculation
matrimonio m ma·tri·mo·nyo *mariage*
mayonesa f ma·yo·né·sa *mayonnaise*
mecánico m mé·ka·ni·ko
  mécanicien(ne)
mechero m mé·tché·ro *briquet*
medianoche f mé·dya·no·tché *minuit*
medias f pl mé·dyas *bas • collants*
medicina f mé·di·Si·na *médecine*
medico/a m/f mé·di·co/a *médecin*
medio m **ambiente** mé·dyo
  amm·byén·té *environnement*
medio/a m/f mé·dyo/a *demi(e)*
mediodía m mé·dyo·di·a *midi*
medios m pl **de comunicación**
  mé·dyos dé ko·mou·ni·ka·Syonn
  médias

mar m mar *mer*

me.
  me.
mentir .
  menteu
menú m m
menudo/a m/f .....a/a *menu(e)*
a menudo a me.....do *souvent*
mercado m mér·ka·do *marché*
mermelada f mér·mé·la·da *confiture •*
  marmelade
mes m més *mois*
mesa f mé·sa *table*
meseta f mé·sé·ta *plateau*
metal m mé·tal *métal*
meter (un gol) mé·tér (oun gol) *marquer*
  (un but)
metro m mé·tro *mètre*
mezclar méS·klar *mélanger*
mezquita f méS·ki·ta *mosquée*
mi mi *mon/ma*
microondas m mi·kro·onn·das *micro-*
  ondes
miel f myél *miel*
miembro m myém·bro *membre*
migraña f mi·gra·nya *migraine*
milímetro m mi·li·mé·tro *millimètre*
millón m mi·lyonn *million*
minusválido/a m/f mi·nous·ba·li·do/a
  handicapé(e)
minuto m mi·nou·to *minute*
mirador m mi·ra·dor *belvédère*
mirar mi·rar *regarder*
  — los escaparates los és·ka·pa·ra·tés
  faire du lèche-vitrines
misa f mi·sa *messe*

...u·do/a *mouillé(e)*

...mo·nas·té·ryo *monastère*

...as f pl mo·né·das *pièces de monnaie*

monja f monn·Rha *nonne*

monopatinaje m mo·no·pa·ti·na·Rhé *skate-board*

montaña f monn·ta·nya *montagne*

montar monn·tar *monter*

— **en bicicleta** én bi·Si·klé·ta *faire du vélo*

monumento m mo·nou·mén·to *monument*

mordedura f mor·dé·dou·ra *morsure (chien)*

morir mo·rir *mourir*

mosquitera f mos·ki·té·ra *moustiquaire*

mosquito m mos·ki·to *moustique*

mostaza f mos·ta·Sa *moutarde*

mostrador m mos·tra·dor *comptoir*

mostrar mos·trar *montrer*

motocicleta f mo·to·Si·klé·ta *moto*

motor m mo·tor *moteur*

motora f mo·to·ra *bateau à moteur*

muchos/as m/f pl mou·tchos/as *nombreux/nombreuse*

mudo/a m/f mou·do/a *muet(te)*

muebles m pl mwé·blés *meubles*

muela f mwé·la *molaire*

muelle m mwé·lyé *ressort*

muerto/a m/f mwér·to/a *mort(e)*

muesli m mwés·li *muesli*

mujer f mou·Rhér *femme*

multa f moul·ta *amende*

mundo m moun·do *monde*

muñeca f mou·nyé·ka *poupée · poignet*

murallas f pl mou·ra·lyas *murailles*

músculo m mous·kou·lo *muscle*

museo m mou·sé·o *musée*

música f mou·si·ka *musique*

músico/a m/f mou·si·ko/a *musicien(ne)*

— **ambulante** amm·bou·lann·té *musicien des rues*

muslo m mous·lo *cuisse (poulet)*

musulmán(a) m/f mou·soul·mann/ mou·soul·ma·na *musulman(e)*

muy moui *très*

N

nacionalidad f na·Syo·na·li·da *nationalité*

nada na·da *aucun · rien*

nadar na·dar *nager*

naranja f na·rann·Rha *orange*

nariz f na·riS *nez*

nata f agria na·ta a·grya *crème aigre*

naturaleza f na·tou·ra·lé·Sa *nature*

naturopatía f na·tou·ro·pa·ti·a *naturopathie*

náusea f naou·sé·a *nausée*

náuseas f pl del embarazo naou·sé·as dél ém·ba·ra·So *nausées de grossesse*

navaja f na·ba·Rha *canif*

Navidad f na·bi·da *Noël*

necesario/a m/f né·Sé·sa·ryo/a *nécessaire*

necesitar né·Sé·si·tar *avoir besoin*

negar né·gar *nier*

negar né·gar *refuser*

negocio m né·go·Syo *commerce*

negro/a m/f né·gro/a *noir(e)*

neumático m né·ou·ma·ti·ko *pneu*

nevera f né·bé·ra *réfrigérateur*

nieto/a m/f nyé·to/a *petit-fils/petite-fille*

nieve f nyé·bé *neige*

niño/a m/f ni·nyo/a *enfant*

no no *non*

— **fumadores** fou·ma·do·rés *non-fumeurs*

— **incluido** inn·klou·i·do *non inclus*

noche f no·tché *soir · nuit*

Nochebuena f no·tché·bwé·na *nuit de Noël*

Nochevieja f no·tché·byé·Rha *réveillon du Nouvel An*

nombre m *nomm·bré* nom
  — de pila *dé pi·*la *nom de bapte...*
norte m *nor·*té *nord*
nosotros/as m/f pl *no·so·tros/
no·so·tras nous*
noticias f pl *no·ti·*Syas *nouvelles
(informations)*
novia f *no·*bya *petite amie • fiancée*
novio m *no·*byo *petit ami • fiancé*
nube f *nou·*bé *nuage*
nublado *nou·bla·*do *nuageux*
nueces *nwé·*Sés *noix*
nuestro/a m/f *nwés·*tro/a *notre*
nuevo/a m/f *nwé·*bo/a *nouveau/
nouvelle*
número m *nou·mé·*ro *numéro*
  — de la habitación *dé la a·bi·ta·*Syonn
  numéro de la chambre
  — de pasaporte *dé pa·sa·por·*té
  numéro de passeport
nunca *noun·*ka *jamais*

O

o o *ou*
obra f *o·*bra *œuvre • chantier*
obrero/a m/f *o·bré·*ro/a *ouvrier/
ouvrière*
océano m *o·*Sé·a·no *océan*
ocupado/a m/f *o·kou·pa·*do/a
occupé(e)
ocupar *o·kou·*par *occuper*
oeste m *o·*és·té *ouest*
oficina f *o·fi·*Si·na *bureau*
  — de objetos perdidos *dé* ob·*Rhé·*tos
  *pér·di·*dos *bureau des objets trouvés*
  — de turismo *dé tou·*ris·mo *office du
  tourisme*
oír *o·*ir *entendre*
ojo m *o·*Rho *voir*
ola f *o·*la *vague*
olor m *o·*lor *odeur*
olvidar *ol·bi·*dar *oublier*
ópera f *o·*pé·ra *opéra*
operación f *o·pé·ra·*Syonn *opération*
opinión f *o·pi·*nyonn *opinion*

org...
origi...
orques...
oscuro/a ...
ostra f *os·*tra...
otoño m *o·to·...*
otra vez *o·*tra bè... *...is de plus*
otro/a m/f *o·*tro/a d...
oveja f *o·*bé·Rha *breb...*
oxígeno m *o·*ksi·Rhé·no *oxygène*

P

padre m *pa·*dré *père*
padres m pl *pa·*drés *parents*
pagar *pa·*gar *payer*
página f *pa·*Rhi·na *page*
pago m *pa·*go *paiement*
país m *pa·*is *pays*
pájaro m *pa·*Rha·ro *oiseau*
palabra f *pa·la·*bra *mot*
palacio m *pa·la·*Syo *palais*
palillo m *pa·li·*lyo *cure-dents*
pan m *pann* *pain*
  — integral inn·té·*gral pain complet*
  — moreno mo·ré·no *pain noir*
panadería f *pa·na·dé·ri·a boulangerie*
pañal m *pa·nyal couche (pour bébé)*
pantalla f *pann·ta·*lya *écran*
pantalones m pl *pann·ta·lo·*nés
  pantalon
  — cortos *kor·*tos *shorts*
pañuelos m pl **de papel** *pa·nywé·*los *dé
  pa·pél mouchoirs en papier*
papá m *pa·pa papa*
papel m *pa·pél papier*
  — de fumar *dé fou·*mar *papier à
  cigarettes*

parada f pa·ra·da **arrêt**
— **de autobús** dé aou·to·*bous*
arrêt de bus
— **de taxis** dé ta·ksis *station de taxis*
paraguas m pa·ra·gwas *parapluie*
parapléjico/a m/f pa·ra·plé·Rhi·ko/a
paraplégique
parar pa·rar *s'arrêter*
pared f pa·ré *mur*
pareja f pa·ré·Rha *couple*
parlamento m par·la·mén·to *parlement*
paro m pa·ro *chômage*
parque m par·ké *parc*
— **nacional** na·Syo·*nal parc national*
parte f par·té *part*
partida f **de nacimiento** par·ti·da dé
na·Si·myén·to *certificat de naissance*
partido m par·ti·do *match (sport)* • *parti
(politique)*
pasado m pa·sa·do *passé*
pasado mañana pa·sa·do ma·nya·na
après-demain
pasado/a m/f pa·sa·do/a *périmé(e)*
pasajero m pa·sa·Rhé·ro *passager*
pasaporte m pa·sa·por·té *passeport*
Pascua f pas·kwa *Pâques*
pase m pa·sé *pass*
paseo m pa·sé·o *rue*
paso m pa·so *pas*
— **de cebra** dé Sé·bra *passage pour
piétons*
pasta f pas·ta *pâte*
— **dentífrica** dén·ti·fri·ka *dentifrice*
pastel m pas·tél *gâteau*
— **de cumpleaños** dé
koum·plé·a·nyos *gâteau
d'anniversaire*
pastelería f pas·té·lé·ri·a *pâtisserie*
pastilla f pas·ti·lya *pilule*

pastillas f pl **de menta** pas·ti·lyas dé
mén·ta *pastilles à la menthe*
pastillas f pl **para dormir** pas·ti·lyas
pa·ra dor·mir *pilules pour dormir*
patata f pa·ta·ta *pomme de terre*
paté m pa·té *pâté*
patinar pa·ti·nar *faire du patin à roulettes*
pato m pa·to *canard*
pavo m pa·bo *dinde*
paz f paS *paix*
peatón m et f pé·a·tonn *piéton(ne)*
pecho m pé·tcho *poitrine*
pechuga f pé·tchou·ga *blanc (volaille)*
pedal m pé·dal *pédale*
pedazo m pé·da·So *morceau*
pedir pé·dir *demander*
peine m péy·né *peigne*
pelea f pé·lé·a *bagarre*
película f pé·li·kou·la *film* • *pellicule*
— **en color** én ko·lor *pellicule couleur*
peligroso/a m/f pé·li·gro·so/a
dangereux/dangereuse
pelo m pé·lo *cheveu* • *poil*
pelota f pé·lo·ta *balle*
— **de golf** dé golf *balle de golf*
peluquero/a m/f pé·lou·ké·ro/a *coiffeur/
coiffeuse*
pendientes m pl pén·dyén·tés *boucles
d'oreilles*
pensar pén·sar *penser*
pensión f pén·syonn *pension*
pensionista m et f pén·syo·nis·ta
retraité(e)
pepino m pé·pi·no *concombre*
pequeñito/a m/f pé·ké·nyi·to/a
minuscule
pequeño/a m/f pé·ké·nyo/a *petit(e)*
pera f pé·ra *poire*
perder pér·dér *perdre*
perdido/a m/f pér·di·do/a *perdu(e)*
perdonar pér·do·nar *pardonner*
perejil m pé·ré·Rhil *persil*
perfume m pér·fou·mé *parfum*
periódico m pé·ryo·di·ko *journal*
periodista m et f pé·ryo·dis·ta *journaliste*
permiso m pér·mi·so *permission* • *permis*

— **de trabajo** m dé tra·*ba*·Rho *permis de travail*

permitir pér·mi·*tir* *permettre*

pero *pé*·ro *mais*

perro/a m/f *pé*·ro/a *chien(ne)*

perro m **lazarillo** *pé*·ro la·Sa·ri·lyo *chien guide d'aveugle*

persona f pér·*so*·na *personne*

pesado/a m/f pé·*sa*·do/a *lourd(e)*

pesar pé·*sar* *peser*

pesas f pl *pé*·sas *poids*

pesca f *pés*·ka *pêche*

pescadería f pés·ka·dé·*ri*·a *poissonnerie*

pescado m pés·*ka*·do *poisson (à manger)*

peso m *pé*·so *poids*

petición f pé·ti·*Syonn* *pétition*

pez m péS *poisson (vivant)*

picadura f pi·ka·*dou*·ra *piqûre (insecte)*

picazón f pi·ka·*Sonn* *démangeaison*

pie m pi·é *pied*

piedra f pyé·dra *pierre*

piel f pyél *peau*

pierna f *pyér*·na *jambe*

pila f *pi*·la *pile*

píldora f *pil*·do·ra *pilule contraceptive*

pimienta f pi·*myén*·ta *poivre*

pimiento m pi·*myén*·to *poivron* • *piment*

— **rojo** *ro*·Rho *poivron rouge*

— **verde** *bér*·dé *poivron vert*

piña f *pi*·nya *pomme de pin*

pinchar pinn·*tchar* *crever (un pneu)*

ping pong m *pinng ponng* *ping-pong*

pintar pinn·*tar* *peindre*

pintor(a) m/f pinn·*tor*/pinn·*to*·ra *peintre*

pintura f pinn·*tou*·ra *peinture*

pinzas f pl *pinn*·Sas *pinces à linge*

piojos m pl *pyo*·Rhos *poux*

piqueta f pi·*ké*·ta *pic*

piquetas f pl pi·*ké*·tas *sardines (camping)*

piscina f pis·*Si*·na *piscine*

pista f *pis*·ta *court (tennis)*

pistacho m pis·*ta*·tcho *pistache*

plancha f *plann*·tcha *fer à repasser*

planeta m pla·*né*·ta *planète*

planta f *plann*·ta *plante*

plástico m *plas*·ti·ko *plastique*

plata f *pla*·ta *argent*

plataforma f pla·ta·*for*·ma *plate-forme*

plátano m *pla*·ta·no *banane*

plateado/a m/f pla·té·*a*·do/a *argenté(e)*

plato m *pla*·to *assiette*

playa f *pla*·ya *plage*

plaza f *pla*·Sa *place*

— **de toros** dé *to*·ros *arène*

pobre *po*·bré *pauvre*

pobreza f po·*bré*·Sa *pauvreté*

pocos *po*·kos *peu*

poder po·*dér* *pouvoir*

poder m po·*dér* *pouvoir*

poesía f po·é·*si*·a *poésie*

polen m po·*lén* *pollen*

policía f po·li·*Si*·a *police*

política f po·*li*·ti·ka *politique*

político m po·*li*·ti·ko *politicien*

póliza f *po*·li·Sa *police (d'assurance)*

pollo m *po*·lyo *poulet*

pomelo m po·*mé*·lo *pamplemousse*

poner po·*nér* *poser*

popular po·pou·*lar* *populaire*

póquer m *po*·kér *poker*

por (día) por (*di*·a) *par (jour)*

por ciento por *Syén*·to *pour cent*

por qué por ké *pourquoi*

por vía aérea por bi·a·é·ré·a *par voie aérienne*

por vía terrestre por bi·a té·rés·tré *par voie terrestre*

porque por·ké *parce que*

portero/a m/f por·té·ro/a *gardien de but*

posible po·*si*·blé *possible*

postal f pos·*tal* *carte postale*

póster m pos·tér *poster*

potro m *po*·tro *poulain*

pozo m *po*·So *puits*

precio m *pré*·Syo *prix*

— **de entrada** dé én·*tra*·da *prix d'entrée*

— **del cubierto** dél kou·*byér*·to *prix du couvert*

preferir pré·fé·rir *préférer*

pregunta f pré·goun·ta *question*

preguntar pré·goun·tar *demander*

preocupado/a m/f pré·o·kou·pa·do/a *préoccupé(e)*

preocuparse por pré·o·kou·par·sé por *s'inquiéter pour*

preparar pré·pa·rar *préparer*

presidente/a m/f pré·si·dén·té/a *président(e)*

presión f pré·syonn *pression*

— **arterial** ar·té·ryal *pression sanguine*

prevenir pré·bé·nir *prévenir*

primavera f pri·ma·bé·ra *printemps*

primer ministro m pri·mér mi·nis·tro *Premier ministre*

primero/a m/f pri·mé·ro/a *premier/première*

principal prinn·Si·pal *principal(e)*

prisa f pri·sa *hâte*

prisionero/a m/f pri·syonn·né·ro/a *prisonnier/prisonnière*

privado/a m/f pri·ba·do/a *privé(e)*

probar pro·bar *essayer*

producir pro·dou·Sir *produire*

productos m pl **congelados** pro·douk·tos konn·Rhé·la·dos *surgelés*

profesor(a) m/f pro·fé·sor/pro·fé·so·ra *professeur*

profundo/a m/f pro·foun·do/a *profond(e)*

programa m pro·gra·ma *programme*

prolongación f pro·lonn·ga·Syonn *prolongation (de visa)*

promesa f pro·mé·sa *promesse*

prometida f pro·mé·ti·da *fiancée*

prometido m pro·mé·ti·do *fiancé*

pronto pronn·to *bientôt*

propietaria f pro·pyé·ta·rya *propriétaire*

propietario m pro·pyé·ta·ryo *propriétaire*

propina f pro·pi·na *pourboire*

proteger pro·té·Rhér *protéger*

protegido/a m/f pro·té·Rhi·do/a *protégé(e)*

protesta f pro·tés·ta *protestation*

provisiones f pl pro·bi·syo·nés *provisions*

proyector m pro·yék·tor *projecteur*

prudente prou·dén·té *prudent(e)*

prueba f prwé·ba *essai*

— **del embarazo** dél ém·ba·ra·So *test de grossesse*

pruebas f pl **nucleares** prwé·bas nou·klé·a·rés *essais nucléaires*

pub m poub *pub*

pueblo m pwé·blo *village*

puente m pwén·té *pont*

puerro m pwé·ro *poireau*

puerta f pwér·ta *porte*

puerto m pwér·to *port*

puesta f **del sol** pwés·ta dél sol *coucher de soleil*

pulga f poul·ga *mouche*

pulmones m pl poul·mo·nés *poumons*

punto m poun·to *point*

puro m pou·ro *cigare*

puro/a m/f pou·ro/a *pur(e)*

Q

(el mes) que viene (él més) ké byé·né *(le mois) prochain*

quedarse ké·dar·sé *rester*

quedarse sin ké·dar·sé sinn *se trouver à court de*

quejarse ké·Rhar·sé *se plaindre*

quemadura f ké·ma·dou·ra *brûlure*

— **de sol** dé sol *coup de soleil*

querer ké·rér *aimer • vouloir*

queso m ké·so *fromage*

— **de cabra** dé ka·bra *fromage de chèvre*

quien kyén *qui*

quincena f kinn·Sé·na *quinzaine*

quiosco m kyos·ko *kiosque*

quiste m **ovárico** kis·té o·ba·ri·ko *kyste ovarien*

quizás ki·Sas *peut-être*

R

rábano m *ra·ba·no radis*
— **picante** pi·*kann·té raifort*
rápido/a m/f *ra·pi·do/a rapide*
raqueta f *ra·ké·ta raquette*
raro/a m/f *ra·ro/a rare*
rastro m *ras·tro trace*
rata f *ra·ta rat*
ratón m *ra·tonn souris*
raza f *ra·Sa race*
razón f *ra·Sonn raison*
realista *ré·a·lis·ta réaliste*
recibir ré·Si·*bir recevoir*
recibo m ré·*Si·bo reçu*
reciclable ré·Si·*kla·blé recyclable*
reciclar ré·Si·*klar recycler*
recientemente ré·Syén·té·*mén·té récemment*
recogida f **de equipajes** ré·ko·*Rhi·da* dé é·ki·*pa·Rhés récupération des bagages*
recolección f **de fruta** ré·ko·lék·*Syonn* dé *frou·ta collecte des fruits*
recomendar ré·ko·mén·*dar recommander*
reconocer ré·ko·no·*Sér reconnaître*
recordar ré·kor·*dar se rappeler*
recorrido m **guiado** ré·ko·*ri·do gi·a·do visite guidée*
recto/a m/f *rék·to/a droit(e)*
recuerdo m ré·*kwér·do souvenir*
red f *réd réseau*
redondo/a m/f ré·*donn·do/a rond(e)*
reembolsar ré·ém·bol·*sar rembourser*
reembolso m ré·ém·*bol·so remboursement*
referencias f pl ré·fé·rén·*Syas références*
refresco m ré·frés·ko *rafraîchissement*
refugiado/a m/f ré·fou·*Rhya·do/a réfugié(e)*
regalar ré·ga·*lar offrir (cadeau)*
regalo m ré·*ga·lo cadeau*
— **de bodas** dé *bo·das cadeau de mariage*
régimen m ré·*Rhi·mén régime*

reglas f pl *ré·glas règles*
reina f *réy·na reine*
reírse ré·ir·*sé rire*
relación f ré·la·*Syonn relation*
relajarse ré·la·*Rhar·sé se détendre*
religión f ré·li·*Rhyonn religion*
religioso/a m/f ré·li·*Rhyo·so/a religieux/ religieuse*
reliquia f ré·li·*kya relique*
reloj m ré·*loRh horloge*
— **de pulsera** dé poul·*sé·ra montre*
remo m ré·mo *rame*
remolacha f ré·mo·*la·tcha betterave*
remoto/a m/f ré·mo·*to/a éloigné(e)*
reparar ré·pa·*rar réparer*
repartir ré·par·*tir répartir*
repetir ré·pé·*tir répéter*
república f ré·pou·*bli·ka république*
requesón m ré·ké·*sonn fromage frais*
reserva f ré·*sér·ba réservation*
reservar ré·sér·*bar réserver*
resfriado m rés·fri·*a·do refroidi*
residuos m pl **tóxicos** ré·*si·*dwos *to·ksi·kos déchets toxiques*
respirar rés·pi·*rar respirer*
respuesta f rés·*pwés·ta réponse*
restaurante m rés·taou·*rann·té restaurant*
revisar ré·bi·*sar réviser*
revisor(a) m/f ré·bi·*sor/*ré·bi·*so·ra contrôleur/contrôleuse*
revista f ré·*bis·ta revue*
rey m *réy roi*
rico/a m/f *ri·ko/a riche*
riesgo m *ryés·go risque*
río m *ri·o rivière • fleuve*
ritmo m *rit·mo rythme*
robar ro·*bar voler*
roca f *ro·ka pierre*
rock m *rok rock*
rodilla f ro·*di·lya genou*
rojo/a m/f ro·*Rho/a rouge*
romántico/a m/f ro·*mann·ti·ko/a romantique*
romper romm·*pér casser*
ron m *ronn rhum*

ropa f *ro*-pa *vêtements*
— **de cama** dé *ka*-ma *draps*
— **interior** inn-té-*ryor sous-vêtements*
rosa *ro*-sa *rose*
roto/a m/f *ro*-to/a *cassé(e)*
rueda f rwé-da *roue*
rugby m *roug*-bi *rugby*
ruidoso/a m/f rwi-do-so/a *bruyant(e)*
ruinas f pl *rwi*-nas *ruines*
ruta f *rou*-ta *route*

S

sábado m *sa*-ba-do *samedi*
sábana f *sa*-ba-na *drap*
saber sa-*bér savoir*
sabroso/a m/f sa-*bro*-so/a *savoureux/savoureuse*
sacar sa-*kar sortir • prendre (photo)*
sacerdote m sa-*Sér*-do-té *prêtre*
saco m **de dormir** *sa*-ko dé dor-*mir sac de couchage*
sal f sal *sel*
sala f **de espera** *sa*-la dé és-*pé*-ra *salle d'attente*
sala f **de tránsito** *sa*-la dé *trann*-si-to *salle de transit*
salario m sa-*la*-ryo *salaire*
salchicha f sal-*tchi*-tcha *saucisse*
saldo m *sal*-do *bilan (comptable)*
salida f sa-*li*-da *sortie • départ*
salir con sa-*lir* konn *sortir avec*
salir de sa-*lir* dé *partir de*
salmón m sal-*monn saumon*
salón de belleza m sa-*lonn* dé bé-*lyé*-Sa *salon de beauté*
salsa f *sal*-sa *sauce*
— **de guindilla** dé ginn-*di*-lya *sauce pimentée*
— **de soja** dé so-Rha *sauce soja*
— **de tomate** dé to-*ma*-té *sauce tomate*
saltar sal-*tar sauter*
salud f sa-*lou santé*
salvaeslip m sal-ba-é-*slip protège-slip*
salvar sal-*bar sauver*

sandalias f pl sann-*da*-lyas *sandales*
sandía f sann-*di*-a *pastèque*
sangrar sann-*grar saigner*
sangre f sann-*gré sang*
santo/a m/f sann-to/a *saint(e)*
sarampión m sa-ramm-*pyonn rougeole*
sartén f sar-*tén poêle (à frire)*
sastre m *sas*-tré *tailleur*
sauna f *saou*-na *sauna*
secar sé-*kar sécher*
secretario/a m/f sé-kré-*ta*-ryo/a *secrétaire*
sed f sé *soif*
seda f *sé*-da *soie*
seguir sé-*gir suivre*
segundo/a m/f sé-*goun*-do/a *second(e)*
seguro m sé-*gou*-ro *assurance*
seguro/a m/f sé-*gou*-ro/a *sûr(e)*
sello m *sé*-lyo *timbre*
semáforos m pl sé-*ma*-fo-ros *feux de signalisation*
Semana f **Santa** sé-*ma*-na *sann*-ta *Semaine sainte*
sembrar sém-*brar semer*
semidirecto/a m/f sé-mi-di-*rék*-to/a *semi-direct(e)*
señal f sé-*nyal signal*
sencillo/a m/f sén-*Si*-lyo/a *simple*
(un billete) sencillo m (oun bi-*lyé*-té) sén-*Si*-lyo *(aller) simple*
sendero m sén-*dé*-ro *sentier*
senos m pl sé-nos *seins*
sensibilidad f sén-si-bi-li-*da sensibilité*
sensual sén-*swal sensuel(le)*
sentarse sén-*tar*-sé *s'asseoir*
sentimiento m sén-ti-*myén*-to *sentiment*
sentir sén-*tir sentir*
separado/a m/f sé-pa-ra-do/a *séparé(e)*
separar sé-pa-*rar séparer*
ser sér *être*
serie f sé-*ryé série*
serio/a m/f sé-ryo/a *sérieux/sérieuse*
seropositivo/a m/f sé-ro-po-si-*ti*-bo/a *séropositif/séropositive*
serpiente f sér-*pyén*-té *serpent*
servicio m sér-*bi*-Syo *service*

— militar mi·li·*tar* service militaire
servicios m pl sér·*bi*·Syos toilettes
servilleta f sér·bi·*lyé*·ta serviette
sexo m sé·kso sexe
sexy sé·ksi sexy
si si si • *oui*
sida m *si*·da sida
sidra f *si*·dra cidre
siempre syém·pré toujours
silla f *si*·lya chaise
— de ruedas dé rwé·das fauteuil roulant
sillín m si·*lyinn* selle
similar si·mi·*lar* similaire
simpático/a m/f simm·*pa*·ti·ko/a
    sympathique
sin sinn sans
— hogar o·*gar* sans abri
— plomo *plo*·mo sans plomb
sinagoga f si·na·*go*·ga synagogue
sintético/a m/f sinn·*té*·ti·ko/a
    synthétique
soborno m so·*bor*·no pot-de-vin
sobre so·bré sur
sobre m so·bré enveloppe
sobrevivir so·bré·bi·*bir* survivre
socialista m et f so·Sya·*lis*·ta socialiste
sol m sol soleil
soldado m sol·*da*·do soldat
sólo so·lo seulement
solo/a m/f so·lo/a seul(e)
soltero/a m/f sol·té·ro/a célibataire
sombra f somm·bra ombre
sombrero m somm·*bré*·ro chapeau
soñar so·*nyar* rêver
sondeo m sonn·*dé*·o sondage
sonreír sonn·ré·*ir* sourire
sopa f *so*·pa soupe
sordo/a m/f sor·do/a sourd(e)
sorpresa f sor·*pré*·sa surprise
su sou son • sa • votre
subir sou·*bir* monter
submarinismo m soub·ma·ri·*nis*·mo
    plongée
subtítulos m pl soub·*ti*·tou·los sous-titres
sucio/a m/f sou·*Syo*/a sale
sucursal f sou·kour·*sal* succursale

sudar sou·*dar* suer
suegra f swé·gra belle-mère
suegro m swé·gro beau-père
sueldo m *swél*·do salaire
suelo m swé·lo sol
suerte f swér·té chance
suficiente sou·fi·*Syén*·té suffisant
sufrir sou·*frir* souffrir
Suiza f soui·Sa Suisse
sujetador m sou·Rhé·ta·*dor* soutien-
    gorge
supermercado m sou·pér·mér·*ka*·do
    supermarché
superstición f sou·pérs·ti·*Syonn*
    superstition
sur m sour sud
surf m sobre la nieve sourf so·bré la
    nyé·bé snow-board

T

tabaco m ta·*ba*·ko tabac
tabla f **de surf** *ta*·bla dé sourf planche
    de surf
tablero m **de ajedrez** ta·*blé*·ro dé
    a·Rhé·*dréS* échiquier
tacaño/a m/f ta·*ka*·nyo/a avare
talco m *tal*·ko talc
talla f ta·lya taille (vêtements)
taller m ta·*lyér* atelier
también tamm·*byén* aussi
tampoco tamm·*po*·ko non plus
tampones m pl tamm·*po*·nés tampons
tapones m pl **para los oídos** ta·*po*·nés
    pa·ra los o·*i*·dos bouchons d'oreilles
taquilla f ta·*ki*·lya guichet
tarde tar·dé tard
tarjeta tar·*Rhé*·ta carte
— de crédito dé *kré*·di·to carte de crédit
— de embarque dé ém·*bar*·ké carte
    d'embarquement
— de teléfono dé té·*lé*·fo·no carte
    téléphonique
tarta f **nupcial** tar·ta noup·*Syal* gâteau
    de mariage

tasa f **del aeropuerto** *ta·*sa dél aé·ro·*pwér·*to *taxe d'aéroport*

taxi m *ta·*ksi *taxi*

taza f *ta·*Sa *tasse*

té m té *thé*

teatro m té·*a·*tro *théâtre*

teclado m té·*kla·*do *clavier*

técnica f *ték·*ni·ka *technique*

tela f *té·*la *toile*

tele f *té·*lé *TV*

teleférico m te·lé·*fé·*ri·ko *téléphérique*

teléfono m té·*lé·*fo·no *téléphone*

— **móvil** *mo·*bil *téléphone portable*

— **público** pou·*bli·*ko *téléphone public*

telegrama m te·lé·*gra·*ma *télégramme*

telenovela f te·lé·no·*bé·*la *série télévisée*

telescopio m te·lés·*ko·*pyo *télescope*

televisión f te·lé·bi·*syonn télévision*

temperatura f tém·pé·ra·*tou·*ra *température*

templado/a m/f tém·*pla·*do/a *tiède*

templo m *tém·*plo *temple*

temporada f tém·po·*ra·*da *saison (sport)*

temprano tém·*pra·*no *tôt*

tenedor m te·né·*dor fourchette*

tener te·*nér avoir*

— **hambre** amm·*bré avoir faim*

— **prisa** *pri·*sa *être pressé(e)*

— **sed** séS *avoir soif*

— **sueño** *swé·*nyo *avoir sommeil*

tenis m *té·*nis *tennis*

tensión f premenstrual tén·*syonn* pré·méns·*trwal syndrome prémenstruelle*

tentempié m tén·tém·*pyé encas*

tercio m *tér·*Syo *tiers*

terminar tér·mi·*nar terminer*

ternera f tér·*né·*ra *veau (viande)*

ternero m tér·*né·*ro *veau (animal)*

terremoto m te·ré·*mo·*to *tremblement de terre*

testarudo/a m/f tés·ta·*rou·*do/a *têtu(e)*

tía f *ti·*a *tante*

tiempo m *tyém·*po *temps*

a — a *tyém·*po *à temps*

a — **completo/parcial** a *tyém·*po komm·*plé·*to/par·*Syal à temps complet/ partiel*

tienda f **(de campaña)** *tyén·*da (dé kamm·*pa·*nya) *tente*

tienda f *tyén·*da *magasin*

— **de comestibles** dé ko·més·*ti·*blés *épicerie*

— **de fotografía** dé fo·to·gra·*fi·*a *photographe (boutique)*

— **de eléctrodomésticos** dé é·*lék·*tro·do·més·*ti·*kos *magasin d'appareil électroménagers*

— **de provisiones de cámping** dé pro·bi·*syo·*nés dé *kamm·*pinn *épicerie de camping*

— **de recuerdos** dé ré·*kwér·*dos *magasin de souvenirs*

— **de ropa** dé *ro·*pa *magasin de vêtements*

— **deportiva** dé·por·*ti·*ba *magasin de sport*

Tierra f *tyé·*ra *Terre*

tierra f *tyé·*ra *terre*

tiesto m *tyés·*to *pot (plante)*

tijeras f pl ti·*Rhé·*ras *ciseaux*

tímido/a m/f *ti·*mi·do/a *timide*

típico/a m/f *ti·*pi·ko/a *typique*

tipo m *ti·*po *type*

— **de cambio** dé *kamm·*byo *taux de change*

tirar ti·*rar tirer*

tiritas f pl ti·*ri·*tas *pansements*

título m *ti·*tou·lo *titre*

toalla f to·*a·*lya *serviette*

tobillo m to·*bi·*lyo *cheville*

tocar to·*kar toucher*

— **la guitarra** la gi·*ta·*ra *jouer (de la guitare)*

tocino m to·*Si·*no *lard*

todavía (no) to·da·*bi·*a (no) *(pas) encore*

todo to·do *tout*

tofú m to·*fou tofu*

tomar to·*mar prendre*

tomate m to·*ma·*té *tomate*

— **secado al sol** sé·*ka·*do al sol *tomate séchée au soleil*

tono m *to*·no *ton*
torcedura f tor·Sé·*dou*·ra *entorse*
tormenta f tor·*mén*·ta *orage*
toro m *to*·ro *taureau*
torre f *to*·ré *tour*
tos f tos *toux*
tostada f tos·*ta*·da *toast*
tostadora f tos·ta·*do*·ra *grille-pain*
trabajar tra·ba·*Rhar travailler*
trabajo m tra·*ba*·Rho *travail*
  — administrativo ad·mi·nis·tra·*ti*·bo *paperasserie*
  — de camarero/a m/f dé ka·ma·ré·ro/a *travail de serveur/serveuse*
  — de casa dé *ka*·sa *devoirs*
  — de limpieza dé limm·*pyé*·Sa *ménage*
traducir tra·dou·*Sir traduire*
traer tra·*ér apporter*
tráfico m *tra*·fi·ko *trafic*
tramposo/a m/f tramm·*po*·so/a *tricheur/tricheuse*
tranquilo/a m/f trann·*ki*·lo/a *tranquille*
tranvía m trann·*bi*·a *tramway*
a través a tra·*bés à travers*
tren m trén *train*
  — de cercanías dé Sér·ka·*ni*·as *train local*
trepar tré·*par grimper*
tres en raya trés én *ra*·ya *marelle*
triste *tris*·té *triste*
tú tou *toi*
tu tou *ton/ta*
tubo m **de escape** *tou*·bo dé és·*ka*·pé *échappement*
tumba f toum·ba *tombe*
tumbarse toum·*bar*·sé *s'allonger*
turista m et f tou·*ris*·ta *touriste*
  — operador(a) m/f o·pé·ra·*dor*/ o·pé·ra·*do*·ra *opérateur/opératrice*

U

uniforme m ou·ni·*for*·mé *uniforme*
universidad f ou·ni·bér·si·*da université*
universo m ou·ni·*bér*·so *univers*

urgente our·*Rhén*·té *urgent*
usted ous·*té vous* (sg)
útil *ou*·til *utile*
uva f *ou*·ba *raisin*
uvas f pl **pasas** *pa*·sas *raisins secs*

V

vaca f *ba*·ka *vache*
vacaciones f pl ba·ka·*Syo*·nés *vacances*
vacante ba·*kann*·té *vacant(e)*
vacío/a m/f ba·*Si*·o/a *vide*
vacuna f ba·*kou*·na *vaccination*
vagina f ba·*Rhi*·na *vagin*
vagón m **restaurante** ba·*gonn* rés·taou·*rann*·té *wagon-restaurant*
validar ba·li·*dar valider*
valiente ba·*lyén*·té *vaillant(e)*
valioso/a m/f ba·*lyo*·so/a *précieux/ précieuse*
valle m ba·*lyé vallée*
valor m ba·*lor valeur*
vaqueros m pl ba·*ké*·ros *jeans*
varios/as m/f pl ba·*ryos*/as *plusieurs*
vaso m *ba*·so *verre* (pour boire)
vegetariano/a m/f bé·Rhé·ta·*rya*·no/a *végétarien*
vela f bé·la *bougie*
velocidad f bé·lo·Si·*da vitesse*
velocímetro m bé·lo·*Si*·mé·tro *compteur de vitesse*
velódromo m bé·*lo*·dro·mo *vélodrome*
vena f *bé*·na *veine*
vendaje m bén·*da*·Rhé *bandage*
vendedor(a) m/f **de flores** bén·dé·*dor*/ bén·dé·*do*·ra dé flo·*rés fleuriste*
vender bén·*dér vendre*
venenoso/a m/f ba·bé·né·*no*·so/a *vénéneux/vénéneuse*
venir bé·*nir venir*
ventana f bén·*ta*·na *fenêtre*
ventilador m bén·ti·la·*dor ventilateur*
ver bér *voir*
verano m bé·*ra*·no *été*
verde *bér*·dé *vert*

verdulería f bér·dou·lé·*ri*·a *boutique de fruits et légumes*

verdulero/a m/f bér·dou·lé·*ro*/a *marchand(e) de fruits et légumes*

verduras f pl bér·*dou*·ras *légumes*

vestíbulo m bés·*ti*·bou·lo *vestibule*

vestido m bés·*ti*·do *robe*

vestuario m bés·*twa*·ryo *garde-robe*

vestuarios m pl bés·*twa*·ryos *vestiaires*

vez f béS *fois*

viajar bya·*Rhar voyager*

viaje m bya·Rhé *voyage*

vid f bid *vigne*

vida f *bi*·da *vie*

vidrio m *bi*·dryo *verre (matière)*

viejo/a m/f byé·Rho/a *vieux/vieille*

viento m byén·to *vent*

vinagre m bi·*na*·gré *vinaigre*

viñedo m bi·*nyé*·do *vignoble*

vino m *bi*·no *vin*

violar byo·*lar violer*

virus m *bi*·rous *virus*

visado m bi·*sa*·do *visa*

visitar bi·si·*tar visiter*

vista f *bis*·ta *vue*

vitaminas f pl bi·ta·*mi*·nas *vitamines*

víveres m pl *bi*·bé·rés *vivres*

vivir bi·*bir vivre*

vodka f *bod*·ka *vodka*

volar bo·*lar voler*

volumen m bo·*lou*·mén *volume*

volver bol·*bér revenir*

votar bo·*tar voter*

voz f boS *voix*

vuelo m **doméstico** *bwé*·lo do·*més*·ti·ko *vol intérieur*

Y

y i *et*

ya ya *déjà*

yip m yip *Jeep*

yo yo *moi*

yoga m yo·ga *yoga*

yogur m yo·*gour yaourt*

Z

zanahoria f Sa·na·o·rya *carotte*

zapatería f Sa·pa·té·*ri*·a *magasin de chaussures*

zapatos m pl Sa·*pa*·tos *chaussures*

zodíaco m So·*di*·a·ko *zodiaque*

zoológico m zo·o·*lo*·Rhi·ko *zoo*

zumo m *Sou*·mo *jus*

— **de naranja** dé na·*rann*·Rha *jus d'orange*

INDEX

256